artx
media

FSC
www.fsc.org
MIX
Papier aus verantwortungsvollen Quellen
Paper from responsible sources
FSC® C105338

Die Grauzonen, Teil I und II

Der Autor

Olivier Mantel (*1976) lebt und arbeitet in Basel; er schreibt seit seiner Jugendzeit fiktive Geschichten. Mit seiner ausufernden Fantasie und der Erfahrung aus Hobby und Arbeit kreiert er Erzählungen aus dem Phantastik-Bereich, auf den er sich seit ein paar Jahren konzentriert.
Am liebsten sind ihm dabei Dystopien, History- und Mystery-Geschichten, die in seiner Heimatregion angesiedelt sind.
Er hat im Laufe seines Lebens einen Thriller sowie mehrere Kurzgeschichten und Drehbücher geschrieben.
Olivier Mantel ist Mitglied des Vereins der Schweizer Phantastikautoren.

Olivier Mantel

Die Grauzonen

Teil I: Die Blechklinge
Teil II: Die falsche Frequenz

Romane

Bibliografische Information der Deutschen Nationalbibliothek: Die Deutsche Nationalbibliothek verzeichnet diese Publikation in der Deutschen Nationalbibliografie; detaillierte bibliografische Daten sind im Internet über dnb.dnb.de abrufbar.

Impressum

ISBN-Nr. 9783750495869

Herstellung und Verlag: BoD – Books on Demand, DE-22848 Norderstedt
Cover, Illustrationen, Satz: Patricia Bürge und Jan Räber, artx-media, Neue Straße 47, 4703 Kestenholz SO, artx-media.ch
Lektorat: Sascha Rimpl, lektorat-textflow.com

Die Unterstützung folgender Personen und Institutionen möchte ich verdanken, denn ohne sie wäre dieses Buch unter erheblich größerem Aufwand fertiggestellt worden:

- *Den Mitarbeitern des Stadtbauamts Rheinfelden für die wunderbaren alten Karten aus dem 19. Jahrhundert.*
- *Meinen kritischen Probeleserinnen und –lesern: Antonia Brancher, Simon Caviezel, Nina Egli, Nathalie Häusler-Mantel, Dominique Lüthi, Jan Räber, Laura Sieber, Dorothe Zürcher.*
- *Meinen Freunden von der artx-media, einem Multimedia-Unternehmen, das ich jedem empfehlen kann, für ihre großzügige Hilfe bei der Verwandlung eines Manuskripts in ein fertiges Buch.*

I.

Die Blechklinge

1

Die Kutsche rumpelte aus dem eingeschneiten Wald heraus, und Annette Schäfer, die in Fahrtrichtung saß, sah zum ersten Mal das Umland ihres zukünftigen Zuhauses. Sie spürte, wie Adolf das Tempo der Kutsche drosselte.

Die Räder glitten über die gefrorene Piste, knirschten, knarrten – dann kam das Gefährt endlich zum Stehen. Die vier Stuten schnaubten leise. Ansonsten schien die Welt geräuschlos wie in einem Traum.

Bis Adolf lauter als nötig von seinem Bock rief: »Rheinfelden muss irgendwo dort unten am Hügel sein, Monsieur, Madame!«. Die Erleichterung war ihm deutlich anzuhören.

Annette, aus ihrer Morgenapathie gerissen, zog die Hände aus dem Muff und zerrte vergebens am angefrorenen Fensterriegel.

Ihr Gatte Emil erhob sich von der Sitzbank gegenüber. Seine massige Gestalt brachte die Kutsche zum Schwanken. Er wankte, schlug mit dem Schädel gegen die Decke, und seine langstielige Holzpfeife, die er unbeirrt im Mundwinkel festgeklemmt hielt, kam ihm in die Quere, dennoch öffnete er sein Fenster ohne größere Probleme. Dann bugsierte er sich neben Annette, umschwirrt von dichten Rauchkringeln, und half ihr, den Riegel zu lockern.

Der Fensterrahmen löste sich mit einem Knacken; kalte Luft strömte in den Kutschenraum. Annette fröstelte, dennoch streckte sie ihren Kopf schnell in die Kälte hinaus, um ihre vom Qualm juckende Nase auszulüften.

Schräg oben vor ihr hockte Adolf bibbernd auf dem Bock und murrte laut: »Zum Glück hat Monsieurs kleine Reise ins Exil endlich ein Ende ... gottserbärmliche Kälte ... und das Ende März! Verflucht noch eins!«

Annette schluckte, dann verbesserte sie den Kutscher: »Umzug, Adolf! Ich muss doch sehr bitten.«

Es war ihr sehr unangenehm, mit ihren siebzehneinhalb Jahren einen Mann belehren zu müssen, der mehr als doppelt so alt war, der zudem seit vielen Jahren in den Diensten ihres Vaters stand und der sie bereits als Kleinkind gekannt hatte.

Adolf wandte sich ihr zu und zog die Augenbrauen über den tiefliegenden Schlitzaugen hoch. Mit seinem grobknochigen Aussehen könnte er direkt einer der Schauergeschichten entsprungen sein, die Annette so mochte.

»Exil passt besser«, bestätigte Emil in diesem Moment trocken; der Kutscher quittierte das Geständnis mit einem zustimmenden Kichern.

Annette schwieg betreten. *Das sollten wir nicht so nennen …*

Emil beugte sich aus dem Fenster, die herausragende Pfeife aus seinem Mund sah dabei wie ein Seitensporn aus. Seine blauen Augen, die Annette so mochte, begannen zu leuchten.

»Schau dir dieses Land an, *ma chère*. In dieser Gegend werden wir neu anfangen, ich verspreche es dir.« Emil streckte seinen rechten Arm aus dem Fenster, unermüdlich paffend, und schwenkte ihn über den Horizont wie jemand, der einem Besucher seinen Grundbesitz anzeigen wollte.

Annette nickte mit einem Kloß im Hals.

Sie befanden sich auf einer Hügelterrasse an den nördlichen Ausläufern des Juras. In etwa einem Kilometer westlicher Entfernung glaubte sie, ein paar kleinere Plantagen mit nackten Obstbäumen zu erkennen, die in linienförmiger Formation wie eine Perlenkette aufgereiht waren. Die Straße wand sich in sanften Kurven auf diese Gärten zu.

Sie sah Bauernhöfe, die wie Inseln in einem grauweißen Schneeozean aufragten; mancherorts verschwanden Teile der Gebäude hinter der Horizontlinie. Irgendwo unterhalb dieser lag der Rhein.

Die Stadt selber war noch nicht zu sehen.

»Mir gefällt's in Brugg besser«, maulte Annette leise und schlüpfte mit ihren Händen schlotternd in den Muff zurück.

Emil gluckste, sodass die Pfeife hüpfte. Er schob sich seinen Robinsonhut auf dem pomadisierten Haar zurecht, kratzte sich an seinem Schnauzer und meinte augenzwinkernd: »Ist immer schön, die Zuversicht meiner Gattin zu spüren.«

»Verzeih, aber es war ein schreckliches Jahr, in jeder Beziehung.«

»Verzeihung von *mir,* Madame, Monsieur, aber können wir?«, protestierte Adolf. »Meine Füße sind schon fast schwarz vor Käl… Pferdekacke, was ist denn das dort?«

»Adolf, bitte keine Fluchworte«, tadelte Annette, den Hals nach ihm reckend – und kam sich abermals blöd vor.

»Wartet, Madame! Seht dort, etwa einen Kilometer vor uns!«, ereiferte sich Adolf auf einmal. Er erhob sich von seinem Bock, sah dabei aus wie ein archaischer Medizinmann in einem Fellgewand, und deutete in die Fahrtrichtung.

Emil und Annette streckten beinahe gleichzeitig die Oberkörper aus der Kutsche.

Annette stierte angestrengt, beugte sich immer weiter aus dem Fenster, obschon sie fror. Sie erkannte ein paar Gestalten, die in einiger Entfernung über einen Acker huschten. Sonst gab es da nur Schemen, Schlieren und Schatten, alles mehr oder minder eintönig.

Hier gibt's nichts als Schnee, dachte sie und klapperte mit den Zähnen.

Emil hatte die Pfeife aus dem Mund genommen. Er wirkte nun ebenfalls aufgeregt. »Ist das etwa ein Armeewagen? Dort, beim Bauernhof?«

»Könnte eine ganze Kolonne sein. Schwer zu sehen«, erwiderte Adolf. »Hinter dem Hof gibt's wohl eine Kurve, deshalb sind sie kaum erkennbar. Ich glaube, das könnte …«

»Sind es nun Armeewagen?«, drängte Emil.

»Meint Ihr, es könnte der Russenweizen sein?«

»Was redet ihr da?«, fragte Annette genervt. »Ich will endlich weiter, bitte mach mein Fenster zu!«

»Vorwärts, Adolf. Finden wir es raus!«, rief Emil und lachte, dann zog er Annettes Fenster zu. Dabei brabbelte er: »Zum Donnerwetter! Der Russenweizen! Das wäre ein spannender Zufall.«

Adolf befahl laut: »Ho!«

Das Zuggeschirr rasselte, und die Kutsche rollte im Schritttempo an.

Von ihrem Platz aus sah Annette nun weitere entfernte Gestalten, die von ihren Höfen her wie die Fliegen auf die ominöse Kolonne vor ihnen zustrebten.

Ach ja, stimmt … Vater und Bruder, die journaux, alle haben davon gesprochen, fiel Annette auf einmal ein.

1816, das Vorjahr, war von den Gazetten als »Jahr ohne Sommer« betitelt worden, weil die Temperaturen ganzjährig und aus unbekannten Gründen kaum aus dem Frostbereich herausgeklettert waren – selbst in der warmen Jahreszeit. Das Getreide auf den Äckern war durch den eisigen Regen verfault, wobei nicht nur die Schweiz, sondern offenbar ganz Westeuropa und sogar das große Nordamerika davon betroffen war.

Einige Leute und die Pfaffen proklamierten, dies sei die Strafe Gottes für die schändliche Zeit unter Napoleonischer Herrschaft. Gelehrte hingegen mutmaßten, die Ursache könnten Strahlen aus dem All oder ein Miasma sein, das auf Wetter und Pflanzen einwirke. Andere gaben den Juden, den Zigeunern, den Katholiken oder den Ehebrechern die Schuld.

Annette wusste nicht, wem sie Glauben schenken sollte, aber irgendwie bedeutete ihr diese Frage auch nicht viel. Das lag wohl daran, dass sowohl ihre als auch Emils Familie bei Weitem nicht so hart von den Auswirkungen betroffen waren wie die meisten anderen Leute.

Ihre beiden Väter waren Geschäftsleute, die ihr jeweiliges Vermögen in den wirtschaftsliberalen Zeiten der französischen Hegemonie erlangt hatten. Ihre Karrieren ähnelten sich stark; sie hatten als bescheidene Kleinhändler angefangen und waren in kurzer Zeit in die oberen Kreise der Gesellschaft aufgestiegen.

Weder Annette noch Emil hatten je etwas anderes kennengelernt als großbürgerliche Wohnhäuser, eine Schar Diener, eine Bildung, von der ihre Großeltern noch keinen Begriff gehabt hatten, und eine nahezu bedingungslose elterliche Begeisterung für alles Französische. Was sie nicht kannten, war Mangel.

Die Zustände der letzten anderthalb Jahre erfuhr Annette durch Tisch- und Salongespräche oder gelegentliche Zeitungsartikel: ganze Weiler, die der Hunger entvölkert hatte; Felder, die von Soldaten bewacht werden mussten; Menschen, die auswanderten oder dazu von ihren Herren genötigt wurden.

Nach der Bekanntgabe ihrer Verlobung mit Emil, was Annette durchaus erbaute, während des anschließenden großzügigen Frühstücks, erhaschte sie ein Tischgespräch zwischen ihrem älteren Bruder, ihrem Vater und Emils Onkel. Die drei Männer beredeten voller Elan die neusten hoffnungsvollen Nachrichten: Zar Alexander I., Herr über das Russische Reich, Sieger über Napoleon und die *Grande Armée,* Protektor der Heiligen Allianz, die nun über Europas Restauration wachte, und nicht zuletzt ein bekennender Bewunderer der Schweiz, hatte sich zu einer humanen Geste entschlossen. Sein Riesenreich, durch Gottes Gnade vom verhängnisvollen Frost verschont geblieben, würde den hungernden Schweizern beachtliche Lieferungen an Weizen und anderem Getreide unentgeltlich überlassen.

Nach Wochen der zähen Verhandlungen zwischen den eidgenössischen Ständen, wer wann wie viel erhalten solle, gaben die öffentlichen Ausrufer in Brugg den Lieferungszeitraum für den Stand Aargau bekannt.

Annette hatte diese viel beachtete Ankündigung nur hintergründig mitbekommen, weil … nun, genau an diesem Tag Emil fristlos entlassen wurde …

Annette fröstelte es plötzlich stärker. Sie schob es auf Emils offenes Fenster.

Ihr Gatte gaffte unentwegt in die Fahrtrichtung, bisweilen durch ein Grinsen unterbrochen, das er Annette zuwarf. Sein Halstuch flatterte im Wind und klatschte gegen den Fensterrahmen, als ob es die Stuten antreiben wolle.

Aus der diesigen Landschaft konnten sie nun erste Rufe, gedämpfte Kommandos und Jubelbekundungen vernehmen.

In der Einfahrt zum schlicht wirkenden Gehöft mit seinen brachen Beeten stand ein Bauernfuhrwerk, dessen Lenker angehalten hatte und unbeweglich auf seinem grob geschreinerten Holzbock saß.

»Haste die gesehen? Haste sie gesehen?«, rief er Adolf in einem Tonfall zu, als sei ihm Jesus Christus persönlich über den Weg gelaufen.

Als Adolf die Kurve befuhr und damit der Hügelrücken endlich überschaubar wurde, tauchte zu Emils Entzückung eine Schlange militärischer Planwagen auf, die Hunderte von Meter hinunter bis zum südöstlichen Tor Rheinfeldens langte.

Annette war vor allem von dem urplötzlich angeschwollenen Lärmpegel überwältigt: Stimmen, Rufe, Pferdewiehern und Wagenrumpeln. Es wimmelte von geschäftigen Soldaten und bedürftigen Einheimischen. Diese lungerten zwischen der Straße und einem Bach herum, der links der Piste den Hügelrücken in die Tiefebene bis zu den Stadtmauern hinunterfloss.

»Infanterie und einige Trainsoldaten, vielleicht zwei Züge«, stellte Emil fest. »Annette, schau dir diese Karawane an!«

»Ja … sind das jetzt wirklich die Weizenbringer?«, fragte Annette mit erwachter, geradezu kindlicher Neugier. *Auch wenn die Nahrungsmittel von den unsäglichen Russen kommen,* ergänzte sie für sich. Trotz der Kälte konnte Annette nicht mehr anders, als Emil erneut um die Öffnung ihres Fensters zu bitten.

Von Truppenparaden in Aarau her, wo sie mit ihren Eltern dreimal als Zaungast zugegen gewesen war, und durch die Einberufung ihres älteren Bruders kannte sie die ständischen Militäruniformen gut: Die Aargauer Infanteristen trugen hellblaue Uniformröcke mit zwei Reihen weißer Knöpfe, die Trainsoldaten hingegen dunkelblauen Stoff mit gelben Knöpfen.

Die Soldaten hier hatten allerdings, kältebedingt, ihre grauen Kaputen übergestreift, dank denen die zugehörige Waffengattung nur an den Hosen, an den verschiedenfarbigen wippenden Pompons auf den Tschakos und an den unterschiedlichen

Fellmustern ihrer Kalbsledertornister erkennbar war. Die Ordonnanzflinten hatten sie über die Schultern gehängt. Die Waffen klackten bei jeder Körperbewegung, weil die meisten der jungen Männer im kalten Wind zitterten. Die Füsiliere etwas weiter vorne warteten neben den unendlich langsam vorwärts kriechenden Wagen oder trotteten müde mit. Andere tratschten miteinander, verputzten einen Wegverzehr, schmauchten Tabak. Ein paar Soldaten spielten sogar im Gehen Karten. So zog sich die Kolonne aus Übermänteln und Planwagen wie eine ausgerollte Hanfschnur nach Rheinfelden hin, Grauweiß auf Braunweiß, bis hin zu einem breiten Platz aus gestampfter Erde, wo die Wagen sich vor dem städtischen Zollhaus sammelten.

Die Nachhut hingegen hielt das Publikum in Schach, einen bunt zusammengewürfelten Haufen dürrer Männer, verhärmter Frauen und magerer Kinder in zerschlissenen Kleidern, die alle von den Höfen der Umgebung herbeigeeilt waren.

»Zurück, Strauchdieb! Wart' wie alle anderen, oder ich ersäuf dich im Bach!«, hörte Annette einen Soldaten rufen, als er eine kleine zappelnde Gestalt von der Heckklappe des zweitletzten Wagens herunterzog, die sich offensichtlich an dem Weizen bedienen wollte. Der magere Bub kreischte protestierend, als der Soldat ihn zu den anderen Zuschauern zurücktrug, die die Szene müde beobachteten.

Die hintersten Soldaten drehten sich nun zu der Kutsche um. Einer der Füsiliere rief: »Anhalten, Kutscher! Die Lebensmittellieferung zuerst!«

Annette tat der Junge leid; sie wollte sich gerade zu einem Tadel an den Soldaten durchringen, da drehte Emil ihr den Kopf zu, seinen Robinsonhut im Luftzug festhaltend, und meinte überlaut: »Man kann von diesem Zaren halten, was man will, aber zur Abwechslung macht er mal was Anständiges. Und ich hoffe, sie geben den Kindern bald etwas von dieser russischen Gabe.«

Der Soldatentrupp schwieg dazu, aber Annette lächelte Emil an. *Er hat meine Gedanken erraten!*

Emil fuhr fort: »Und wir können nicht warten, die Herren. Unsere Ankunft wird in der Stadt dringlich erwartet.«

Da zog Adolf seinen Schal herunter, spuckte aus und brummelte: »Ich fürchte, Herr Doktor, jetzt wird's interessant.«

Einen Wimpernschlag später sah das Ehepaar zwei Männer aus unterschiedlichen Richtungen auf sich zumarschieren, denen die umstehenden Soldaten unterwürfig Platz machten.

Den einen wiesen die aufgenähten Dienstgradabzeichen als Leutnant aus, der unter einem struppigen schwarzen Bart ein wohlgeformtes Gesicht besaß. Der Tschako wurde ihm von einer Bö fast weggeweht, er verhinderte dies gerade noch so mit einer flinken Handbewegung und behielt dabei seinen bedächtigen Gang bei.

Der andere war ein untersetzter Zivilist in einem gefütterten Fellmantel und mit einer Schärpe in den aargauischen Standesfarben, der schwer schnaufend hinter den Planwagen hervortrottete.

Die beiden gingen über die gefrorenen Erdschollen, die von den zahlreichen Fuhrwerken aus der Straße gebrochen worden waren. Sie nickten einander zu. Dann ließ der Zivilist dem Leutnant den Vortritt.

Emil nahm den für ihn typischen selbstgefälligen, aber höflichen Gesichtsausdruck an, verschränkte seine Arme auf der Fensterkante und stützte sich darauf ab.

An ihrem Fenster machte Annette es ihm nach, wobei sie ihre Hände im Muff behielt. Absurderweise erinnerte sich ihr Magen ausgerechnet jetzt daran, dass sie seit sechs Uhr in der Früh nichts mehr gegessen hatte. Ein lautes Knurren ertönte genau in dem Augenblick, als der Leutnant vor die Kutsche trat. *Wie unpassend,* dachte sie und spürte, wie sie unter ihren Achseln zu schwitzen begann. Sie vermied es, den Mann während seiner Begrüßung anzusehen, auch weil er sie länger musterte, als die Etikette vorsah.

»Gott zum Gruß!«, wandte sich der Leutnant an Emil. »Ich bitte um Verzeihung, gnädiger Herr, aber die Armee ist in offizieller Mission unterwegs. Ihr werdet wohl hier ...« Er unterbrach kurz, weil der Mann mit der Amtsschärpe neben ihn watschelte, wartete offenbar ab, ob der etwas äußern wollte, und fuhr nach einigen Sekunden fort: »Ihr werdet zu meinem Bedauern vorerst warten müssen, bis die Formalitäten mit der Stadt erledigt sind. Die Hilfslieferungen seiner Gnaden, des Zaren Alexander I., sind streng portioniert, und jeder will mehr davon, als dass ihm zusteht.«

»Kontingentiert«, verbesserte der Würdenträger im Mantel mit kehliger Stimme. Seine eng beieinanderliegenden Schweinsäuglein hinter der zierlichen versilberten Brille begutachteten Emil eindringlich. Schließlich meinte er: »Wir brühen Euch, der Dame und Eurem Kutscher gerne einen Kaffee, um die Wartezeit zu versüßen. Für fünf Kreuzer pro Kopf verkaufen wir Euch bei Bedarf auch eine zünftige Portion Trockenfleisch und Schwarzbrot als Zwischenverpflegung, junger Herr.«

Annette mutmaßte anhand seiner Haltung und seines Gesichtsausdrucks, er würde Emil den angebotenen Kaffee persönlich ins Gesicht schütten, sollte dieser es wagen, nur einen Meter weiterfahren zu lassen. Sie spürte aufkommendes Unheil. Rasch sagte sie: »Wir haben Verständnis für Eure Mission, Herr Leutnant! Und es freut mich«, meinte sie, an den Beamten gewandt, »auch Eure Bekanntschaft zu machen! Ich nehme an, Euch obliegt hier die Verantwortung?«

Die Schweinsäuglein wanderten zu ihr; der Blick wurde – zu Annettes Erleichterung – etwas wohlwollender. Dann antwortete der Beamte: »In der Tat, meine Gnädigste! Meine Bescheidenheit ist Eduard Küng, ursprünglich aus Beinwil. Ich diene dem Ministerium für Innere Angelegenheiten in Aarau und habe die noble Aufgabe erhalten, die Verteilung des Weizenkontingents für das Fricktal zu übernehmen. Stammt Ihr aus Rheinfelden, Gnädigste?«

Emil murrte etwas, was Annette nicht verstand, aber sie konnte seiner Miene entnehmen, dass er dem dicklichen Mann im Pelzmantel am liebsten einen Fausthieb verpassen wollte. Er zupfte sich räuspernd am Schnauzer, um ein paar Sekunden und etwas Selbstbeherrschung zu gewinnen.

»Ich bin Doktor Emil Schäfer aus Brugg, und das hier ist meine Frau Gemahlin. Ich werde dringend erwartet, um für das Rheinfelder Spital eine Pendenz zu erledigen. In meiner Reisetasche findet sich eine persönliche Einladung des Rheinfelder Kleinrats Hans Georg Kalenbach, ein Geschäftsfreund des Vaters meiner Gattin, der mir die Stelle vermittelt hat. Außerdem Vertragsdokumente, unterzeichnet von Gustav Rudolf Schumppelin, seines Zeichens Direktor des Rheinfelder Spitals. Diesen Dokumenten liegt auch eine gebührenpflichtige Niederlassungsbewilligung bei, was für einen protestantischen Mediziner ein sicherer Beweis ist, dass er in dieser Stadt dringendst benötigt wird.«

»Ich kenne weder den einen noch den anderen von Euch Erwähnten. Wer ist denn Euer Vater, Gnädigste?«, fragte Küng anscheinend ungerührt.

Emil kam Annette mit erhobener Stimme zuvor: »Ihr Vater ist Wilhelm Josef Lutz, der bekannte Manufakturist für Bändel und Stoffballen, bedeutender Exporteur für den Großherzog von Baden, Teilhaber an diversen Unternehmen, so auch an der Manufaktur meiner Familie.«

»Ein geläufiger Name und ein wichtiger Aargauer Geschäftsmann«, bestätigte der Leutnant.

Küng nickte wissend. Sein Mund verzog sich zu einem feinen Lächeln. Hinter ihm murmelten die Soldaten.

Emil fixierte den Beamten mit verkniffener Miene. »Ich insistiere also auf raschen Durchlass und beantrage, dass meine Kutsche an Euren Wagen vorbeifahren kann. Ich versichere Euch, dass wir von den Wagen wegbleiben werden, damit Ihr, werter Herr Leutnant, betreffend Euren Befehlen nicht in Verlegenheit geratet.«

Küng grinste kopfschüttelnd. Dann zeigte er Richtung Zollhaus. »Die Abfertigung des Rheinfelder Kontingents liegt in den Händen der örtlichen Polizei, nicht in den meinigen, bedaure. Das Land leidet schließlich an Hunger, nicht wahr?«

»Verzeiht, Herr Standbeamter Küng, die Herrschaften könnten doch an eines der anderen Tore fahren«, meldete sich der Leutnant zögernd zu Wort, Annette dabei betrachtend. Sein Blick war während des Disputs mehrere Male wie zufällig über sie gestreift, hatte kurz auf ihrem Gesicht verharrt, aber auch auf der Stelle, wo sich ihr Busen unter dem Pelzmantel wölbte.

Annette schätzte die Lage sofort entsprechend ein. *Vielleicht kann ich mehr bewegen als gedacht,* kam sie zum Schluss und lächelte dem Offizier zuckersüß zu, was ihn offensichtlich aus der Fassung brachte.

»Die Gnädigste … ähm … scheint zu frieren«, haspelte er, und das Rot schoss ihm ins Gesicht.

Küng riss die Augen auf, wirkte überrascht. »Was redet Ihr da, Leutnant? Der Zugang über die restlichen Tore wollte die Polizei gerade für unseren Konvoi freigeben, um die Abfertigung zu beschleunigen. Und nun tretet zurück! Ich werde hier übernehmen.«

Der junge Leutnant wandte sich geschlagen ab und trottete zu seinen Soldaten zurück, die das Schauspiel mit Interesse verfolgt hatten. Sie sprachen kein Wort miteinander, fiel Annette auf. Sie standen nur da wie eine Wand aus Fleisch und Schurwolle und stießen mit jedem Atemzug kleine Wölkchen aus.

»Dann wird sich vielleicht eine andere Lösung finden lassen, Herr Standbeamter Küng?«, schlug Emil mit gedämpfter Stimme vor. »Ich hätte einen Vorschlag unter vier Augen zu besprechen. Wenn Ihr Euch kurz in die Kutsche bemühen würdet?«

Küng trat näher an die Kutsche heran. Seine Sehgläser waren verschmiert, aber Annette sah die Schweinsäuglein dahinter leuchten. »Es gibt vorab Dinge zu klären, Herr Doktor Schäfer. Aus persönlichem Interesse: Seid Ihr mit diesem Julius Schäfer aus Brugg verwandt? Der mit seinem Bruder eine Metallwaren-Manufaktur führt … Verzeihung, geführt hat?«

»Tut das etwas zur Sache, Herr Standbeamter Küng?«, keifte Annette dazwischen. Sogleich schämte sie sich für ihre wilde Reaktion. Manchmal konnte sie sich einfach nicht beherrschen; als

Kind hatte sie sich die eine oder andere Ohrfeige für ihr loses Mundwerk eingefangen.

Emil zischte sofort: »Sei still, Weib!« Dann lehnte er sich aus dem Kutschenfenster und fragte eisig: »Ihr kennt meinen Onkel? Wie schön.«

»Wie die Aarauer Justiz annimmt, Herr Doktor, ist er ein Kriegsgewinnler, Ihr Onkel. Ein schamloser Profiteur während der Franzosenzeit.«

»Ein abgekartetes Spiel von Konkurrenten, die meinem Onkel und meinem Vater den Erfolg ihrer Metallwaren-Manufaktur geneidet haben! Die Indizien sind geradezu lächerlich, das wird Euch jeder Rechtsverständige bestätigen können.«

»Und dennoch wurden genügend davon vorgelegt, sodass der feine Herr Schäfer ins Verlies gewandert ist. Als finaler Beweis sollen die Beamten ein belastendes Geschäftsbuch gefunden haben, nicht wahr? Angeblich wollte Euer Onkel es während der polizeilichen Durchsuchung in seinem Abort verschwinden lassen.«

Hinter ihm lachten einige Soldaten.

Emil hielt den Mund geschlossen, aber seine Lippen zitterten, und seine Hände ballten sich zu Fäusten. Sein Nacken färbte sich puterrot. Annette kannte das als ein untrügliches Signal seines Zorns.

»Nun, er ist ja nicht der Einzige in Eurer Familie, der in Verruf geraten ist«, fuhr Küng mit einem schärferen Ton fort. »Wie man in den Gazetten liest, habt Ihr Euch auch wacker geschlagen – wortwörtlich.«

Wehr dich doch, dachte Annette auf einmal in einem merkwürdigen Anfall von bitterer Enttäuschung, für den sie sich sofort schämte.

»In Königsfelden, in der Klinik, nicht? Die Blätter sagen, Ihr hättet Eurem vorgesetzten Arzt den Kiefer gebrochen. Oder war's die Nase? Kein Wunder, dass Ihr einen Fürsprecher braucht, um eine neue Stelle zu finden. Kein Wunder, dass Ihr für diese Stelle an die Peripherie des Standes reisen müsst.«

Emils Zähne knirschten.

»Darf ich fragen, wieso Ihr es getan habt?«, hakte Küng süffisant nach. Plötzlich gefror seine Visage, seine Stirn runzelte sich. Dann fragte er nach: »Doch nicht wegen Eurer reizenden Gattin? Hat der Wüstling etwa …?«

»Ich muss mir diese Beleidigungen und Verleumdungen nicht länger anhören!«, rief Annette viel lauter als beabsichtigt, während sie ruckartig aufstand.

»Annette, bleib hier!«, sagte Emil perplex und streckte ihr die Handfläche entgegen. Sie drückte den Arm zur Seite, was zu ihrer Verblüffung fast ohne Widerstand gelang.

Während Emil daraufhin nicht wusste, wo er hinblicken soll, beobachtete Küng dagegen aufmerksam, wie Annette zur Tür hinaustrat. Auf dem Trittbrett der Kutsche hatte sich ein dünner Eisfilm gebildet, auf dem sie glatt ausrutschte. Gerade noch so konnte sie sich am Türblatt festhalten und reflexartig nach der hervorschießenden Hand des Standbeamten greifen. Sie lächelte verkrampft, während die zuschauenden Soldaten raunten.

»Danke«, flüsterte sie verlegen und froher, als sie zugeben würde, als Küng sie wie bei einer Tanzeröffnung haltend vom Trittbrett führte.

Der Beamte erläuterte: »Ich erlaube Euch, Eure Beine zu vertreten, aber Ihr bleibt an der Böschung. Kommt den Planwagen zu nahe, und ich lass Euch verhaften!« Dann ließ er Annette los.

»Ihr seid nicht ganz so bösartig, wie Ihr Euch gebt«, murmelte Emil mit einem vieldeutigen Seitenblick zu Annette. »Vielleicht beleidigt Ihr mich nun in meiner Kutsche weiter. Was meint Ihr?«

Annette schritt rasch davon, so gut es ging. Irgendwohin, nur ein paar Meter Bewegung für etwas Ruhe. Eine gnädige Windbö blies an ihren Ohren vorbei, überdeckte die weitere Diskussion in ihrem Rücken. In ihren Fellstiefeln, einem teuren Geschenk der Mutter, tastete sie sich am Böschungsrand zwischen den wenigen Bauersleuten hindurch, die nicht bereits hastig Richtung Rheinfelden aufgebrochen waren. Ihr Spaziergang wurde von den Soldaten aufmerksam beobachtet; sie spürte deren Blicke genau und versuchte, sie trotz ihres mulmigen Gefühls zu ignorieren.

Links von ihr gurgelte der Bach, rechts auf der Straße fluchten die Trainsoldaten auf den Wagenböcken, weil ihre Karren auf der gefrorenen Piste zu rutschen drohten. Die Bremsklötze der Fuhrwerke quietschten über die Räderfelgen. Wiehernde Pferde, Schimpf- oder beruhigende Worte und knarrendes Wagenholz vermengten sich mit dem Windgeheul.

Sie roch den dampfenden Pferdekot, Tabakrauch und die Männer. Annettes Nase begann zu laufen. Sie blieb stehen, zog eine Hand aus dem Muff und fingerte ihr Taschentuch aus der Rocktasche. Während sie sich schnäuzte, betrachtete sie den Bach, dann sah sie zum großen Platz hinüber, der noch etwa hundert Meter weiter nordwärts vor ihr lag.

Sie erkannte in der zugeschneiten Landschaft, dass sich dort zwei Überlandstraßen kreuzten. Am Ostende stand das Zollhaus auf einer kleinen Erhebung; die sich davor befindenden städtischen Zoll- und Polizeibeamten, gekleidet mit roten Übermänteln, hoben sich deutlich von den Soldaten ab. Die straffe Fuhrwerkkolonne hatte sich aufgelöst: Wagen waren ausgeschert, Männer in Grau standen um sie herum und gestikulierten. Die Mehrheit bildete jedoch eine Schützenreihe und schirmte die Fuhre gegen zudringliche Zivilisten ab. Zollbeamte kraxelten währenddessen auf den Karren herum und inspizierten den Inhalt. Am Nordende des Platzes befand sich zudem ein großes doppelstöckiges Haus, zweifellos eine Herberge. Davor hatte sich eine dichte Menschentraube versammelt, die sehr unruhig wirkte.

In der kurzen Zeit, in der Annette gebannt das Treiben beobachtete, musste der Kordon der Infanteristen zweimal Vorstöße von diesen, mit den Armen fuchtelnden Gestalten zurückdrängen; einige Wortfetzen des Streits, der dort unten ausgetragen wurde, drangen sogar bis zu ihrer Position rauf. Dann zwangen ihre kalten Beine sie, sich wieder etwas zu bewegen.

So tappte sie einige Schritte durch den wadenhohen Schnee, fühlend, wie ihr die Röte vor Anstrengung in die Wangen schoss. Sie begann am ganzen Körper zu frieren, zudem knurrte ihr Magen erneut. Eine Bö war aufgetreten und zog an ihrer gefütterten Schute. Die Tränen liefen ihre Wangen hinunter.

»Ihr dürft Euch nicht den Wagen nähern! Bitte geht fort!«, befahl eine raue Stimme.

Annette, die sich ganz auf ihre Füße konzentriert hatte, schreckte auf. Tatsächlich hatte sie ihre Schritte unbeabsichtigt vom Böschungsrand weggelenkt. Der Trainsoldat auf dem Bock des Planwagens neben ihr, ein schmutziger Mann mit einem verfilzten Schnauzer, hatte sich zu ihr gedreht, sodass sein roter Pompon auf dem Tschako wippte. Noch während er sie fixierte, forderte er seine Rosse mit einem Zungenschnalzen zum Weitertraben auf.

Annette blieb wie erstarrt stehen, dabei überkam sie die Angst, dass er unverhofft runterspringen und sie arrestieren würde. Sie nickte heftig, wich einen Schritt zur Seite, beschloss dann, dass der Zeitpunkt für die Rückkehr in die Kutsche gekommen war.

Sie fragte sich, ob es Emil gelungen war, die übliche »Überzeugungs-arbeit« mithilfe seiner Geldbörse zu leisten. Einen Moment lang fürchtete sie die Konsequenzen, falls Küng dafür nicht empfänglich sein würde: Sie stellte sich vor, wie man ihren Gatten in Handschellen aus der Kutsche bugsierte und Adolf mit gezückten Flinten in Schach hielt. Energisch drehte sie sich um.

Statt auf die Kutsche und die Soldaten hangaufwärts guckte sie ihrem Spiegelbild in die Augen.

Annette schrie überrascht auf, sodass der Trainsoldat auf dem nächsten Karren, der ihr entgegenkam, vor Schreck an den Zügeln zerrte und seine zotteligen Pferde zum Aufbäumen brachte. Sofort sprach der Mann halb fluchend, halb beruhigend auf die Tiere ein. Die eine Hand krampfte sich um die Zügel, die andere hatte er zur Faust geschlossen, mit der er vorwurfsvoll Richtung Annette fuchtelte.

Annettes Herz pochte wie verrückt. *Ein Spiegel! Jemand hält mir einen Spiegel hin. Wie … wer …?*

Irgendein Scherzbold hatte zwei Meter hinter ihrem Rücken unbemerkt einen eingerahmten Wandspiegel in die Schneewehen gesteckt. Ihr Spiegelbild betrachtete sie aus dem mit Schlammspritzern verschmierten Glas.

Ich muss mich unbedingt frisch machen, war Annettes zweiter Gedanke, als sie den ersten verarbeitet hatte. Sie hatte Augenringe, und ihr feines Gesicht wirkte müde; ihr braunes Haar wellte unter der Haube hervor. Sie war für ihre jungen Jahre eine frauliche Erscheinung: ein breites Becken, ein Kugelbäuchlein und ein üppiger Busen, der mehr als einem Mann die Sprache verschlagen oder gar die Manieren hatte vergessen lassen, wenn er in ein schönes Dekolleté verpackt war. Sie empfand ihre Arme als zu speckig und die Beine zu voluminös, fast bäuerisch. Mit ihrem Teint und ihrem Gesicht konnte sie sich gerade so anfreunden, weil sie von allen Seiten gelobt wurden.

Sie kam nach ihrer Mutter. Diese war eine zum Protestantismus konvertierte Halbitalienerin aus Zürich, rundlich, mit schwarzem Haar und tiefbraunen Augen in einem sanften Gesicht. Was ihre Mutter aber zu einer Schönheit machte, das waren die feinen Gesichtszüge mit den hohen Wangenknochen und ihre an Annette weitervererbten dezent rötlichen Lippen. Und diese südländisch anmutende bronzene Hautfarbe, die bei Annette ins Cremige überging. Emil war jedenfalls verrückt nach ihrer weichen Haut, so behauptete er und verhielt er sich.

Lautes Gelächter der Soldaten unterbrach ihre Gedanken. Ihre klammen Finger schmerzten in ihrem Muff, ihre Zehen fühlten sich wie betäubt an.

Aus den Augenwinkeln sah sie den Trainsoldaten, der ihretwegen erschrocken war. Nun lachte er derart amüsiert, dass sein ganzer Körper und mit ihm der Karrenbock zitterte.

Ein junger Füsilier mit einem Strubbelbart und einer von der Kälte rot leuchtenden Stupsnase, nicht viel älter als Annette, der hastig aus dem Innern des Planwagens zum Wagenführer herausgeklettert kam, sah dagegen unglücklich aus und rief: »Leg den Spiegel in den verdammten Wagen zurück, Franz! Der gehört mir!«

Als Entgegnung ertönte hinter dem Spiegel eine Stimme wie aus einer Märchenwelt, wohltönend, kräftig und voller Pathos: »Hab ich es nach Euren Wünschen vollzogen, das Ritual, oh meine schöne Gräfin? Darf ich vortreten, Elfenkönigin des Reichs dieser Hügel und Landschaften?«

»He Männer, kommt her, der hässliche Teufel spielt wieder Komödie!«, rief der Trainsoldat und hielt mit seinem kräftigen Arm den jungen Füsilier davon ab, vom Bock zu springen.

Fast alle Infanteristen, die in der Nachhut aufgestellt waren, folgten seiner Ansage. Wie zu einer Volksrede dackelten sie heran und bildeten zusammen mit einigen Bauern eine Zuschauerfront.

Annette hörte einen Bauer fassungslos rufen: »Gott im Himmel! Kann das der Brogli sein?«

Sie wusste nicht, was sie sagen sollte und starrte verunsichert auf ihr Spiegelbild, sich selbst beim Erröten zusehend. Dann nahm sie mit einem Mal die Finger wahr, die den Rahmen von hinten umschlossen und die mit ihren langen Nägeln eher Krallen glichen.

Es waren sieben an der Zahl. Annette konnte einen Stumpf an der rechten Hand ausmachen, wo eigentlich der Ringfinger sein müsste, und zwei weitere an der linken, wo sich einst Zeige- und Ringfinger befunden hatten.

»Franz, mein Spiegel!«, mahnte der junge Soldat mit der Stupsnase.

Annette bewahrte Haltung, wie es ihre Erziehung verlangte, aber ihr Herz trommelte in ihrer Brust. Die heranströmende Menge hatte sich halbkreisförmig um sie und den Kerl hinter dem Spiegel gescharrt. Annette fand die Situation zunehmend unheimlich. *Wie Daniel in der Löwengrube,* fuhr es ihr durch den Kopf.

Da ließen die Krallenhände den Rahmen los. Der Spiegel

knarrte im Schnee, als er zwei Herzschläge lang auf seiner Breitseite balancierte. Dann fiel er glasvoran auf die verschneite Böschung und ausgerechnet auf eine Stelle, wo ein kleiner Findling aus der Schneedecke ragte. Das Glas zerbrach mit einem scherbelnden Knirschen, das Annette zusammenzucken ließ.

Die Mehrheit der Soldaten applaudierte wie bei einem gelungenen Kunststück. Ein paar verzogen abergläubisch ihre Gesichter oder bekreuzigten sich.

Der junge Füsilier mit der roten Stupsnase sah aus, als stünde er vor seinem frisch abgebrannten Haus. Er keifte mit überschlagender Stimme: »He, du Hohlkopf, ich hab dir doch gesagt, dass … Das Ding war ein Plundergut, das hätte mir ein Dutzend Batzen gebracht, vielleicht sogar einen Gulden. Der wäre für meine Mutter gewesen!«

»Das Ding war wertlos, Hochuli!«, prustete ein älterer Korporal, der amüsiert zugesehen und dabei unaufhörlich eines der Zugpferde getätschelt hatte.

Ein Zank brach aus, für dessen weiteren Verlauf Annette freilich keine Aufmerksamkeit übrig hatte. Sie fixierte das Wesen, das der umgefallene Spiegel enthüllt hatte. Diese erschütternde Kreatur war ein Mann, der aussah, als sei er vom Höllenschlund nach einem langen Aufenthalt in Satans Folterkammer wieder ausgespuckt worden, um ein Leben als Groteske zu führen.

Er war von mittlerer Größe, sehnig, mit dem Ansatz eines Buckels, von unschätzbarem Alter. Seine Arme wirkten überproportional lang für seinen Körper, als habe eine Streckbank sie in die Länge gezogen wie einen Kautschukstreifen.

Neben den fehlenden Fingern hatte sein Körper auch sonst an Fleisch eingebüßt: An seiner rechten Schädelseite befand sich nur noch der rohe Ohrenkanal – die Muschel fehlte fast gänzlich. Verknorpelte Ränder ließen den Eindruck entstehen, als sei das Ohr durchs Höllenfeuer weggeschmolzen worden.

Sein Gesicht war eine faszinierend-schauerliche Symbiose aus Werden und Vergehen. Er glich einem Wiedergänger, der über sein gesamtes verunstaltetes Gesicht strahlte. Auf dem kahlen

Haupt klebten noch einige wenige schwarze Haarbüschel, ein löchriger, drahtiger Bart spross aus tiefen Hautfalten. Die Spitze seiner Nase fehlte; sie sah aus wie angefressen.
Seine Kleidung war zusammengewürfelt: eine dicke russische Felljacke und eine aus Fellstücken zusammengesetzte Hose, beide braun vor Schmutz und Erde. Dazu trug er einen Wollschal und lederne Schuhe von erstaunlich hoher Qualität, darüber mit Wolle gepolsterte Gamaschen.

Er lächelte sie herzlich an. Kaum noch ein Zahn steckte hinter den rissigen Lippen. Seine Augen hingegen, die waren voller Leben: hellblau, zufrieden strahlend, mit Wohlwollen schauend; Annettes Scheu und Ängstlichkeit schmolzen durch sie dahin wie Butter auf dem Herd.

»Anerkennt Ihr, edle Königin, mein Geschenk? Hab ich Euer Wort, Eure Reiche unbeschadet durchqueren zu können? Ich kann Euch als Bezahlung von meinen Reisen erzählen, sollte Eure Neugier das wollen.« Er machte daraufhin einen Kotau, der karikaturenhaft wirkte, aber den er mit eisern bewahrter Eleganz und mit offensichtlich ernster Absicht ausführte. Sein schmutziger Schal löste sich dabei, entrollte sich vom Hals und fiel neben den kaputten Spiegel. Er schnaufte vor Anstrengung, und die Luft pfiff aus seiner Nasenruine. Seine Felljacke schob sich nach oben, ein Pullover aus grober Wolle und ein rissiger Ledergürtel kamen darunter zum Vorschein. Annette konnte kurz erkennen, dass er etwas Längliches an seinem Gürtel trug, das einer Schwertscheide glich.

»Passt auf, Mädchen, als Nächstes will er die Passage mit seinem Körper erkaufen. Kommt nicht in Versuchung!«, rief einer der Soldaten. Seine Kameraden brachen mit ihm in schallendes Gelächter aus.

»Wie wäre es, wenn die Dame bei *uns* Wegzoll leisten würde?«, spottete ein jüngerer Soldat mit einer Narbe auf der Stirn.

Weitere zotige Sprüche folgten, begleitet von musternden Blicken. *Ich muss zu Emil zurück,* dachte Annette und kämpfte gegen die aufkommende Panik an.

Das verwahrloste Männchen richtete sich wie eine Springfeder aus seiner knienden Haltung auf. Seine zerschundene Visage zeigte Empörung. »Zurück, anmaßende Horde! Lasst ab von dieser Edeldame, oder ihr werdet die Klinge eines Mannes spüren, der schon den Frostriesen trotzte!«, rief er mit seiner eindringlichen Stimme, wegen der fehlenden Zähne mit einer feuchten Aussprache garniert. Er senkte die Hand drohend auf Gürtelhöhe, schob seine Jacke hoch und entblößte das Leder mit dem länglichen schwertähnlichen Ding.

Die Soldaten lachten, zwei von ihnen veräppelten ihn, indem sie so taten, als würden sie ihn fürchten.

Annette fühlte sich gerührt und peinlich berührt zugleich. Der verstümmelte Mann war weit davon entfernt, wie ein Ritter aus Geschichten auszusehen. Genau genommen war er der hässlichste Mensch, den sie je gesehen hatte. Seine Stimme und seine Attitüde allerdings - sie berührten Annettes Herz.

»Na komm, Franz, das will ich sehen!«, rief ein dicklicher Füsilier und äffte Franz' Pose nach.

Erwartungsvoll sahen die Soldaten ihrem Kameraden zu, wie er die Fäuste hob und absichtlich unbeholfen im Schnee tänzelte wie ein talentfreier Boxer.

Der junge Füsilier mit dem Strubbelbart zischte von seinem Bock: »Gib ihm eins extra für meinen Spiegel drauf!«

»Hör auf, Hochuli, du weißt, dass der Franz sein Blech kaum richtig halten kann«, ermahnte der Korporal, immer noch die Pferde streichelnd. »Und wenn's unter den Schnee gerät oder den Abhang hinabrutscht, dann müssen wir's für diesen Teufel wieder suchen.«

Kaum hatte er ausgesprochen, da wurde die Wagenplane hinter ihm wie aufs Stichwort zurückgezogen. Annette schielte über die Schulter eines Füsiliers und sah einen sehnigen Zivilisten, der seine Beine über den Bock schwang und herunterkletterte.

Der untersetzte Füsilier verzog seine Mundwinkel angeekelt, als er den Neuankömmling entdeckte, und ließ seine Fäuste sinken. Die anderen Männer wichen mit verschlossenen Gesichtern weg, als der Zivilist von hinten an sie herantrat, als verlange der Zar höchstpersönlich Durchlass.

Ist das der Schutzgeist der Erschütterten?, dachte Annette in einem mädchenhaft-schwärmerischen Anfall, der ihr dieses Mal gar nicht peinlich war.

Franz ging dem neuen Mann freudig entgegen. »Pjotr, Weggefährte! Willst du beiwohnen, wie ich grobschlächtige Barbaren in die Schranken weise?«

In diesem Augenblick verrieten das Echo klirrender Zügel und wiehernder Pferde und das aufdringliche Gerumpel einer Kutsche, dass Emil offenbar doch nicht verhaftet worden war.

Annette spürte ironischerweise eine leichte Enttäuschung, sie hätte die beiden Männer gerne weiter beobachtet.

Die Räder der Kutsche schlitterten knirschend und knackend über den gefrorenen Schlamm, gefährlich nahe an der Böschung.

Adolfs blasses Gesicht wirkte gelöst, aber die kleinen Augen und die dunkle Ringe darin verrieten seine Erschöpfung. »Frau Doktor, kommt, es geht weiter!«, rief er ihr zu.

Der Leutnant, der vorher in den Konflikt zwischen Emil und Küng hineingezogen worden war, und zwei weitere Infanteristen gingen der Kutsche mit ernstem Gesicht voran. Emil streckte seinen Kopf aus dem Fenster, wieder seinen Hut festhaltend.

Natürlich, ein kleiner Griff an unsere Ersparnisse … meine Mitgift, über die er verfügt, und schon lösen sich die Probleme in Luft auf, dachte Annette. Sie mochte diese Vorgehensweise nicht, sie war in ihren Augen unehrenhaft.

Sie war kurz versucht, ihrem Gatten eine spitze Bemerkung an den Kopf zu werfen, da lenkte ihre Nase sie ab. Trotz Kälte und Rotz roch sie eine unangenehme Duftnote aus Moder, altem Schweiß und Alkohol; als sie ihren Kopf drehte, humpelte dieser Pjotr an ihr vorbei.

Seine Kleidung wirkte auf sie extrem abgetragen, aber dennoch verblüffend: Seine flauschige Mütze, sein Mantel und sein Schal waren aus Zobel und gehörten damit zum Exklusivsten, was man für Geld kriegen konnte.

Annette erkannte das Fell sofort; ihre Mutter besaß ebenfalls einen solchen Mantel – von dem ihr Vater nur halb im Scherz meinte, er habe ihn sein halbes Vermögen gekostet.

Pjotr trug zudem sorgfältig geschneiderte und gefütterte Beinkleider sowie dicke Stiefel aus Wildleder, alles Maßarbeit. Er sah aus wie ein russischer Adeliger, der die letzten Jahre immer in denselben Kleidern genächtigt hatte.

»Was ist hier los? Wir müssen dieses Getreide abliefern, also vorwärts jetzt!«, hörte sie den Leutnant rufen.

Die letzten Soldaten stoben daraufhin davon.

Annette blickte Franz an, der mit seinem zahnlosen rissigen Grinsen dem Leutnant hinterherlächelte; dieser hatte ihn in respektvollem Bogen umgangen und gekonnt ignoriert.

Der Mann namens Pjotr packte Franz an dessen scheinbar endlosem Unterarm und zog den Verstümmelten Richtung Planwagen zurück. Dabei gab er eine Art Singsang von sich, eine gurgelnde Mischung aus Melodie und gutturalen Lauten, die völlig unverständlich waren.

Franz lauschte ihnen aufmerksam, dann nickte er. »Fürwahr, treuer Freund, wir müssen auf unseren Karren zurück, bevor der große Frost kommt.«

Lachend ließ er sich von Pjotr ziehen, der Annette mit einem kurzen Blick musterte. Die milchige Haut des Mannes besaß ausgeprägte Altersfalten – sie schätzte ihn auf mehr als doppelt so alt wie sie selbst –, sodass sein Gesicht wie ein zusammengesetztes Mosaik aussah. Auf der linken Wange prangte ein daumennagelgroßes schwarzes Muttermal. Seine dunkelblauen Augen blitzten kalt. Und dann entdeckte sie, dass auch seine Hände verstümmelt waren …

Welch absurde Gemeinschaft!

Wiehern, dann die Wärme von Rossleibern, Stallgeruch, bevor sie Emils Stimme auffordern hörte: »Weib, steig endlich ein! *Viens vite!*«

Emil sah anscheinend gelassen aus dem Kutschenfenster – nicht zu ihr, sondern zu Franz und Pjotr. Ersterer ließ sich gerade unter Kichern und gezogenen Fratzen von Pjotr in den im Schritttempo fahrenden Planwagen ziehen.

»Du hast Küng also ›beschwichtigt‹«, sagte Annette.

Emil antwortete, ohne seine Augen von Franz' strampelnden Beinen abzuwenden, die wie der Rest des Körpers langsam hinter der Segeltuchplane verschwanden: »Ja. Er gab nach, als ich ihm das Empfehlungsschreiben von Kalenbach zeigte. Das, und natürlich eine kleine Zuwendung für ein Geschenk an seine Frau.«

Ein Brief mit dem Namen eines Patriziers und ein paar Batzen, das reicht also.

Als Annette eingestiegen war und Adolf die Peitsche knallen ließ, fragte Emil mit einem vieldeutigen Nicken zu den Militärkarren: »Hast du mit den beiden gesprochen?«

»Einer von ihnen mit mir, um genau zu sein.«

»Der krummbucklige Kichernde?«

»Er hielt mich für eine Elfenkönigin.« Unwillkürlich lächelte sie, und eine angenehme Wärme breitete sich in ihrem Bauch aus. Dann fiel ihr der Ausdruck wieder ein, den Emil so gerne für seine Patienten verwendet hatte. »Vielleicht moralisch erschüttert.«

»Interessant«, murmelte Emil.

Sein Blick glänzte, und Annette konnte seine Gedanken geradezu rattern hören. Er öffnete die Kutsche einen Spaltbreit und fragte: »Leutnant, habt Ihr einen kurzen Moment?« Seine linke Hand schoss wie von selbst zu seiner Hosentasche, wo er die Geldbörse verstaut hatte.

2

Das Gebäude roch und stank vielfältig: nach Kohlsuppe, nach Wundalkohol, nach Urin, nach Schweiß, nach altem Holz und nach den Herren Gustav Rudolf Schumppelin, dem Spitalmeister, und Hans Georg Kalenbach, Stadtrat und Geschäftsfreund von Annettes Vater, mit ihrem Ausdünstungsgemisch aus Parfüm und dem säuerlichen Geruch älterer Männer.

Annette atmete flach, als sie Kalenbach in Schumppelins Büro die Hand schüttelte und die Grüße ihres Vaters bestellte.

Kalenbach lächelte höflich und bedankte sich mit blumigen Worten, die Annettes Vater als guten Freund lobten. Sie nickte devot und fühlte ihren Blick wie magisch von den rötlichen Hautflechten angezogen, die sein Gesicht verunstalteten. Seine milchig-hellblauen Augen hinter den filigran eingefassten Brillengläsern sahen sie gutmütig an. Dann wandte er sich Emil zu, der gerade Floskeln mit dem Spitalmeister gewechselt hatte.

Schumppelin gab Annette einen Handkuss wie aus den Zeiten des *Ancien Régime,* mit einem für seine vielen Jahre sehr eleganten Knicks, und sagte zu ihr auf Mundart mit einem seltsamen, österreichisch anmutenden Akzent: »Gnädige Frau, es ist mir eine Ehre, auch Euch willkommen zu heißen.«

»Vielen Dank, Herr Spitalmeister. Es ist wundervoll hier«, entgegnete Annette.

»Ihr müsst verzeihen, Frau Doktor, aber der Herr Stadtrat und ich haben noch einige berufliche und organisatorische Sachen mit Eurem Mann zu besprechen. Ich bin sicher, Ihr könnt es kaum erwarten, die Dienstwohnung zu besichtigen. Ich weiß doch, wie sehr den Damen die haushälterischen Belange am Herzen liegen. Draußen im Flur wird sich Schwester Martha Euer annehmen. Sie wird Euch auch in der Stadt herumführen, damit Ihr Euch nicht so allein unter uns Katholiken fühlen müsst.«

Er kicherte über seinen eigenen Scherz, bis Emil vorsichtig fragte: »Dienstwohnung?«

»Wie bei jungen Ärzten üblich – obschon die meisten im Gegensatz zu Euch natürlich noch Junggesellen sind. Ich bin sicher, Ihr werdet bald etwas Geeigneteres für Eure Gattin und Euch finden, aber fürs Erste …«

Emil, dessen Nacken sich zu Annettes Besorgnis rasch rötete, wandte sich an Kalenbach. »Verzeiht, Herr Stadtrat, aber Eure *lettre* hat vielmehr den Anschein erweckt, Ihr würdet uns für die erste Zeit beherbergen, wie es guter Brauch ist.«

Kalenbach kratzte sich an einer Hautflechte an der linken Schläfe, während er und Schumppelin einen kurzen Blick wechselten.

»Lieber Herr Doktor, es ist mir ein wenig peinlich«, sagte Kalenbach. »Leider haben wir vorgestern verfrüht Besuch aus Offenburg erhalten – meine Schwägerin samt Kindern und Entourage. Verzeiht mir!«

»Ich verstehe«, murmelte Emil säuerlich.

»Unsere Dienstwohnungen verfügen über zwei gut ausgestattete Kammern. Ihr werdet sie mögen«, beschwichtigte Schumppelin.

»Dann … werde ich sie mir gerne näher ansehen«, sagte Annette rasch und machte einen kleinen Dankesknicks.

Nach dem heutigen Morgen sind zwei enge Kammern mein kleinstes Problem, dachte sie. Ein kalter Schauer schoss ihr bei diesem Gedanken über den Rücken.

Emil nickte ihr mit zusammengebissenen Zähnen zu, während sie von Kalenbach durch die Tür geleitet wurde. Auf dem schmalen Spitalflur war niemand zu sehen, aber irgendwoher echoten dumpfe unverständliche Stimmen.

Das Spitalmeisterbüro befand sich im Verwaltungstrakt im Nordteil des Spitals. Der Flur, in dem es lag, endete mit dem Riegelfenster, vor dem Annette nun stand.

Zögerlich sah sie durch die sauber polierten Scheiben und betrachtete die Kreuzung draußen, wo die Rheinfelder Marktgasse auf eine andere traf, die »Brodlaube« genannt wurde. Rechts kam die sandsteinerne Spitalkapelle in ihr Sichtfeld, die als Gebäudefortsatz in die Marktgasse ragte.

Genau unter dem Fenstersims befand sich der Spitalbrunnen. Annette verrenkte den Kopf und beobachtete, wie sich zwei Frauen abwechselnd an dem achteckigen Steintrog abmühten, das Rinnsal aus dem mit Eiszapfen verhangenen Rohr mit Holzeimern abzuschöpfen.

Unweit von ihnen waren zwei Stadtpolizisten mit Schals vor den Gesichtern gerade dabei, die Straßenbarrikade abzuräumen.

Die Armee-Planwagen hatten ihre Rationen abgeliefert, alle Einwohner hatten sich mit ihren Zuteilungen in ihre Häuser, Wohnungen, Kammern, Behausungen oder in die öffentliche Backstube verkrochen, um ihre Mägen endlich mal wieder zu füllen. Annette konnte das Brot und die Suppen förmlich riechen. Ihr Magen knurrte wieder, nachdem sie eine ganze Weile den Appetit verloren hatte.

Schuld daran war genau jene Straßenbarrikade, deren Abbau sie nun beobachtete, und die mit ihr verknüpfte, bedrohliche Situation. Annette, die seit der Abreise aus Brugg immer wieder mit klammen Gefühlen bezüglich ihrer zukünftigen Heimat zu kämpfen gehabt hatte, fühlte sich darin bestätigter denn je …

Nach dem Einverständnis des Leutnants, zu Emil in die Kutsche zu steigen, war zunächst alles reibungslos verlaufen.

Emil forderte ihn auf, ein paar Fragen zu dem mysteriösen Entstellten zu beantworten, einen Batzen, eingeklemmt zwischen Mittel- und Zeigefinger, hochhaltend.

Annette, die tat, als ginge sie dieses Geschäft nichts an, hörte dennoch genau mit. Sie blickte aus dem Kutschenfenster, ihren Schal enger um den Hals gezogen, weil ein eisiger Wind durch irgendeine Ritze wehte, und sah zu, wie vor Schweiß dampfende Rheinfelder Stadtpolizisten mit Scheffeln Weizenkörner in die hingestreckten Jutesäcke der Bauern schaufelten und dabei lauthals Disziplin einforderten.

Der Leutnant kratzte sich am Bart und erzählte, dass er nicht viel wisse; er habe diesen Franz Brogli und den Russen Pjotr gegen Entgelt und auf Befehl seines Vorgesetzten in Lenzburg, wo seine Elite stationiert gewesen sei, aufgeladen. Er wisse nur, dass dieser Mann wohl aus Rheinfelden selbst stamme, ein ehemaliger Kriegsgefangener aus den Napoleonischen Kriegen sei und kein vernünftiges Wort geredet habe, seit er dem Leutnant über den Weg gelaufen war Der andere, der Russe, sei auch verstümmelt, habe keine Daumen und die Zunge fehle – weshalb, das wisse der Leutnant nicht. Er habe den Umgang mit dem Russen immer vermieden, da er stinke wie die Pest und verschlagene Augen besäße.

Emil bedankte sich, gab ihm den Batzen, worauf der Leutnant freudig die Hand an den Tschakoschirm hob. Dann entschuldigte er sich und stieg mitten auf der Zollhauskreuzung aus der Kutsche.

Als sie den Gasthof und das Treiben vor dem Zollhaus hinter sich gelassen hatten, grübelte Emil erneut vor sich hin. Annette schielte zu ihm hinüber, traute sich aber nicht, ihn auf seine Gedanken anzusprechen, und wandte ihren Blick wieder aus dem Fenster.

Neben ihrer Kutsche nahm Rheinfeldens alte Stadtmauer das Panorama ein, mit ihren zahlreichen Narben aus vergangenen Kriegen; der Bach, der sie die letzten paar hundert Meter ihrer Reise begleitet hatte, floss deren Sockel entlang und diente als Stadtgraben. Über eine Steinbrücke querte die Kutsche ihn und rumpelte auf das Stadttor zu.

Vor dem Torgang standen ein paar örtliche Polizisten. Die Männer trugen dunkelblaue Hosen, Kittel mit roten Krägen sowie gelben Kragenspiegeln, Lederhandschuhe, schwarze Lederstiefel, Übermäntel und einen flachen Stofftschako, auf dem das Rheinfelder Stadtwappen aufgenäht war. Die Mannschaft hielt Perkussionsflinten in den Händen, ein Wachtmeister, ein älterer Mann mit Pausbacken und hochrotem Gesicht, fuchtelte hingegen mit einem Schlagstock herum und hatte eine Pistole an seinem Gürtel hängen. Alle wirkten angespannt und müde.

Der Wachtmeister zankte mit dem Trainsoldaten auf dem

Planwagen vor der Kutsche. »Ihr wartet, Soldat, bis die verehrten Großräte …«, begann der Wachtmeister von Neuem so laut, dass Annette es mühelos durch das geschlossene Fenster verstand.

»Das ist mir gleichgültig!«, rief die Stimme des Trainsoldaten. »Es ist saukalt, wir sind vor Sonnenaufgang aufgebrochen, ich bin erledigt, die da hinten drängen und …« Er unterbrach den Satz, weil er offensichtlich merkte, dass der Wachtmeister ihm keine Aufmerksamkeit mehr schenkte. Dann tauchte sein Gesicht hinter dem Segeltuch auf und gaffte Adolf genervt an.

»Verzeihung, die Herren, aber der hochgeschätzte Standbeamte Küng hat meinem Dienstherrn, Herrn Doktor Emil Schäfer, rasche Abfertigung zugesichert. Der Herr Doktor wird dringlich von Kleinrat Hans Georg Kalenbach und von Spitalmeister Gustav Rudolf Schumppelin erwartet«, verkündete Adolf übertrieben pathetisch wie ein mittelalterlicher Herold. Aber seine Worte erfüllten ihren Zweck.

Nachdem der Wachtmeister einen hastigen Blick auf Emils Ernennungsurkunde geworfen hatte, winkte er beide Gefährte durch, auch das des dankend nickenden Trainsoldaten vor ihnen. Einer der Polizisten dirigierte Adolf geschickt durch den engen Torgang und wies ihn mit auserlesener Höflichkeit ein: »Fahrt weiter bis zum Obertorplatz grad da vorne! Vermeidet bitte die Geißgasse direkt Richtung Norden und die Marktgasse, die sind zurzeit für das Militär gesperrt. Damit kommt Ihr vorerst auch nicht zu Kleinrat Kalenbachs Haus … nun, stattdessen fahrt Ihr nach Nordwesten in die Brodlaube, die führt ebenfalls zum Spital. Ihr werdet eine Sperre passieren müssen, dann könnt Ihr Eure Kutsche neben dem Spitalbrunnen stehen lassen und durch den Hintereingang in den Spitalinnenhof gelangen. Anders geht es momentan nicht.«

Auf dem erwähnten Obertorplatz schlug der ganze Tumult, den eine Stadt in Bewegung zu produzieren vermochte, wie eine Welle über der Kutsche zusammen. Zahllose Rheinfelder – alt, jung, Mann, Frau, Kind, Handwerker, Tagelöhner, Waschweiber, Arbeiterfrauen, Krämer, Bettler – verstopften die Straßen, drängten sich dicht an dicht und ließen die Kutsche nur im Schritttempo vorwärtskommen. Stadtpolizisten bemühten sich um einen Kordon für die militärischen Planwagen. Rufe, Stimmen, Flehen, Fußtrampeln hallten von den Hauswänden wider.

»Guck, *mon cher,* sie drängen auf den Planwagen dort!«, bemerkte Annette aufgeregt.

Die Leute strebten trotz gegenteiligen Bemühens der Polizisten unaufhaltsam wie eine fließende Lavazunge auf einen abgestellten Wagen vor dem Gasthof *Löwen* zu, dessen Wuchtigkeit den Platz dominierte.

Drei teuer und dick eingekleidete Gecken standen auf der Ladefläche des Karrens wie Kapitäne auf ihrem Oberdeck. Einer hielt einen Sack Weizenkörner fest. Die beiden anderen schwangen ungelenk Scheffeln und vergaben viertelweise Korn in die Hände der Bettelnden unter ihnen. Annette sah ein Meer von ausgestreckten Armen, deren dazugehörige Körper in einer schwankenden, lärmenden Masse zu einem unübersichtlichen Brei verschmolzen.

»Zurück, Bürger! Geduldet euch, es gibt genug für alle!«, rief einer der Gecken mit lauter Stimme und fuchtelte mit seinem Scheffel wie mit einer Signalflagge. Er hatte eine auffällige blonde Haarpracht, die unter seinem Dreieckshut hervorquoll, und ein hervorstehendes langes Kinn. Als die Menge murrte, rief er weiter: »Bürger, die Säcke hier sind gleich leer! Lasst euch an den Abgabeposten registrieren und bezieht eure Ration aus dem Ratskellervorrat. Geduld, bitte!«

Das enttäuschte Raunen der Leute übertönte gar das Rumpeln der Kutsche, die Adolf langsam aber stetig vorwärtsmanövrierte.

Irgendwann, gefühlte Ewigkeiten später, bogen sie tatsächlich in die Brodlaube ein, deren Holz- und Fachwerkhäuser schlicht, wenn nicht gar schäbig aussahen.

Hier wohnen Arme, Handwerker und Arbeiter, dachte Annette mit einem diffusen Gefühl. In ihrem Kopf spukte das Bild der tobenden Masse mit ihren gierigen Händen herum.

Tatsächlich schwappte hinter ihnen eine Woge von Menschen nach – hauptsächlich gehetzt wirkende Frauen mit leeren Säcken und ihre Kinder.

Annette konnte zunächst die Füße trippeln hören. Schließlich überholten zahlreiche Gestalten die Kutsche wie ein Heer lautloser Geister. Kinder in einfachen Leinenkleidern und mit bleichen Gesichtern sahen Annette durchs Fenster an.

Als die Kutsche an einer Straßeneinmündung vorbeirollte, drangen die Gerüche dieses Armenviertels durch die Fensterritzen. Der Gestank von Abwässern, Gerberabfällen und Sickergruben hatte sich wie ein Tuch über die dortige Häuserzeile gelegt.

Emil rümpfte die Nase und meinte: »Ein Gewerbekanal. Er muss hier irgendwo verlaufen.«

Annette kannte diese Art Gestank, weil der Weg zur väterlichen Manufaktur stets über den Brugger Gewerbekanal geführt hatte, wenn sie ihren Vater hatte besuchen wollen.

Da kam die Kutsche ins Stocken.

Emil erhob sich, entriegelte das Fenster und beugte sich hinaus, wobei er fast eine ältere Frau mit seinem Schädel touchierte, so eng waren die Platzverhältnisse.

»Da ist die Barrikade«, stellte er lakonisch fest. »Ziemlich beeindruckend. Schau sie dir an!«

Annette seufzte und öffnete widerwillig ihr eigenes Fenster. Flach atmend und streng darauf achtend, ja keine der Passantinnen zu berühren, tat sie wie geheißen.

Die Barrikade bestand aus zwei quergestellten Bauernkarren und sechs postierten Polizisten, kurz vor der Einmündung der Brodlaube in die gesperrte Marktgasse. Dick vermummte Frauen und einige Kinder drängten vor der Schleuse und weitere strömten hinzu. Sie gestikulierten energisch, ihre Stimmen verschmolzen zur Kakophonie. Zwei Polizisten hatten ihre Flinten gekreuzt. Sie ließen in einem gewissen Rhythmus Wartende durch, wenn sie von einem für Annette nicht sichtbaren Befehlshaber, der offenbar einige Meter weiter hinten in der Marktgasse postiert stand, die Aufforderung dazu erhielten.

»Erledige das so schnell wie möglich, Adolf!«, sagte Emil in jovialem Ton.

Annette bemerkte jedoch die angespannten Gesichtszüge und den plötzlich auftretenden Schweißfilm auf seiner Stirn. Sie fühlte sich von ihm angesteckt, aber sie zwang sich, mit einer undurchdringlichen Miene aus der Kutsche zu blicken, wie es ihre Mutter ihr beigebracht hatte. Das sei in »heiklen Situationen« für eine Dame von Stand unabdingbar, hatte diese immer gesagt.

Es gelang ihr nicht im Geringsten, denn die just aufkommenden Windstöße, die aus der Marktgasse wehten, trugen den übelsten aller Gerüche mit sich und verdrängten sogar den Kloakenmief: Verwesung.

Annette würgte, dann zog sie das Fenster zu, so schnell sie nur konnte. Es nützte kaum etwas.

Der Gestank der Toten … wie in Brugg, als wir abgefahren sind. Dort waren die Leichen vor der Kirche gestapelt.

In Brugg hatte sie die Verhungerten nie gesehen, die man fast täglich aus den Quartieren der Tagelöhner und der Armen gekarrt hatte. Weder Emil noch ihr Vater hatten gewollt, dass sie solche Szenen mitbekommen musste. Ihre Eltern insistierten, dass ihre Geschwister und sie in den familiären Innenhofgärten blieben, angeblich aus Sicherheitsgründen, als Schutz vor verzweifelten Dieben und halb verhungerten Hasardeuren. Sie protestierte, aber Emil unterstützte die Haltung ihrer Eltern mit dem grimmigen Scherz, er wolle seine zukünftige Frau nicht in einem Suppentopf enden sehen.

»He, pass auf!«, kreischte eine zahnlose Frau um die dreißig, als Adolf vor dem Barrikadendurchgang anhielt und die Meute dabei gegen die Häuserwände drängte.

»Wer glaubt Ihr, wer Ihr seid, Kutscher?«, maulte eine andere neben ihr mit empört blitzenden Augen, ihren leeren Jutesack wie eine Warnflagge hebend.

Weitere protestierten auf ähnliche Art.

Adolf quittierte die Reklamationen mit eisernem Schweigen.

Da sprang ein mageres junges Weib vor und polterte mit der flachen Hand gegen die Fensterscheibe neben Annette. Die Frau sah sie aus wutbrennenden Augen an.

Annette zog sich instinktiv wie eine Schildkröte zusammen. Ihr Herz sprang vor Schrecken in ihrer Brust, während sie unwillkürlich in die Mitte ihrer Sitzbank rutschte.

»Wohlgenährte Dame, verhungern deine Kinder auch?«, krächzte die junge Frau.

Welche Kinder?, flüsterte eine schmerzhafte Stimme tief in Annettes Herzen.

»Weg von der Kutsche, Weib!«, reagierte Emil harsch, dann rief er, seinen Kopf aus dem Fenster streckend: »He, Wache, ich muss die Kutsche neben der Kapelle abstellen! Ich habe ein Treffen mit Spitalmeister Schumppelin und mit dem hochgeschätzten Kleinrat Kalenbach!«

Die Reaktion der Polizisten bestand aus Gemurmel und einem Befehl. »Hol mal den Leutnant!«, ordnete die kratzige Stimme eines wohl älteren Mannes an.

Die Frau mit den wütenden Augen schien urplötzlich von ihrem Mut verlassen. Sie wirkte nun scheu und müde. In ihrem hellbraunen Haar fanden sich graue Strähnen, obschon sie höchstens ein paar Jahre älter war als Annette. Ihre mageren Hände klammerten sich an einen leeren Jutesack, sodass die Knöchel weiß hervortraten. Annette überkam bei diesem Anblick einen Moment lang Mitleid.

»Korporal Durst, Ihr wollt diese Fremden hier vor uns durchlassen?«, beschwerte sich eine alte Frau neben der Zahnlosen.

Die Menge tuschelte. Annettes Mitleid wich wieder Besorgnis.

»Klara und Agnes haben recht!«, rief die Zahnlose verbittert. »Wieso sollen diese Fremden vor uns weiter? Meinen Mann und meine beiden Jüngsten hat mich dieses gottverlassene Jahr gekostet!« Ihr Atem ließ Annettes Scheibe anlaufen.

»Meine Tochter ist erst vorletzte Woche verstorben«, heulte die alte Frau.

»Wir wollen endlich Brot!«, keifte eine weitere.

Emil hatte seine Rechte zur Faust geballt und schielte immer wieder gehetzt zu den Polizisten.

»Weiber, beruhigt euch, ihr braucht doch nur etwas zu warten, bis die Weizensäcke gezählt und registriert sind und ihr an der Reihe seid!«, rief die reibende Stimme dieses Korporals Durst.

»Bis dahin habt ihr euch doch damit bereits die eigenen Wänste gefüllt, so wie dieser edle Herr da«, warf die Keifende vor.

Emils Lippen zitterten. Dann wandte er sich an diesen Durst: »Korporal, wo bleibt Euer Leutnant?«

Nach diesem Satz schien es Annette, als würde die ganze Straße für einen Moment den Atem anhalten.

Annette verharrte regungslos in der Sitzbankmitte. Sie roch den latenten Verwesungsgeruch, sie hörte das knarrende Leder von Handschuhen, den rasselnden Atem der alten Frau neben der Kutsche.

Dann spannte jemand einen Flintenhahn.

Das Geräusch jagte ihr einen Schauder über den Rücken. Die Frauen murmelten ängstlich, die Gesichter vor Annettes Fenster sahen sich gegenseitig verstört an.

Und Emil wusste nichts Besseres, als zu kommentieren: »Das wurde auch allmählich Zeit.«

»Du fetter Hurenbock!«, kreischte die Stimme eines Burschen von irgendwo hinter der Kutsche her.

»Dralle fremde Weiber wie du fressen uns das Brot weg!«, knurrte eine junge Frau, fast noch ein Mädchen, mit strähnigen Haarfransen und einer Frostbeule unter dem linken Ohr. Sie war urplötzlich wie ein Rachegeist neben Annettes Fenster aufgetaucht und wirkte, als sei sie nicht abgeneigt, Annette statt des Brotes aufzufressen. Mit ihr gewannen auch die anderen Frauen wieder Courage.

»Weg von der Kutsche!«, hörte Annette den Korporal Durst befehlen.

»Tut was!«, rief Emil gehetzt. Seinem Gesichtsausdruck nach kam Annette zu dem Schluss, dass ihm die Tragweite seines bedenkenlosen Satzes erst jetzt bewusst geworden war.

Sie flehte: »Bitte, *mon cher,* lass uns wenden und eine andere Straße nehmen!«

Dummchen, wie denn?, dachte sie fast augenblicklich. Annette dankte in diesem Moment dem Herrgott, dass die Kutsche so festsaß, dass zwischen Hausfassade und Karosserie auf der linken Seite keine noch so magere Frau Platz finden konnte.

Dann registrierte sie entsetzt, dass sich Finger an ihrer rechten Fensterscheibe zu schaffen machten – dass der hölzerne Rahmen klagend knackte und der kleine Messingriegel, der zwischen ihr und dem Mob stand, bald nachgeben würde.

Leiber lösten sich aus der Menge, brandeten gegen die rechte Kutschenwand; einige der Weiber griffen offenbar nach Adolfs Hosenbeinen oder nach seiner Schafsdecke, denn nun begann der alte Kutscher zu fluchen und zu zetern. »Finger weg! Gendarmen, schießt! Knüppelt sie nieder!«

»Leutnant! Leutnant! Wo ist das Militär?«, brüllte eine männliche Stimme, bevor sie sich überschlug.

»Komm runter, Kutscher!«, rief ein Bursche giftig.

»Gib uns eine kleine Spende, reicher dicker Mann!«, kreischte die Zahnlose und besprühte dabei eine ihrer Schicksalsgenossinnen mit Speichel.

Annette sah Hände und zu Masken verzerrte Gesichter, ausnahmslos verhärmt und schmutzig. Sie hockte da wie paralysiert, hörte angsterfüllt, wie der Fensterriegel knirschte.

Dann gab er nach; das ächzende Holz, aus dem er gerissen wurde, tönte wie ein Schmerzensschrei.

Annette konnte nun die Leiber da draußen riechen; sie muffelten alle streng, sie rochen alle nach Leid. Annette begann, panisch zu schreien.

Emil, der versuchte, seinen Fensterrahmen gegen die grapschenden Hände zu verteidigen, der sogar ein Bein angehoben hatte und seinen Fuß gegen den Türriegel stemmte, an dem bereits heftig gerüttelt wurde, schrie entsetzt: »Annette, dein Fenster! Zieh es zu!«

Der Ausruf vertrieb ihre Gelähmtheit. Sie rutschte auf der Sitzbank zur rechten Seite hin und entledigte sich dabei gleichzeitig ihres Muffs – eine fließende Bewegungskombination, von der sie später nicht mehr würde sagen können, wie ihr das gelungen war.

Durch die Fensteröffnung griffen schnappende Finger nach ihr, die Arme dahinter wanden sich wie Schlangenleiber. Die Frauen kreischten und riefen wild durcheinander, die Polizisten brüllten, von irgendwoher hörte man Stockschläge, die auf Leiber niedersausten, und die Geräusche einer Rauferei.

Annette drückte sich furios gegen die Arme, stieß sie zurück, klemmte sie zwischen ihrem Leib und der Kutscheninnenwand ein.

Da zog sich das Mädchen mit der Frostbeule am Fensterrahmen hoch, versuchte zunächst vergeblich, den Oberkörper in die Kutsche zu zwängen, packte Annette stattdessen an ihrem Pelzmantel und zerrte.

»Nein!«, schrie Annette.

»Hau ihr den Arm gegen die Kante!«, bellte Emil Schweißtropfen hingen in seinem Schnauzer. Sein Hut war auf den Kutschenboden gefallen.

»Das ist die letzte Warnung! Wir schießen!«, hörte Annette den Korporal brüllen.

Dann ein weiteres Handgemenge. Kreischende Frauenstimmen, fluchende Männer.

Frostbeule wirkte, als sei sie berauscht. Sie zerrte wie besessen an Annettes Mantelkragen. Neben ihren Arm drängten sich zwei neue Hände, ein mageres Mädchen mit blondem Zopf, kaum dem Kindesalter entwachsen, quetschte sich neben Frostbeule hoch, zog mühevoll, aber erfolgreich ihre Füße nach. Frostbeule quengelte schmerzerfüllt, weil sie mit der linken Schulter gegen den Fensterrahmen gepresst wurde, aber sie hielt die sich windende Annette eisern fest. Dann gelang es dem geschickten Zopfmädchen, sich an die Dachkante zu klammern.

Das Gepäck, durchfuhr es Annette, *miese Plünderin!* Sie griff nach den Knöcheln des Mädchens, aber dieses entschlüpfte ihr problemlos. Frostbeule nutzte die Gelegenheit: Sie vergrub ihre Finger in Annettes Schal, würgte sie mit jedem Zug.

»Haltet ein, zürnende Geschöpfe! Es gibt keinen Grund für Schandtaten, die sonst nur die unehrenhaften Frostriesen begehen«, rief eine – seine – Stimme in diesem Moment durchdringend.

Dann krachte hinter der Kutsche ein ohrenbetäubender Schuss.

Annette und Frostbeule zuckten gleichzeitig zusammen. Sie und die ganze Menge, alle schienen für einen Wimpernschlag wie zu Eis erstarrt.

Während sich Annette vorstellte, wie da jemand möglicherweise in seinem eigenen Blut lag, drehte Frostbeule ihren Kopf und gaffte mit offenem Mund.

»Das ist … ist das …?«, stotterte sie.

Der entstellte Franz mit seinen überlangen Armen stand von einem Augenblick zum nächsten in Annettes Sichtfeld wie eine Heiligenerscheinung. In der rechten Hand, trotz des fehlenden Ringfingers, hielt er etwas Längliches, Metallisches, das er inmitten der Weiberhorde in die Luft streckte. Mit der anderen Hand hielt er einen Weizensack auf der Schulter gepackt.

»Nicht schießen, Männer!«, rief Korporal Durst, dann: »Brogli, du bist es wirklich! Ja, brat mir einer einen Storch.«

»Onkel, du lebst!«, schluchzte eine der Frauen; es war die junge, die »Klara« genannt worden war.

»Geh da weg, Franz Brogli, wir schaffen jetzt Ordnung!«, hörte Annette die Stimme eines weiteren Polizisten befehlen.

»Verschwinde, du Wüstling!«, nuschelte Frostbeule, die Finger immer noch in Annettes Schal vergraben. Diese bemerkte herzklopfend, dass Frostbeule dabei komischerweise nicht auf den entstellten Mann, sondern auf einen Punkt irgendwo hinter der Kutsche starrte.

Franz Brogli tat einen flinken Ausfallschritt zwischen zwei Frauen hindurch, die erschrocken zurückwichen, und klapste mit dem Gegenstand, den er schwang, auf Frostbeules Hintern.

Frostbeule ließ Annette los, schrie dabei überrascht auf und massierte sich leise wetternd die Pobacke, als sie sich aus Annettes Sichtfeld trollte.

»Eine Närrin bist du, Teure!«, rief Franz ihr hinterher und hob seine zerfressene Nase in die Luft. »Ich habe, was ihr alle begehrt, und werde es euch jetzt geben! Es gibt keinen Grund, Verbrechen an diesen edlen Reisenden zu begehen.« Mit diesen Worten stellte er den Weizensack vor sich auf dem Boden ab.

Annette traute sich nun zögerlich, den Kopf aus dem Fenster zu strecken. Sie sah, wie ein ganzer Haufen weiterer Polizisten zusammen mit einigen Füsilieren eine Schützenlinie hinter der Kutsche gebildet hatten, die Flinten auf die Menge gerichtet, diese damit zwischen der Barrikade und der Formation einklemmend.

Pjotr, der Russe, zwängte sich mit einem Maultier an einer Leine durch die Linie hindurch, was vor allem bei den Polizisten Protestmurren auslöste. Er führte das Tier aber mit einer Selbstverständlichkeit durch die Uniformierten, als sei er der General, der Kapitulationsverhandlungen führe. Sein Blick war stur auf Franz gerichtet.

Die Frauen sahen sich gegenseitig an, beschämt, ermattet, verwundert. Mit einem *Platsch* landete das Mädchen mit dem Zopf neben Annettes Fenster, offenbar ohne irgendwelche Beutestücke vor ihrem Sprung vom Kutschendach eingesackt zu haben. Flink wie ein Wiesel verdrückte es sich in die Menge.

Neben Annette schnaufte Emil erleichtert auf.

»Also gut, alle bleiben jetzt, wo sie sind!«, befahl Korporal Durst, ein mittelgroßer Mann, der eine väterliche Ausstrahlung besaß, mit breiten Schultern und einem imposanten grau melierten Schnauzbart. Er stand in der Schleuse, die Flinte hatte er mit gesenktem Lauf im Anschlag.

Stiefeltritte von der Marktgasse her kündigten Verstärkung an; Sekunden später erschien ein weiterer Trupp von einem halben Dutzend Füsilieren, die Position hinter den gedrehten Karren bezogen.

»Teufel, diese wahnsinnigen Furien«, hörte Annette Adolfs abgekämpfte Stimme vom Bock.

Gott sei Dank, er ist wohlauf, dachte sie.

Die Frau namens Klara fragte vorsichtig: »Der Weizen ist für uns?«

»Fürwahr!«, rief Franz und hob seine Arme wie ein Volksredner. »Und nun seid friedfertig und empfangsbereit.«

»Herrgott, wie redest du? Hältst du dich für einen Herzog?«, murmelte eine Burschenstimme.

Einige der Frauen kicherten.

»Jungchen, ich war Sondergesandter des *Tsar'* Alaxandr, Herrscher des Koboldvolkes, das sich in den weiten Ebenen des Ostens ... *protyagivat' ruku pomoshhi,* lassen wir doch den Weizen sprechen. Pjotr, treuer Gefährte, darf ich bitten?«

Franz' kühl wirkender Begleiter blieb auf Annettes Fensterhöhe stehen. Seine linke Hand mit den verbliebenen vier Fingern zogen am Zügel des Maultiers, das nicht zwischen Kutsche, Menschenmenge und Häuserwand durchpasste. Dem Tier war ein Tragegestell auf den Rücken geschnallt, das die Aargauer Stände-Insignien eingestanzt und zwei gigantische Leinensäcke mit bestimmt einer Mütt* Weizen aufgebunden hatte. Pjotrs Gesicht war ausdruckslos.

Annette roch seinen verschwitzten Leib, seine Alkoholausdünstung, seine muffigen Kleider und sein ungewaschenes weißblondes Haar. Sie tat, als riebe sie sich eine wunde Stelle am Halsansatz, wo Frostbeule nebst ihrem Schal auch ein Stück Haut zwischen die Finger geklemmt hatte, und vergrub ihre Nase diskret – so hoffte sie – in ihrer Handfläche.

»Wir müssen die Unruhestifterinnen einkerkern, das hat der Rat angeordnet«, ereiferte sich einer der neu aufmarschierten Polizisten gegenüber Korporal Durst. Zwei kleine Mädchen begannen zu weinen, als sie das vernahmen.

»Pjotr, Freund, lege los!«, bestimmte Franz strahlend.

Korporal Durst seufzte, machte dann ein beruhigendes Hand-

* Entsprach in Rheinfelden ca. 37.5 kg Weizen, konnte aber bei anderen Getreidesorten fast das Doppelte ausmachen. Gewicht eines »Mütts« variierte von Gegend zu Gegend und von Kanton zu Kanton.

zeichen gegenüber seinen Männern. »Verteilt Broglis Weizen von mir aus, ich hab genug für einen Tag. Bürger, wagt es aber ja nicht mehr, Tumult zu veranstalten. Das nächste Mal lass ich euch ohne Vorwarnung zusammenschießen, egal wie gut ich euch kenne! So wahr ich hier stehe.«

»Danke, Onkel«, sagte Klara. Ihre Stimme war tränenerstickt.

Sie berührte Franz' Handgelenk, als sie an ihm vorüberging. Er schien sie gar nicht zu registrieren, sondern grinste sein zahnloses Grinsen in die Menge.

Pjotr krächzte irgendetwas und malte mit dem Messer, das er für den Strick der Säcke verwendete, wie mit einem Dirigierstock Zeichen in die Luft. Innerhalb kürzester Zeit hatte er eine Art Warteordnung zustande gebracht. Und jede Frau, die ihr Jutesäckchen füllen konnte, bedankte sich überschwänglich bei ihm wie vor Napoleon persönlich.

Franz dagegen lehnte sich in Siegerpose an die Kutsche und spielte mit dem seltsamen länglichen Objekt, mit welchem er Frostbeule auf den Hintern gehauen hatte.

Emil hatte seine massige Gestalt aus dem Fenster gezwängt. Sein Atem bildete Wölkchen. Seine behandschuhte Rechte hielt ein Taschentuch, mit dem er sich die Stirn tupfte. Dann gab er der gemischten Truppe, die sich von hinten genähert und nun stumm die Flinten gesenkt hatte, ein dankendes Handzeichen.

»Das war knapp, mein Freund!«, sagte Emil überhöflich zu Franz. »Eine beeindruckende … Waffe habt Ihr da.«

»Mein lieber Markgraf, dies ist ein Abschiedsgeschenk des Königs der Kobolde – seine beste Klinge, in Anerkennung meiner Dienste.« Franz hob das Ding hoch und hielt es Emil so penetrant nah unter die Nase, dass der diese zurückziehen musste, wollte er kein drittes Loch riskieren.

Franz' »Waffe« war eine Art Spielzeugschwert. Die Schneide war ein von der Kälte angelaufenes gelbliches Blech und wie ein Kurzschwert geformt, vielleicht alles in allem eine Elle* lang, stumpf, ein wenig verzogen, das vordere Ende in eine Spitze zulaufend, die jedoch umgeknickt war. Ein paar Kerben zeugten

* Entsprach in Rheinfelden ungefähr 35 Zentimetern.

davon, dass Franz mit diesem Spielzeug wohl schon gegen massive Objekte gehauen hatte. Am Heft war das Blech geschmälert und mit Stofffetzen umwickelt, die wiederum mit Bastschnur verzurrt waren.

»Eine schöne Messingklinge«, sagte Emil ohne Spott in der Stimme. »Ich möchte Euch für Eure Hilfe gerne zu einem Krug Wein einladen, bei baldiger Gelegenheit. Dann könnt Ihr mir mehr von Euren Diensten bei diesem Koboldherrscher erzählen.«

»Gerne!«, frohlockte Franz. »Wir werden dank Pjotrs Fertigkeiten als Quartiermeister bei einem Mann namens Paul Gass untergebracht. Kommt vorbei!«

»Emil, ich will weiter«, forderte Annette vehement. Sie wollte weg von den Frauen – und von diesem Pjotr.

»Ja, fahren wir«, knurrte Adolf. Quer über sein Kinn verlief eine Kratzwunde. »Ich kann es kaum erwarten, wieder nach Brugg zu verschwinden.«

»Wo lebt dieser Gass?«, hakte Emil nach.

»Ein Wille führt immer zu einem Weg. Nun, edler Markgraf, Ihr werdet ihn finden«, antwortete Franz und kicherte kryptisch.

»Das werde ich, habt Dank!«

Dann setzte sich die Kutsche in Bewegung, und Annette zog rasch ihren Kopf ein. Ein Schrammen von Karrenrädern über Pflastersteine verriet, dass die Schleuse geöffnet wurde.

Adolf konnte nicht schnell genug durchfahren.

Annettes Augen brannten. Sie lehnte an der Wand gegenüber dem Spitalmeisterbüro und hatte unaufhörlich aus dem Fenster dorthin gestarrt, wo sie vor zwei Stunden dieses schreckliche Erlebnis durchgemacht hatte.

Leichter Schneefall hatte eingesetzt – wieder mal. Die Flocken wurden vom Westwind gegen die Spitalkapelle geweht.

Weiter hinten im Flur hörte sie eine Tür aufgehen. Dann schlurfte die kleine gebeugte Gestalt einer alten Frau in grauem schlichtem Kleid, weißer Schürze und mit einer Haube, die der einer Nonne glich, auf sie zu. Sie strahlte eine angenehme Kraft aus und erinnerte Annette sofort an eines ihrer früheren Kindermädchen, das sie besonders gerne gemocht hatte.

Sie hat die gleichen Karamellaugen, stellte Annette fest, als die Alte sie erreichte.

»Gott zum Gruß, Frau Doktor«, raschelte ihre Stimme angenehm wie Bücherseiten bei einem Windstoß. »Ich bin Spitalschwester Martha Schmid. Euer Gatte wird zukünftig das Wundzimmer leiten, das unter meine Administration fällt.«

Annette lächelte und machte einen kleinen Knicks. »Ein großes Vergnügen, Schwester Martha. Ich bin sicher, er wird Eure Unterstützung schätzen.«

»Hattet Ihr eine angenehme Reise?«

Annette zögerte kurz. »Nun … danke. Die Kälte war zuweilen schwer erträglich, und die Straßen diesseits des Bözbergs erwiesen sich als sehr unwegsam. Unser Kutscher tat mir leid. Und dann noch dieser Vorfall hier in Rheinfelden, unten auf der Straße, wo die Frauen uns angriffen.«

»Ja, davon hörte ich, eine schlimme Sache. Die unnatürliche Kälte bringt die Menschen zur Verzweiflung. Verzagt nicht, mein Kind! Unser Herr straft uns alle für die sündigen Jahre des Krieges und für unsere Allianz mit der Gottlosigkeit der Bonapartisten. Wir können nur auf seine Gnade hoffen, jetzt, da es zurück zu Thron und Altar geht. Ich bin zuversichtlich, Er wird sich erbarmen.«

»Schwester Martha, ich …«, begann Annette.

»Nicht ›Schwester‹, Frau Doktor! Ich bin keine Nonne mehr, seit das Stift aufgelöst und das Spital säkularisiert wurde, was Gott verzeihen möge. Nennt mich einfach Martha! Und nun Schluss mit diesem Trübsal.« Martha drehte sich um und plapperte fröhlich weiter: »Folgt mir, Frau Doktor, ich bringe Euch zu Eurer Wohnkammer.«

Annette ging der Spitalschwester schweigend durch den Flur des Verwaltungstrakts nach, den sie durch eine rot angestrichene Tür verließen.

Der Trakt dahinter stank nach Ausscheidungen, schwitzenden Kranken und Alkohol. Gegen diese übelkeitserregende Kombination wirkten allein die Düfte von getrockneten Heublumen und Kräutern, die sich in regelmäßigen Abständen in Wandvasen oder Blumenkrügen befanden.

Annette verschlug es den Atem. Ihr drehte sich der Magen um, und nur mit großer Willensanstrengung blieb sie Martha auf den Fersen. Durch das Haus hallten Stöhnen, Wimmern und gedämpfte Sätze, gepaart mit dem Tippeln zahlreicher Füße auf Holzdielen.

»Hier oben sind die Patientenverschläge für bedeutendere Herrschaften, wo ich früher hauptsächlich assistierte«, informierte Martha. »Einer- oder Zweierkammern. Im Erdgeschoss des Nord- und Westtrakts sind die Massenverschläge sowie die meisten Operationszimmer und im Untergeschoss die Küche sowie die Apotheke. Gleich hier unter unseren Sohlen liegt außerdem der Zugang zur Spitalkapelle.«

»Ihr müsst nicht mehr assistieren?«

Martha lachte heiser und wandte sich zu Annette um. »Meine Augen sind nicht mehr die besten, Frau Doktor. Ich habe ausschließlich haushälterische und organisatorische Pflichten. Gleich vorhin habe ich Kost und Logis für Euren Kutscher arrangiert, bevor es für ihn wieder zu den Protestanten geht.«

Da Marthas Anspielung sowohl scherzhaft als auch vorwurfsvoll aufgefasst werden konnte, beschloss Annette, ihr Gesicht undurchsichtig zu halten und sich lediglich höflich zu bedanken. Sie lenkte sich von ihrer Grübelei ab, indem sie einen Blick durch die offenen Seitentüren des Flurs zu erhaschen versuchte. Sie sah kalkgebleichte Steinwände und grobe Holzbetten mit Strohmatratzen; in der ersten Kammer lag ein Verletzter. Er trug einen frischen Verband um seinen Schädel, eine Krankenschwester in grauer Kleidung und mit Haube hatte sich über ihn gebeugt und zurrte das Leinen gerade fest.

In einem anderen Zimmer waren die beiden Betten leer; in einem weiteren wurden sie von einer Schwester soeben frisch bezogen. Aus dem Raum kroch ein derart scharfer Uringestank, dass die Heublumen, die in einer am Türrahmen angemachten Wandvase steckten, keine Chance hatten, ihn zu mindern.

Schlussendlich verließen sie den Korridor über eine Treppe, die in das oberste Geschoss führte, wo sie zwei älteren Schwestern begegneten, die Martha beim Vorübergehen respektvoll grüßten.

Sie standen nun im Osttrakt des Spitalkomplexes, wo es nach Suppe roch.

»Hier befinden sich die Wohnkammern. Hier unten vier und eine oberhalb des guten alten Hippokrates«, sagte Martha und schmunzelte. Sie deutete auf ein Podest mit der Marmorbüste des griechischen Arztes, die den Kammertüren gegenüber vor einer Fensterfront stand. Dessen gemeißelte Augen fixierten die untersten Stufen einer kurzen engen Treppe, die noch weiter hochführte.

Martha und Annette erklommen sie und kamen zu einem kleinen Absatz mit einer Mansardentür.

Die verputzten Steinwände leiteten die Kühle des winterlichen Frühlings ins Innere weiter. Der angenehme Geruch von altem lackiertem Bauholz stieg Annette in die Nase, als Martha einen kleinen Bartschlüssel aus ihrer Schürzentasche zauberte und im Schloss drehte.

Die Spitalschwester erklärte schnaufend: »Die Kammern sind für unsere neuen Ärzte. Fast immer Junggesellen. Diejenigen mit Familie nehmen sich normalerweise ein Appartement in der Stadt, manchmal sogar ein Haus, wenn das Geld genügt. Ihr und Euer Gatte könnt hier bestimmt für die nächsten Monate bleiben, aber ich vermute, Ihr werdet ebenfalls nach einem anderen Domizil Ausschau halten.«

Mit diesen Worten stieß sie die knarrende Mansardentür auf. Ein kühler Hauch wehte aus dem verdunkelten Zimmer dahinter.

Martha führte Annette hinein, die den kleinen Raum betrachtete: kalkverputzte Steinaußenwände und ein angenehm hoher

Dachstuhl. Im Raum befanden sich ein gedrechselter schmaler Ahorntisch und zwei Stühle, eine steinerne Kochnische mit einem Ofen, dessen Kaminrohr als Wärmequelle ein Stück der Wand entlanglief, Töpfe und Geschirr auf einem Holzregal, Nägel mit aufgehängten Pfannen und einem Bratrost, in der Ecke ein Besen und ein verstärkter Holzeimer, dazu noch zwei mittelgroße Vorratsschränke sowie ein Fenster zur Ostseite hin, dessen Läden zugeklappt waren. Ein paar Kerzen und zwei Laternen waren als Lichtquellen vorgesehen.

Der Raum roch nach Asche und den Küchenkräutern, die wie üblich auf dem Regal gelagert waren.

An der Nordseite, neben der Kochnische, befand sich ein schmaler Durchgang in einer Holztrennwand.

»Seht Euch nachher auch die Schlafkammer an«, schlug Martha vor, während sie das Fenster öffnete und die Läden aufklappte. Sofort flutete Tageslicht herein und leuchtete die Wohnung bis in den hintersten Winkel aus.

Diese entsetzliche Enge, dachte Annette leicht missmutig.

»Die Schränke sind übrigens von unserem lieben August Has gefertigt worden, ehrliche und solide Arbeit, und das obschon der Mann eigentlich vor allem Zimmerarbeiten durchführt. Außerdem bildet die Rückseite des Ofens sogar eine Takenheizung. Unglaublich teuer, aber dank der Hilfe des Herrn haben wir großzügige Gönner. In der Wand gibt es einen Durchbruch mit einer Metallplatte, die vom Ofen aufgeheizt wird. Damit könnt Ihr Eure Schlafkammer wärmen. Ich selbst buckle noch vor einem Kachelofen, den schon meine Vorgängerinnen benutzten, Ihr seid also bevorteilt. Wie gefällt es Euch? Diese Wohnung hier ist die beste der fünf Wohnkammern.«

Der Tisch steht praktisch auf dem Herd, und wenn man von ihm aufsteht, stößt man sich am Schrank. Grässliches Ungetüm! Und was soll ICH mit einem Kochherd anfangen …?

Annette fühlte sich plötzlich sehr müde, schürzte die Lippen, nestelte verlegen an ihren Fingern. *Ich sage ihr nichts, sonst hat Emil schon zu Beginn Ärger. Sei eine gute Ehefrau!*

Schließlich rang sie sich ein Lächeln ab und antwortete: »Sehr schön ist es hier. Ich werde mich hier wohlfühlen.«

»Nun, ich denke, ich überlasse Euch nun Euch selbst«, sagte Martha mit einem wissenden Schmunzeln, als lese sie gerade Annettes Gedanken. »Ich werde Euch vom *Steckli*-Sepp und den Stallburschen die Koffer hochbringen lassen. Sie sind die Richtigen dafür.«

Annette kicherte. »Was für ein Name.«

»Weil der Alte immer auf einem Süßholz kaut. Ich habe ihn noch kaum ohne gesehen«, antwortete Martha; dann machte sie Anstalten, sich zu verabschieden.

»Wartet bitte noch kurz, Martha! Als wir vor den Toren auf die Truppen trafen, begleitete die auch ein verstümmelter Mann, wohl aus der Gegend. Er heißt Franz Brogli …«

Die alte Frau erstarrte mitten in ihrer Schrittbewegung, als sei sie gerade in Hundescheiße getreten.

Annette zögerte überrascht, aber als sie fortfuhr, gelang ihr das Kunststück, einen beiläufigen, unverdächtigen Tonfall zu treffen. »Nun, dessen augenfälliges Auftreten und sein seltsamer Begleiter haben in mir ein … neugieriges Amüsement geweckt. Ihr scheint diesen Brogli zu kennen, da dachte ich … Verzeihung, verärgert Euch die Frage?« Annette spürte ihre Wangen glühen. Ihr Herz pochte.

Marthas Gesichtszüge glichen denen einer illustrierten Medusa in einem Wälzer über die griechische Mythologie, den Annette als Halbwüchsige von ihrem Vater geschenkt bekommen hatte. Annette hatte diese Abbildung stets gefürchtet; nun erwartete sie in einem kindischen Anfall für einen Moment, dass sich ihre Glieder in Stein verwandeln würden.

Die Stimme der alten Spitalschwester klang kratzig: »Gottes Wege sind unergründlich, weil dieser Mann wieder zurück ist. Sein Hof befand sich beim *Schiffacker,* südöstlich der Stadt, zwischen den beiden Gemeindeforsten. Er war ein Mann der Sünde.«

Annette schauderte. *Erzählt mir bitte mehr,* dachte sie.

Martha tat ihr den Gefallen: »Er war wegen seiner Unmoral vom Schultheißen zur Zwangsrekrutierung durch die Franzosen verurteilt worden. Sogar unser lieber Bezirksammann Fischinger hatte das Urteil bestätigt. Napoleon war ein ehrloser Parvenü, aber in diesem Fall taten seine Schergen Recht und schleppten Brogli in ihrer Horde nach Russland. Die Gerüchte erzählten, er sei dort erfroren, was ich …« Sie schluckte den Rest des Satzes hinunter.

Annette ahnte, dass der nicht viel mit christlicher Vergebung zu tun gehabt hätte.

Sie wusste als Zeugin leidenschaftlicher Tischdebatten in Brugg, dass die Stände während der Mediationszeit besonders gerne Straffällige und andere unerwünschte Personen für das Militärkontingent verpflichtet hatten, das sie jährlich den französischen Besatzern stellen mussten. Freiwillige hatte es kaum mehr gegeben, besonders als Napoleons Verlustlisten immer länger wurden.

Annette rief sich die lebhaften Streitgespräche ins Gedächtnis zurück, die ihr älterer Bruder, ihr Vater und Freunde der Familie über die Rekrutierungspolitik der aargauischen Bezirke geführt hatten. Ihr Vater und einige seiner Freunde echauffierten sich daran, dass die Bezirke in ihrer Not oft mit dubiosen Mitteln und zweifelhaften Urteilen Truppennachschub »erschufen«, ein Umstand, an dem sich ihr Bruder und »seine« Fraktion nicht störten.

»Die arme Klara und ihre beiden Mädchen!«, seufzte Martha.

»Klara? Diese Nichte von Brogli?«

»Seine Nichte, richtig. Sie wuchs bei ihm auf und wird sich nun wohl verpflichtet fühlen, ihn zu unterstützen. Als ob sie nicht schon genug Sorgen hätte!«

»Was ist vorgefallen, dass Franz Brogli in die *Grande Armée* gezwungen wurde?«

Martha antwortete scharf: »Dieser Lump ist kein weiteres Wort wert!« Sie rauschte mit energischen Schritten zur Mansardentür. »Ich hole Euch morgen früh ab und führe Euch über den Markt. Und ich rate Euch, haltet Euch von diesem Mann fern!«

Dann fiel die Tür ins Schloss.

3

Der kalte Morgenwind hatte längst seinen Weg durch die Fensterritzen der Wohnkammer gefunden; schon hatte er die Wärme der Takenheizung verdrängt, die ihre Heizkraft nur noch aus einem glimmenden Aschehaufen bezog. Der Zug strich übers Bett und zauberte Gänsehaut auf Annettes nackte Arme.

Sie liebte es, wenn die warme Bettdecke durch Bewegungen verrutschte oder ein wenig gelüftet wurde und die darunter fahrende Luft sie etwas schaudern ließ. Nur etwas, das war wichtig! *Ein schönes Spiel, ein kribbliges Spiel, es vollendet die Lust!*

Sie wusste aus Frauengesprächen, dass Spaß an den ehelichen Pflichten eher die Ausnahme war.

»Es gibt Nonnen, die haben mehr Liebeswonnen als ich!«, hatte Elsa Pfister, eine alte Freundin ihrer Mutter, zu Annettes peinlicher Berührung nach dem vierten oder fünften Kristallkelch Wein gejammert.

Elsa, die einen extensiven Hang zur Melodramatik besaß und ihre Zunge auch nüchtern schlecht zu beherrschen vermochte, hatte Annette am Rande des eigenen Hochzeitsballs abgepasst, weil sie Annette natürlich mochte, aber auch zwei geduldige Ohren für ihr larmoyantes Geschwätz suchte.

Sie leerte ihren Kelch in einem Zug, drückte ihn einem Diener in die Hand, verbunden mit der Aufforderung, er möge für Nachschub sorgen, wünschte Annette viel Glück für den Umzug und das Beste für die Ehe, dann begann sie einen Atemzug später, ihre eigene erneut zu beklagen.

Annette bekam heiße und noch heißere Ohren, die Augen vor Scham und Verwirrung und zaghaftem Amüsement auf das dunkle Nussholzparkett des Saals gerichtet.

Annette spürte ein Nachglühen in ihren Wangen und lächelte ob dieser Erinnerungen. Sie hatte die mit opulenten Blumenmotiven bestickte Winterdecke, das Hochzeitsgeschenk von

Elsa Pfister, wieder über die nackten Brüste und die Schultern gezogen, nachdem Emil von ihr heruntergerollt war.

In ihrem Kopf drängte sich erneut der Sturm der Leidenschaft in den Vordergrund, während der Samen ihres Mannes wie warmes Wachs in ihr Geschlecht lief.

Annette fühlte sich ihm so nah wie noch nie seit der Ankunft in Rheinfelden. Sie war eng an seinen Körper geschmiegt, auch aus praktischen Gründen: Das grob gezimmerte Bett war sehr schmal.

Während der ersten Übernachtung vor zwei Wochen hatte sie im Schlaf ihr Bein unter der Decke herausbaumeln lassen und dabei stundenlang gegen die hölzerne Bettkante gepresst. Das hatte ihr einen ordentlichen Bluterguss eingebrockt, der tagelang zu sehen gewesen war.

Wenigstens beherbergt das Bett keine Läuse, dachte sie gut gelaunt.

Emil grunzte befriedigt. Er hielt sie heftig schnaufend umschlungen; sein Atem prickelte in Annettes Halsbeuge. Sie spürte seine Muskeln; die dichten braunen Haare auf seinen Armen und seinem Oberkörper kitzelten ihre Brustwarzen. Sein erschlaffendes Glied drückte gegen ihren Oberschenkel und dessen feuchte Spitze blieb kurz daran kleben. Das Blut jagte in ihr Gesicht und in ihren Schoß, ließ ihre Lust wieder hochköcheln, während sie im Zwielicht sein Gesicht betrachtete. Ihre Fingerbeeren strichen über seinen Unterkiefer.

Diese blauen Augen, sein kräftiges Kinn. Er ist kein schlechter Ehegatte, dachte Annette und wurde schlagartig melancholisch. *Wieso schenkt uns Gott kein Kind? Was denkt Emil darüber? Wie lange mag er mich noch? Wie fest kümmert ihn das?*

Annette räusperte sich, war bereit. Ja, sie war tatsächlich so weit, diese für sie wichtigen Fragen zu stellen. Sie sammelte sich rasch, kratzte noch etwas Mut zusammen, dann holte sie Luft, als Emil unvermittelt die Augen aufschlug und leise meinte: »Hat das neue Dienstmädchen schon etwas Interessantes ausgeplaudert? Du weißt schon …?«

Wenn er ihr einen Tritt in den Bauch versetzt hätte, hätte sie sich nicht brüskierter gefühlt. Sie fauchte als Antwort: »Mein edler Gatte denkt an andere Frauen, wenn er sich nach vollzogener Liebe an sein nacktes Eheweib drängelt?«

»Hä?«, wunderte sich Emil. Er stemmte seinen Oberkörper hoch, stützte sich seitlich auf dem Ellbogen ab und schielte auf sie herunter. Dabei wackelte das Bett bedrohlich, und die Decke rutschte beinahe ganz weg.

Annette schlotterte, und daran war jetzt nichts mehr erregend. Sie legte den rechten Arm schützend über ihren Busen und wandte den Blick von ihm ab. Die linke Hand tastete nach der Decke und zog sie hoch, als hinge ihr Leben davon ab.

»Pass auf, hier drin ist es eng, Frau«, scherzte Emil zögerlich, dann beschloss er wohl, nicht näher auf Annettes Vorwurf einzugehen. »Aber ernsthaft: Was plaudert das Hausmädchen?«

Seine Hand streichelte über den Arm auf ihren Brüsten. Annette fühlte sich von widersprüchlichen Gefühlen zerrissen …

Dank einiger Lektionen ihrer ehemaligen Gouvernante hatte sie Kenntnis davon, wie man einen Haushalt organisierte, aber keine davon, die Arbeiten persönlich auszuführen. Als Tochter aus dem Großbürgertum hatte sie höchstens im Spiel oder aus Faszination mal ein Kochfeuer entzündet, jedoch niemals eine Suppe erhitzt, geschweige denn Gemüse gerüstet, Geschirr und Pfannen geschrubbt, Betten gemacht, einen Besen benutzt oder – besonders unappetitlich – einen Nachttopf selbst entleert.

Die vermaledeite Rheinfelder Niederlassungsbewilligung war aber an die Bedingung geknüpft, dass nur Katholiken, vorzugsweise aus der Stadt selbst oder den umliegenden Dörfern, beschäftigt werden durften. So hatte kein Hausmädchen und kein Diener aus Brugg das junge Ehepaar begleiten können, und Adolf, der einzige Katholik in den beiden Haushalten, sowohl in dem der Familie Lutz als auch in dem der Familie Schäfer, wäre ohnehin niemals geblieben. Er war schon am folgenden Tag nach ihrer Ankunft wieder gen Brugg aufgebrochen.

Prompt hatte Annette also am zweiten Abend, notgedrungen zur Hausarbeit verdammt, mit einem heruntergefallenen glimmenden Scheit fast die Fußbohlen in Brand gesteckt und danach die Gemüsesuppe versalzen.

Emil machte einen deftigen Spruch, tröstete danach seine weinende Ehefrau und nahm sie ohne große Worte in den *Salmen* mit, dann am nächsten Abend in die *Krone,* die beide unweit des Spitals in der Marktgasse lagen. In einem der beiden Restaurants dinierten sie seither jeden Abend, beide verköstigten ihre hochstehenden Gäste trotz Mangelzeiten abwechslungsreich und vorzüglich – und zu einem stolzen Preis.

Über Mittag begnügte Annette sich mit dem Eintopf der Spitalküche, bei der sie Marthas Gesellschaft und die einiger anderer Schwestern genießen konnte und wo man sich gegenseitig mit Witz aushorchte. Sie musste sich dort aber auch dafür necken lassen, dass eine Dame von Stand sich kaum an den Gesindetisch setzen solle, auch wenn das vielleicht eine protestantische Marotte sei – oder ähnliche Sprüche, in denen irgendein Umstand mit ihrer Konfession erklärt wurde. Annette spürte jedes Mal einen Stich im Herzen.

Sie musste sich beinahe täglich von jemandem ihren Protestantismus unter die Nase reiben lassen. Seltsamerweise schien die ganze Welt darüber Bescheid zu wissen. Und die Seitenhiebe waren durchaus auch gehässig.

Die Ressentiments, das merkten sie und Emil rasch, brodelten selbst bei Würdenträgern und den Gebildeten, von denen man eine zivilisiertere Haltung hätte erwarten können.

Kleinrat Hans Georg Kalenbach bezeugte diese »allgemeine Skepsis« seiner Mitbürger während der zwei Male, bei denen er mit seiner Familie dem Ehepaar Schäfer im *Salmen* Gesellschaft geleistet hatte; er zog dabei eine bedauerliche Miene, dann fing er wieder an, von sich zu reden. Der korpulente Endvierziger in seinen aristokratisch wirkenden Beinkleidern, dem teuren Hemd, dem umgeschlungenen Seidenhalstuch und den rötlichen Flecken im Gesicht benutzte die Essen vor allem zur

Selbstbeweihräucherung aufgrund seiner Rolle bei der Verteilung der russischen Hilfslieferungen. Seine Frau saß daneben, nickte eifrig und stimmte bewundernd zu, als halte er die Bergpredigt.

Immerhin: Am zweiten Abend kündigte er Emil an, dass er von den Beamten bald eine Auflistung der eigentümerlosen Grundstücke innerhalb des Gemeindebanns erhalten werde.

Emil hatte schon am Abend der versalzenen Gemüsesuppe gemeint, dass er baldmöglich ein Stadthaus oder ein größeres Grundstück im Umland besorgen und die entsprechende Dienerschaft anheuern wolle.

Finanziell waren die Schäfers für ein junges Paar sehr gut gestellt. Sie besaßen Annettes Mitgift und eine anständige Summe in Form eines Privatbankguthabens – das Hochzeitsgeschenk von Emils Eltern. Dazu kam noch der Erlös der veräußerten Hausstandswaren ihrer alten Wohnung. Emil aber haderte damit, dass sie zukünftig keine finanziellen Zuwendungen ihrer Familien erwarten konnten. Seine eigene Familie rang mit den beachtlichen Anwalts- und Gefängnisgebühren, die ihr vom Stand wegen der Prozesse gegen Onkel Julius aufgebürdet worden waren.

Der Onkel war zudem der geschäftliche Stratege gewesen. Unter Emils Vater generierte die familiäre Manufaktur einen wesentlich bescheideneren Umsatz. Und die unangenehmen Gerüchte rissen nicht ab.

Spitalmeister Schumppelin überließ Annette sogar eine *Fricktaler Journaille,* als er seine Aufwartung in der Wohnkammer machte, um sich nach dem Einleben zu erkundigen. Das Blatt berichtete in einem kurzzeiligen Artikel, dass die Justiz des Bezirks Baden angekündigt habe, im Zuge der Untersuchungen gegen die Schäfer-Metallwaren-Manufaktur wegen Kriegsgewinnlerei, Wucher und anderer Delikte auch die »weiteren Teilhaber zu vernehmen«. Damit erfüllte sich eine heimliche Befürchtung der Ehegatten.

»Jetzt werden sie auch Vater holen«, murmelte Emil zornig, als er den Artikel überflog.

»Und meine Familie? Was ist mit meinem Vater?«, fragte Annette.

Emil gab keine Antwort.

Am Tag darauf entschied er aber mit Blick auf die kommenden finanziellen Verpflichtungen, dass eine einzige Haushaltsgehilfin bis zum Umzug in eine größere Residenz reichen müsse. Und kaum war das verkündet, fügte er einen Personalvorschlag für diesen Posten an, der sich wie ein Befehl anhörte: Klara Studer.

Er kennt den Nachnamen dieser Frau, hat sich nach ihr erkundigt! Hat er mit Kalenbach und Schumppelin über die lokalen Weibsbilder getratscht?

Annette fühlte sich düpiert, deshalb widersprach sie. »Diese Studer hat sicher noch nie in ihrem Leben das Haus einer gehobenen Familie von innen gesehen. Hast du sie dir nicht angesehen? Die sieht aus wie eine Bettlerin. Bestimmt hat sie auch solche Manieren.«

Emil entgegnete bestimmt: »Die meisten dieser Katholiken sehen wie Bettler aus. Und die Studer kann kochen und schrubben und waschen. Die Manieren wird sie von selbst lernen. *C'est tout!*« Und dann einschmeichelnd: »Vielleicht gewinnst du hier eine Vertraute. Und immerhin bist du dann durch den Tag hindurch nicht allein, oder?«

»Ich danke dir unendlich, mein fürsorglicher Ehegatte«, murmelte sie und kassierte dafür einen aufmunternden Klaps auf den Hintern. Und so kam es, dass Klara Studer, Nichte von Franz Brogli, Witwe und Tagelöhnerin, schon am nächsten Morgen mit ringenden Händen, gesenktem Blick und ihrer besten Schürze vor der Mansardentür stand, um eine Festanstellung anzutreten, die ihr aus dem Nichts in den Schoß gefallen war. Annette war froh darüber, dass sie keinerlei Fragen stellte …

Klara machte wahrlich einen verhärmten Eindruck. Sie war knochig und besaß dieselben blauen Augen wie Franz; sie waren unruhig, mit in sich gekehrtem Blick, als grämen sie Tag und Nacht die Leiden der gesamten Welt. Mit ihrer rauen Haut, ihrem Kopftuch, den dicken Leinenröcken mit den zerfaserten Wollstrümpfen und den dunklen Dreiecksschals, die sie um den Oberkörper gewickelt hatte, wirkte sie doppelt so alt, als sie war.

Annette registrierte auch, dass Klaras Hüften höchstens halb so breit waren wie ihre eigenen.

Trotzdem hat sie Kinder.

Trotz dieses trüben Gedankens verbrachte Annette gerne Zeit mit ihrer neuen Magd, besonders bei dem morgendlichen Einkaufsbummel in der Marktgasse. Außer dem Spital lagen das städtische Rathaus und einige Zunft- und mehrgeschossige Stadthäuser der Vermögenden an der Straße. Auch Kalenbachs Heim war darunter.

Emil hatte an dieser exquisiten Ecke bereits seine Fühler nach möglichen Kaufobjekten ausgestreckt, aber die meisten Eigentümer lebten schon seit Generationen hier und schienen keine Protestanten als Nachbarn haben zu wollen. Das war jedenfalls Emils Schlussfolgerung nach Gesprächen, die allesamt von verhaltener und höflicher Ablehnung geprägt waren.

Die Häuser gehörten den Wohlhabenden, das Straßenpflaster den Händlern.

Auf Annettes Frage hin erzählte Klara ihr, dass die Auslagenvielfalt in normalen Zeiten beeindruckend gewesen war. Klaras Augen leuchteten dabei verklärt, und Annette glaubte, Klaras Magen richtiggehend knurren zu hören, bevor ihre Magd zu schwärmen begann.

Gemüse in Körben und Weizen in Säcken, Karpfen und Hechte aus den Salmenwaagen des Rheins oder aus den Zuchttümpeln des Umlands, Lederwaren, Krämergut, Gewürze, die auf Schiffen aus den Niederlanden oder von den französischen Rheinhäfen kämen, alles würde feilgeboten. Schmiede, Seifensieder, Drechsler und Korbflechter würben um Aufmerksamkeit, priesen vom Nagel über Töpfe bis hin zur Nachtkommode ihre Waren an. Der Geruch von frischem Holz, dann der vom Blut der Schlachttiere, dann der von frischem Obst forderten die Nase angenehm heraus. Immer habe es jemanden zu begrüßen oder eine Gruppe Feilschender zu umgehen gegeben, oder man musste einem Fuhrkarren Platz machen, der Güter im Auftrag eines Händlers zulieferte. Das *Jahr ohne Sommer* habe die geschäftige Marktgasse in einen armseligen Schatten ihrer besten Tage verwandelt.

Annette konnte dem nur zustimmen.

Zahlreiche bettelnde Hände wurden ihr bei jedem Marktgang entgegengestreckt. Der Unrat lag höher als in Brugg, und die Armen der Stadt schienen aus ihm wie Würmer zu kriechen: ausgemergelte Gestalten, die in den dünn zugeschneiten Pflastersteinritzen der Marktgasse noch Weizenkörner der Russen zu finden hofften. Andere lauerten darauf, sich um Warenabfälle der Händler zu balgen oder spekulierten auf den richtigen Augenblick für einen Diebstahl.

Es verwunderte Annette bei so vielen bitteren Schicksalen daher kaum, dass Klara schier unterwürfig dankbar war. Sie erhielt ein großzügiges Einkommen für eine ungelernte Dienstmagd. Emil hatte zwei Gulden bei einer Sechstagewoche erlaubt, dazu noch zwei Laibe Brot aus der spitaleigenen Bäckerei als besondere Vergütung, die er sich wöchentlich von seinem Gehalt abziehen ließ.

Klara sollte dafür selbstredend eine Gegenleistung erbringen, und Annette hatte den Auftrag, diese nach und nach einzufordern: Sie sollte erzählen, was es über Franz Brogli zu erzählen gab.

Und grundsätzlich plapperte sie viel.

Schon am ersten Arbeitstag hatte Annette erfahren, dass ihre Magd den Ehemann Gottfried und die mittlere Tochter an den Tod verloren hatte, dass sie noch zwei weitere Töchter – Emma war sieben, Therese drei – hatte, die den Tag auf den Straßen und den Innenhöfen rings um die familiäre Mietskaserne unter der Aufsicht einer Nachbarin verbrachten. Annette hatte die Mädchen bisher zweimal gesehen. Sie waren dürr und mit knochigen Gesichtern, die auf bedrückende Art schon vergreist wirkten, genau wie bei ihrer Mutter. Emma zog zudem ihren rechten Fuß leicht nach.

Wie ein lahmes Pferd, hatte Annette bei der ersten Begegnung gedacht und sich einen Wimpernschlag später für diesen geschmacklosen Vergleich geschämt.

Wenn Annette das Gespräch allerdings auf Franz Brogli lenken wollte, versank Klara in grüblerisches, beinahe trotziges Schweigen. Annette konnte sich diese Verstocktheit nur mit dem Schmerz erklären, den die arme Klara wegen des mitleiderregenden Zustands ihres Onkels gepackt hatte.

Ein einziges Mal erzählte Klara, dass ihr Onkel sie nicht wiederzuerkennen scheine, aber Freude gezeigt habe, als sie ihn besuchte. Er wohne seit seiner Rückkehr mit in der Kammer von Paul Gass, seinem ehemaligen Knecht, nunmehr ein Tagelöhner, der zurzeit als Hilfsförster Rheinfeldens sein Auskommen verdiene. Der Paul sei ein wenig tumb und unbedarft, erklärte Klara Annette, aber da Paul und sie gemeinsam aufgewachsen seien, betrachte sie ihn als brüderlichen Freund …

Emils Hand versuchte in diesem Augenblick, sich unter ihrem Arm zu ihren Brüsten durchzumogeln und riss Annette aus ihren Gedanken. Sein Körper stahl sich fordernd an ihren heran.

Sie schob seine Hand sanft weg, wandte sich ihm zu und flüsterte in einem so verschlagenen Ton wie möglich: »Vielleicht erzähle ich dir was, wenn du mir sagst, was du gestern schon wieder mit Kalenbach und Schumppelin hast besprechen müssen.«

Emil schnaufte schwer und starrte auf ihre Brüste.

Sie hatte absichtlich dafür gesorgt, dass ihre Brustwarzen bei der Drehung seine Wange streiften. Sie schabten sanft über seine Bartstoppeln. Es kitzelte verlockend, ein warmer Schauer blühte in Annettes Schoß auf. Sie lächelte und zog ihren Oberkörper wieder etwas zurück.

In Emils Blick erkannte sie Enttäuschung.

Sehr schön!

Sie spürte, wie sein wieder steif werdendes Glied gegen ihren Oberschenkel drückte.

Seine Finger versuchten nun ihr Glück, indem sie sich an der Hüfte entlang zu ihrem Po vortasteten. Rasch beugte sie sich vor, küsste ihn flüchtig auf den Mund und drückte dabei erneut seine Hand weg.

»*Mon cher,* ich bin neugierig! Also, was wurde geredet? Vielleicht belohne ich dich dafür auch auf … liebe Weise.«

»Da gibt's nicht viel zu …«, stotterte Emil lüstern.

»Oh nein, wie dumm, ich muss urplötzlich auf den Nachttopf, möglicherweise mache ich noch einen kleinen … ähm … Spaziergang, immerhin muss ich mich von deiner Leidenschaft erholen.« Mit einer agilen Bewegung schwang sie ihre Beine unter der Decke hervor und über die Bettkante. Sie schlug ihren Oberschenkel dabei an, aber das spürte sie kaum.

Emil grunzte, packte sie und zog sie rasch auf die Matratze zurück, bevor sie aufstehen konnte.

»Warte, du Luder!«, knurrte er.

Spielerisch widerborstig ließ sie es geschehen.

»Also, Doktor Schäfer, ich höre!«, sagte sie, als er sie wie einen geangelten Fisch unter die Bettdecke zurückgeholt hatte.

»Nun«, keuchte Emil, während seine Finger wieder über Annettes Pobacken streichelten, »wir haben über wichtige Angelegenheiten geredet, die in naher Zukunft anfallen oder, sagen wir, von uns erwartet werden. Schumppelin war … vornehm, er hat es vermieden, unsere Probleme in Brugg zu erörtern. Er erwartet aber, und Kalenbach samt seinem ganzen Rat übrigens auch, dass wir in nächster Zeit zum Katholizismus konvertieren.«

»Wie bitte?« Annette packte seine Finger erneut. *Was wird meine Familie dazu sagen? Was werden unsere Freunde in Brugg dazu sagen?*

Emil sah sie an, als hätte er diese Reaktion erwartet. »Der Chorherr und damit Dekan des St. Martins-Stifts, das die Schirmherrschaft über das Spital hat, besteht darauf, dass ausschließlich Katholiken in seinem Dienst arbeiten. Das ist zwar in der momentanen Lage nur dumm, aber na ja … ist halt ein Pfaffe.« Er zuckte die Schultern. »Die denken wohl, als Papist habe ich dann heilende Hände. Ist mir eigentlich egal, Katholiken, Protestanten, Evangelische, alles Mumpitz. Ich habe Schumppelin daher die Konvertierung zugesichert. Mich stört an der Sache lediglich, dass die Pfaffen wieder so an Einfluss gewonnen haben. Ach, wenn der Kaiser und die Franzosen doch noch …« Er hielt inne, ließ den Satz versanden und wirkte sehr nachdenklich.

Annette spürte nicht mehr den verlangenden Druck seines Glieds, was sie irgendwie enttäuschte. Sie kniff die Lippen zusammen und schwieg schmollend.

»Danach erkundigte ich mich erneut nach lohnenswerten Kaufobjekten auf dem Gemeindegebiet«, fuhr Emil schließlich fort. »Und Kalenbach gab mir seine kleine Auflistung. Und stell dir vor, es gab einen wunderbaren Volltreffer! Hab den Flurnamen vergessen, aber Kalenbach erwähnte in dem Zusammenhang diesen Paul Gass, der wegen ›Erfolglosigkeit‹ – wobei Kalenbach das Wort derart ironisch betont hat, als meine er eigentlich ›Unfähigkeit‹ – Konkurs machte und sein Grundstück an den Staat abtrat.«

Paul Gass, der Knecht … Tagelöhner und Hilfsförster.

»Man enteignete ihn?«, hakte Annette nach.

»Ja, ich weiß: verlogen, nachdem die doch solche Methoden bei den Franzosen kritisiert hatten. Der Richter argumentierte, dass Gass nur deswegen Pächter sei, weil der wahre Eigentümer …« Emil unterbrach, als wäge er seine Worte ab, um dann fortzufahren. »Gass war Franz Broglis Knecht, wusstest du das? Und Brogli wohnt jetzt bei ihm. Ich habe ihn gestern nach der Sitzung besuchen wollen, aber dieser Russe, dieser zungenlose Krüppel – weiß der Teufel, woher dieser Kerl kommt – hat mir die Tür vor der Nase zugeschlagen!«

Annettes Stimme klang eisig, sodass sie selbst darüber erschrak: »Was willst du von diesem Mann, Emil?«

Emil lachte trocken auf. »Das weißt du doch, Weib.« Er umfasste ihr Kinn sanft mit Daumen, Zeige- und Mittelfinger, dann drehte er ihr Gesicht nah an seines. »Was hat dir Klara

Studer bis jetzt über ihren Onkel erzählt? Mach deinen hübschen Mund auf!«

»Fast nichts, wirklich. Er war Bauer, und Paul Gass war sein Knecht – Klara Studer scheint irgendwie an Kindes statt von Franz Brogli aufgenommen worden zu sein. Und als ihr Mann starb, besaß sie keine Rechte mehr an dem Grundstück.«

Emil lächelte verschlagen. »Weib, du musst lernen, Informationen zu beschaffen! Da war sogar ich erfolgreicher. Brogli war ein Bauer, richtig ... wie man sagt, ein knorriger, wortkarger Mann, typisch halt für diesen Schlag. Hat nur wenig Sinn für Humor gezeigt, daran konnte sich Martha erinnern, gehörte aber zu der Sorte, die schon mit sechzehn Jahren den Hof des Vaters übernehmen musste – und das auch ohne Wehklagen tat. Außer deiner Klara war der Rest der Familie schon zuvor durch Krankheit umgekommen, vor allem bei der Grippewelle von 1801. Irgendwann hatte Brogli geheiratet, aber seine Frau kam nie in andere Umstände, kein Nachwuchs auch nach mehreren Ehejahren. Kalenbach sagt, dass man damals hinter Broglis Rücken spottete, sein Weib sei so fruchtbar wie ein Stein.«

Annette schwieg. Sie dachte wieder mal daran, dass sie selbst auch noch nicht schwanger geworden war.

Emil seinerseits redete munter weiter. »Nun, die schreckliche Ironie bestand darin, dass sein Weib dann doch noch ein Kind unter dem Herzen trug, aber beide im Kindbett verstarben. Dadurch kam Brogli vom Weg ab. Kalenbach und Martha meinten, dass er sich danach, je nach Version, in eine oder mehrere Liebschaften gestürzt hatte, mit wem, wollten oder konnten sie allerdings beide nicht sagen. ›Eine unziemliche Verbindung‹, nennt Martha es bloß. Kalenbach kann sich kaum noch erinnern. Jedenfalls flog diese ›unziemliche‹ Verbindung auf, Brogli wurde vom Schultheißen wegen unehelichem Verkehr und Verstoß gegen die Sitten angeklagt. Das Gericht verurteilte ihn und befand, dass er seine Strafe am besten in der Armee des Kaisers verbüßen solle, so wie damals allgemein mit lasterhaften Personen verfahren wurde. Damit war Rheinfelden nicht nur einen

Delinquenten los, sondern erfüllte nebenbei auch die französische Forderung nach Rekruten.«

»Er ging also nach Russland, als Soldat der *Grande Armée*. Das wissen wir doch schon.«

»Er ging als Schweizer Soldat des vierten Regiments unter Oberst von Affry dorthin ... und blieb in Gefangenschaft. Die näheren Umstände sind noch unklar. In seiner Heimat hielt man ihn natürlich für tot. So wie er aussieht, hat er vor und während seiner Gefangenschaft Unfassbares durchgemacht.« Emil dachte wieder nach. Er starrte dabei auf einen Punkt im Dachstuhl. Einen Augenblick hörte man nichts als ihre gemeinsamen Atemzüge.

»Dich interessiert also seine Erschütterung?«, fragte Annette lauernd nach.

»Ich fragte Schumppelin, ob er es in Betracht zöge, den Brogli für eine nähere Untersuchung ins Spital zu holen. Immerhin hat es den Mann schwer erwischt. Schumppelin ist ausgewichen, sagt, der Pfaffe kümmere sich schon um den Mann. Aber es ist absolut notwendig, dass er wissenschaftlich und nach bestem medizinischem Wissen behandelt wird.«

Annette richtete sich auf. Ein Schauer kroch ihr über die Schultern, die nackten Arme und die Brüste. Emil sah sie fragend an.

»Emil, deine Verbissenheit hat dich schon in Königsfelden in Schwierigkeiten gebracht.«

»Das lag nicht an mir!«, widersprach er. »Sprenger und die anderen, diese elenden Böcke, verwenden immer noch veraltete Ansätze von vor dreißig, vierzig Jahren. Sie ignorieren die neuen Erkenntnisse über Erschütterungen, wie die von Pinel. Ja, sie verweigerten das Studium seiner Bücher schon aus Prinzip, weil er ein Franzmann sei. Die ganze Sache sei einfach zu ›französisch‹. Wieso sollte man Irrsinnige auch eigens in einer spezialisierten Anstalt unterbringen? Wieso sollte man befürworten, solche Menschen nicht mit normalen Verbrechern in dieselben Verliese zu werfen und sie dort in Ketten zu legen? Wieso sollte man auch wissenschaftliche Fortschritte einbeziehen? Sprenger war ein hundserbärmlicher Ignorant!«

Emils Oberkörper schnellte hoch wie eine Feder. Seine Miene war entschlossen.

»Der Ruf und der Wohlstand unserer Familien zerbrechen gerade, Annette, oder stehen kurz davor! Falls mein Onkel zu einer Zuchthausstrafe verurteilt wird, falls mein Vater und allenfalls auch deiner angeklagt werden, dann geht die vermaledeite Justiz den Weg zu Ende und macht auch vor meinem älteren Bruder nicht Halt, um das ungeliebte ›bonapartistische‹ Familienunternehmen zu zerschlagen. Und dann gibt's nur noch mich! Ich werde hier in dieser Provinzstadt weitermachen, werde der Moderne zum Durchbruch verhelfen und werde ruhmvoll leben. Oder ich ziehe nach Basel weiter zu de Muespach und habe dort meine Erfolge, aber eines Tages wird Königsfelden seine Tore für mich im Triumphzug öffnen müssen. Ich will, dass mein Name noch in hundert Jahren in den Medizinbüchern steht! Wir müssen siegen, Annette!«

»Emil, sei …«

»Schweig!« Er sprang aus dem Bett, das unter der Wucht seiner Bewegung knackte. Seine Zähne klapperten in der kühlen Kammer, aber er schöpfte dennoch Wasser aus der Waschpfanne und fuhr sich damit über das Gesicht. »Weib, ich muss zum Dienst. Mache mir ein Frühstück! Und verschone mich von jetzt an mit den alten Geschichten, verstanden?«

4

An einem windigen, kühlen Tag Ende April lief Annette erstmals wieder dem Russen über den Weg.

Eine Brise fegte durch die Geißgasse, auf die sie durch das Haupttor des Spitals getreten war, und wirbelte vereinzelte Schneeflocken über den halb gefrorenen Straßenschlick.

Annette war dick in Schal, gefüttertem Empirehäubchen, Handschuhen, Fellstiefeln, kratzigen Strümpfen und einem schweren Rock bekleidet. Genau wie Martha und Klara schlotterte sie aber sofort, als die eisige Luft sie erfasste und schier mühelos durch ihre Kleiderschichten drang.

Sie trottete hinter den beiden Frauen her, die nur miteinander interagierten, wenn es unvermeidlich war.

Die gegenseitige Sympathie entspricht dem Wetter, dachte Annette, während ihre Pelzstiefel vorsichtig über gestampfte Erde, vereiste Viehexkremente und festgefrorenes Stroh kratzten.

Die Bettelnden vor der Spitalkapelle lauerten bereits, als sie in die Marktgasse einbog, denn ihre Gestalt war inzwischen einschlägig bekannt.

»Gnädige Frau Doktor, bitte …«

»Mein Brüderlein braucht einen Bissen Brot, bitte, nur ein paar Kreuzer oder einen Batzen …«

Magere Arme, Schmutzige Hände und knochige Finger versperrten den Weg wie Ranken im Urwald.

Annette murmelte ein paar mitleidsvolle Worte, gab einige Almosen, bis sie von den drängenden Körpern fast umgeworfen wurde.

Zwei Polizisten in ihren leuchtend roten Übermänteln eilten hinzu und drängten die aufdringlichen Bettler an den Kapelleneingang zurück.

»Hört auf, Bürger zu Unzeiten zu belästigen!«, ordnete einer von ihnen an. »Geht lieber zum Stadtkeller! Großrat Brutschin hat in seiner Güte eine Mehlspende für die Bedürftigen finanziert. Gott möge ihn dafür segnen! Also los, kommt mit, ihr wisst es jetzt sogar schon vor dem offiziellen Ausruf.«

Die Bettelnden ließen sofort von Annette ab; sie schlurften und humpelten hinter den Polizisten her, die nun wie Hirten dafür sorgten, dass keiner ausscherte. Annette schaute ihnen nach und dankte diesem Großrat Brutschin in Gedanken.

Da ließ sie ein schauderhaftes Krächzen, ein kratziges Lachen, erstarren. Sie spürte, wie trotz der Kühle Schweißtropfen unter ihrer Schute zu perlen begannen. Dazu kam, dass sie Klara und Martha aus den Augen verloren hatte, die gewohnheitsmäßig ein paar Schritte vor ihr gegangen waren. Sie fühlte sich gerade schrecklich verlassen.

Pjotr lehnte an dem achteckigen Steinrand des Spitalbrunnens. Seine einstmals teure Kleidung – ein gefütterter Hirschledermantel und aristokratisch aussehende, früher weinrote Beinkleider – war in so beklagenswert verschmutztem Zustand, als sei er mit ihr einmal quer durch das Zarenreich gelatscht, ohne jemals eine Kernseife an den Stoff gelegt zu haben. Seine vier Finger der linken Hand umklammerten ein Schnapsglas. Er prostete Annette grinsend zu und sah dabei einem Springteufel ähnlich. Mit einem Zug schlürfte er das Glas leer. Ein einsamer Tropfen lief seine blassen Lippen herab und blieb im Geflecht des Barts hängen, während er zufrieden krächzte.

Neben ihm schwankte ein Stadtpolizist in Zivil. Annette kannte dessen Gesicht; er war damals auch an der Barrikade zugegen gewesen und Annette seitdem ein paarmal über den Weg gelaufen. Er hatte sich offenbar diskret im Hintergrund gehalten, als seine beiden Kollegen mit den Bettlern an ihm vorbeigelaufen waren. Er war vielleicht zehn Jahre älter als Annette, mit einem buschigen Bart und Augen schwarz wie Kohle. Nun hielt er sich am Brunnenrand fest, während er sich eine gestopfte Holzpfeife zwischen die Lippen schob und den gutturalen Lauten des Russen lauschte.

»Unser zungenloser Freund hier grüßt Euch wohl, Frau Doktor«, sagte er mit einer Stimme, die hörbar um eine flüssige Aussprache rang. Dabei purzelte die Pfeife aus seinem Mund und prallte auf das Pflaster. Es gelang ihm erst beim dritten Versuch, sie wieder aufzufischen.

Der Russe zog derweil eine Flasche mit einem klaren Schnaps unter dem Mantel hervor – »*Wodka*« *heißt das Zeugs,* fiel Annette ein – und entkorkte sie mit seinen fleckigen Zähnen. Dann schenkte er sich nach, erstaunlich geschickt für einen Verstümmelten. Er pflanzte den Korken wieder ein, ignorierte den stammelnden Protest des Polizisten, der sich offensichtlich um ein neu gefülltes Glas geprellt sah, und schritt zielstrebig davon. Seinen ranzigen Körpergeruch zog er wie einen Schweif hinter sich her.

»War schon freigiebiger, dieser Russ' … nichts zu saufen, und das bei dieser Kälte und dem leeren Magen …«, lallte der Polizist, dann bemerkte er zudem, dass der Kopf seiner mühselig aufgeklaubten Pfeife nun gespalten war und der Tabak herausbröselte. Sein bärtiger Kiefer mahlte frustriert, dann fluchte er unbeherrscht und stapfte mit den Ruinen seines Rauchwerkzeugs südwärts in die Brodlaube davon.

Der Russe war ebenfalls verschwunden, irgendwo zwischen den Marktständen.

Von Klara hatte Annette vernommen, dass dieser Pjotr in den billigen Schenken und in den Hinterhöfen, wo es Schwarzgebrannten zu Kreuzerpreisen zu erstehen gab, viel gesehen und bekannt geworden war. Einige Spitalmitarbeiterinnen munkelten, dass der Russe für einen Slawen erstaunlich gut Deutsch verstehe. Er könne angeblich das Hochdeutsche schreiben, auf diese Weise habe er sich mithilfe eines Zettels zweimal die besten Pastillen gegen Kopf- und Gelenkschmerzen in der Spitalapotheke besorgt. Die Spitalschwestern zerrissen sich auch gerne die Mäuler mit Patientinnen oder Bekannten, die den Russen in den feineren Gasthäusern gesehen haben wollen, wo er sich genüsslich kostspieliges Essen servieren ließ, wie es sich sonst nur die Noblen leisten konnten – und wo er hineingepasst haben musste wie ein Elefant in den Porzellanladen. Gemeinsam an diesen Erzählungen war aber der Umstand, dass, egal ob in einer Absteige oder in einem altehrwürdigen Restaurant wie dem *Löwe*n, Pjotr meistens neu gewonnene Bekannte dabeihabe, die er großzügig mit Alkohol und Suppe mit verköstigte.

Steckli-Sepp, einer der Fuhrmänner des Spitals mit einem wettergegerbten gutmütigen Gesicht, den man, wie Martha gesagt hatte, nie ohne Süßholz im Mundwinkel antraf, war schon höchstpersönlich in den Genuss von Lokalrunden gekommen, die der Russe geschmissen hatte. Gegenüber Annette, die zufällig seine Schilderungen mitgehört hatte, behauptete er schmunzelnd, dass man das Krächzen des Russen nach jedem spendierten Schnaps etwas besser verstehen könne. Pjotr selbst trinke wie ein Gaul an einem heißen Sommertag, sagte Sepp weiter, wirke aber so gut wie nie besoffen. Außerdem begünstigte er mit seinen Lokalrunden primär Mitglieder der Stadtpolizei; auf diese Weise soll er sich schon einige Sauffreunde bei den Beamten erkauft haben, wie *Steckli*-Sepp vieldeutig berichtete.

Dann wurde er kurz nachdenklich und meinte: »Seltsam is vor allem, wie viel Geld so ein Kerl wie der offenbar hat. Wie 'n heimlicher Goldesel sieht mir dieser Vagabund nicht aus.«

Annette entgegnete seufzend: »Wenn er so wohlhabend ist, könnte er die Batzen mal für ein anständiges Bad ausgeben.«

Der Sepp brach daraufhin in lautes Lachen aus, sein Süßholz tanzte zwischen seinen Lippen.

»Alles in Ordnung, Frau Doktor?«, hörte Annette Klaras Stimme durch ihre Gedanken hindurch; damit holte sie sie wieder in die Marktgasse zurück. Ihre Magd war zurückgekommen und zeigte wie meistens ihre Sorgenfalten.

»Ja. Wo ist Martha?«

»Sie ging wortlos weiter«, antwortete Klara halb entschuldigend, halb verächtlich.

Annette erwiderte: »Komm, bevor alles ausverkauft ist.«

Die Markthändler Rheinfeldens gaben sich seit der Russenlieferung vor rund anderthalb Monaten wieder alle Mühe, die Auslagen etwas besser zu füllen, denn immerhin hatte der Fricktaler Bezirksammann Fischinger die Hungerkrise als beendet erklärt.

Die Preise verrieten das Gegenteil: Die einfachen Menschen konnten sich höchstens etwas lasches Wintergemüse, schrumpelige Kartoffeln oder altes Brot leisten, das die Händler ihnen auf Verordnung des Stadtrats günstiger überlassen mussten, nachdem der Marktschreier am frühen Abend den Geschäftsschluss ausgerufen hatte.

In der ganzen Gasse herrschte daher eine gereizte Grundstimmung; die Stände hatten mehr Bewacher als Besucher. Egal ob Bäcker, Gemüse- oder Fischhändler, Fleischverkäufer, Gewürzfernhändler oder Süßwarenkrämer: Neben jeder Bude stand mindestens ein Polizist oder ein privater Aufpasser postiert, der mit grimmigem Gesicht die Bettler und Herumtreiber taxierte.

Annette ging am ersten Bäcker vorbei und schielte zu dem Uniformierten, der neben der rechteckigen Verkaufsfläche wachte, eine Position, von wo aus er sowohl Vorder- als auch Hinterseite des Standes im Blick behalten konnte. Mehrere zerlumpte Kinder wuselten hinter ihm vor einer Hauswand herum und schauten abwechselnd auf den Holzstock und dann sehnsuchtsvoll auf die herrlichen Dunkel- und Weißbrote, auf die Semmeln und die Laugenzöpfe, deren Duft Annettes Nase schmeichelten.

Die armen Kinder … was für eine Tortur!

Sie ließ sich nichts anmerken, grüßte mit einem höflichen Nicken eine Kundin in einem gepflegten Wollumhang – ziemlich sicher das Hausmädchen einer reichen Familie –, bevor diese von dem Bäcker mit seinem breiten Grinsen vereinnahmt wurde.

Plötzlich riss Klara sie aus den Gedanken.

»Ist das Gelächter?«, fragte ihre Dienstmagd mit verblüfftem Gesicht.

Annette hob den Kopf, lauschte und traute ihren Ohren kaum. Doch … tatsächlich, von weiter oben, jenseits des Rathauses mit seiner barocken, weiß getünchten Fassade und seinem roten Sandsteinturm, schallten Gejohle und Applaus die Straße herunter. Ihre Sinne täuschten sie nicht.

Und in diesem Moment entdeckte sie den Russen wieder, als der einige Dutzend Meter vor ihr hinter einer kleinen Bude mit Kräutern hervortrat. Pjotr mit seinen weinroten Hosen und dem dreckstarrenden Mantel ging zu einer Straßeneinmündung gegenüber dem Kräuterhändler. Dort schien die Quelle des Trubels zu liegen, die er interessiert beobachtete. Dann spazierte er aus Annettes Blickfeld in die Abzweigung hinein.

Sie eilte los, als zöge der Russe sie mit einem magischen Band hinterher. Hinter ihr hörte sie Klaras Schritte trippeln. Schon nach wenigen Metern vernahm Annette durch das Gelächter und Gejohle das Echo der ihr wohlbekannten Stimme – er redete leidenschaftlich und kraftvoll wie ein Politiker vor seinen Anhängern.

Die Abzweigung war tatsächlich kaum mehr als eine gepflasterte Lücke in der Häuserzeile der Marktgasse, die den Weg auf den Zähringerplatz freigab, eine großzügige Gewerbefläche und damit Knotenpunkt des umliegenden Handwerkerquartiers. Der Platz wurde von mehreren einmündenden Straßen aus allen Richtungen frequentiert. Und augenscheinlich hatte sich zu Annettes Verblüffung das halbe Viertel darauf zusammengerottet, mit Franz Brogli im Zentrum.

Sie erkannte auch einige Ansässige wieder, Gewerbetreibende, Tagelöhner, einige Frauen, darunter auch Frostbeule von der Barrikade, und eine ganze Schar Kinder. Pjotr stand abseits des Zuschauerrings; er hatte – woher auch immer – ein Notizbüchlein in die Hand genommen und kritzelte mit einem Kohlestift hinein. Er stellte sich für einen Daumenlosen ziemlich geschickt an, grinste über irgendetwas und bleckte dabei seine schwarzbefleckten Zähne.

Über der Menschenmenge hing der Geruch von muffigen Kleidern und Ausdünstungen, dazu derjenige von Tierblut aus den Fleischereien des Viertels, von Urin aus einer nahen Sickergrube und von Rauch aus unzähligen Koch- und Gewerbefeuern.

»Die Kälte ist unerträglich, das Land wird von den Frostriesen und ihrem Gesindel geplagt, das kann ich euch versichern, liebe Bürgerbrüder und Mitkobolde!«, rief Franz Brogli pathetisch und untermalte seine Worte, indem er seinen Zeigefinger auf der Höhe seiner Nasenruine herumschwenkte. Er stand wie ein Prophet auf einem mit Reif überzogenen Pökelfass.

Daneben rang der Chorherr höchstpersönlich seine Hände, im Amtsgewand, mit unschlüssigem Gesichtsausdruck und mit Schweiß auf der Stirn. Er war jener Mann, der als Dekan des St. Martin-Stifts Emils Vorgesetzter war und der auf dem Konfessionswechsel bestanden hatte. Annette hatte ihn ein paarmal auf der Straße und einmal im Gespräch gesehen, als Emil sich mit ihm zu einer Unterredung wegen der Konvertierung getroffen hatte. Annette hatte ihn von Anfang an nicht gemocht, diesen schmächtigen Mann mit seinem dünnen Vollbart, dem schütteren Haar und der Nase, die aus seinem Gesicht zu springen schien.

»Da sind ja Emma und Therese«, stellte Klara auf einmal fest, neben Annette Atem schöpfend. Sie ging zu ihren Töchtern hin, und begann, auf die beiden mageren Mädchen einzusprechen. Den Gesten zufolge schienen sich die Mädchen erklären zu müssen, was sie so weit abseits ihrer Wohnstraße trieben.

Annette überlegte einen Moment lang, ob sie sich zu Klara gesellen sollte. Sie blieb dann aber hinter einer alten Frau in einer grauen Wolljacke stehen, die nach Kohlsuppe roch.

»Wir tapferen Menschen standen im tiefen Schnee und feuerten den ganzen Tag, aber die Frostriesen wogten heran wie die Sintflut. Sie warfen Spieße, lang wie Bäume. Felsbrocken flogen vom Himmel, aus den Klauen von Riesenvögeln, und sie konnten mit einem lauten Bersten mehrere unserer Tapferen zermalmen. Und die Pranken der Riesen, Freunde, ihre Pranken rissen Köpfe von den Schultern. Ich entsinne mich an roten Schnee, ein Graus!«

Der Chorherr intervenierte, wohl nicht zum ersten Mal: »Mäßige deine blutrünstigen Worte, mein Sohn!«

Einige Knaben kicherten, aber ansonsten herrschte nun abwartende Stille auf dem Zähringerplatz.

»Viele meiner Kameraden blieben in der eisigen, kargen Wüste der Riesen liegen. Aber ich blieb auf meinem Posten, Elfenfreunde, ich blieb. Meine Waffe hatte nichts mehr zu spucken, sogar Vonafri, den großen Anführer, hatten der Tod oder die *Baba Jagas* geholt, und mein Magen röhrte vor Hunger lauter als der Brunftschrei eines Hirsches …«

»Na, tut er das nicht bei uns allen, du angefressener Trottel?«, knurrte einer der Männer, ein sehniger Kerl mit einem Quadratschädel und einem strähnigen braunen Vollbart. Die Leute um ihn herum brummten zustimmend.

»Schlimm war es, ihr Menschenkinder, als die Riesen mich mit ihren Spießen aufs Korn nahmen. Oh, die waren aus riesigen Eiszapfen gemacht, und sie brannten sich in das Fleisch, kalt wie der Tod selbst.«

Ein kleines Mädchen begann zu weinen, ein anderes stimmte nach einiger Verzögerung ein. »Nun hör doch auf, Franz Brogli! Solche Schauergeschichten bringen Unglück!«, rief deren Mutter und tröstete beide vergebens.

»Lasst den Mann sprechen, er bezeugt die französischen Frevel«, beschwichtigte der Chorherr, nicht aber ohne einen besorgten Seitenblick auf seinen Schützling zu werfen. »Lasst ihn Zeugnis über die Verbrechen Bonapartes ablegen! Auf dass Franz Broglis Seelenheil zurückkomme.«

»Tod den Franzosen!«, schrie eine Frau mit entrücktem Blick.

»Pass auf, sonst holen dich die Riesen!«, höhnte der Mann mit dem Quadratschädel. Dann steckte er sich selbstzufrieden seine qualmende Pfeife in den Mund.

»Onkel!« rief da Klara. »Onkel, lass mich dich nach Hause bringen!«

»Nein, bleib doch noch!«, bat ein uralter Mann neben Klara.

»Liebe Trollschwestern!«, verkündete Franz ungerührt. »Ich werde Zeugnis ablegen und weiter von den Wundern und

Schauerlichkeiten dieses fernen Landes berichten! Ich wurde aufgespießt, seht!«

Empörtes Raunen da, peinlich berührtes Gelächter dort, als Franz ohne Zögern seinen schmutzig-grünen russischen Soldatenmantel öffnete, dann abstreifte und trotz seiner verkrüppelten Hände geschickt das grau gewordene Hemd darunter aufzuknöpfen begann.

»Mein Sohn, das reicht jetzt wirklich!«, protestierte der Chorherr. Er umgriff Franz' Wade.

Franz riss sich mit einer erstaunlich energischen Beinbewegung los, als wimmle er einen schnappenden Hund ab, was der Chorherr mit perplexer Miene zuließ. Im nächsten Augenblick hatte Franz seine linke Schulter entblößt, wo eine hässliche lang gezogene Narbe prangte. »Der Spieß wurde lebendig, er kroch immer tiefer in die Wunde. In ihrer grobschlächtigen Sprache verhöhnten die Riesen mich, und der gnädige Gott schenkte mir schließlich Bewusstlosigkeit.«

»Erzähl von den Kobolden!«, rief da ein Junge von vielleicht zehn Jahren.

»Ach ja, die tolle Geschichte von diesem ›Schwert‹«, wieherte eine teigige Frau in der Kleidung eines Waschweibes, wandte sich an den Kerl mit dem Quadratschädel, der neben ihr stand, dann tuschelten sie verschmitzt wie zwei turtelnde Halbwüchsige. Aus Quadratschädels Mund kringelte dabei pausenlos Rauch.

»Au ja, Onkel Franz, die Kobolde!«, rief Emma, Klaras ältere Tochter.

Klara packte sie am Handgelenk und redete eindringlich auf sie ein. Emma zog eine Schnute, aber die anderen Kinder hatten die Forderung schon aufgeschnappt und begannen, sie wie eine Beschwörung zu wiederholen.

»Die Kobolde, Franz!«

»Kobolde! Kobolde!«

»Ruhe, Kinder!«, forderte der Chorherr – und setzte sich durch.

In diesem Augenblick bekam Annette plötzlich eine

Gänsehaut, als ob Franz' Kobolde mit kaltem Atem in ihren Nacken bliesen. Sie drehte ihren Kopf, blickte zurück und entdeckte zwei Sachen, die sie beunruhigten.

Zum einen hatte sich Pjotr dem Zuschauerring leise wie eine Katze genähert und stand nun keine zwei Meter hinter ihr. Er klappte gerade das Notizbuch zu und stopfte es in die Brusttasche seines Mantels.

Zum anderen sah Annette, als sie über Pjotrs Schultern schielte, einen Polizeitrupp näher kommen. Der blieb an der Einmündung der östlich gelegenen Kuttelgasse stehen und beobachtete das Geschehen diskret.

»Die Kobolde, meine Freunde, sind wahrlich herzliche Geschöpfe!«, rief Franz und begann, vor Begeisterung auf seinem Fass zu tänzeln.

»Mein Sohn, ich denke, das reicht. Runter jetzt mit dir«, verlangte der Chorherr und zupfte an Franz' Bein. »Wir müssen zum Stift zurück!«

»Die Riesen, diese Hurenböcke, in ihren grünen Uniformen und mit ihrer grobschlächtigen Sprache, die dröhnt und kracht und flucht wie eine Kompanie Soldaten, die alle auf einmal furzen …«

»Franz Brogli, auf diese Weise wirst du kaum deinen Frieden mit Gott finden«, beschwor der Chorherr.

Einige der Zuhörer bekreuzigten sich und machten angespannte Gesichter.

»Die Kobolde haben viel edlere Nuancen. Ich habe sogar ein paar Brocken ihrer Sprache gelernt. *Elektrichestvo, Tsar!*«

Hinter Annette stieß Pjotr ein seltsames Fauchen aus, das … *entsetzt* … klang.

»Zeig uns deine Klinge, Franz!«, rief die teigige Frau anrüchig, und vertraulicher an den Quadratschädel gewandt: »Vielleicht diejenige in seiner Hose. Ich würde sterben vor Lachen.«

Der Quadratschädel sog mit angeekelter Miene an seiner Pfeife und gab ihr einen Rippenknuff.

Einige Kinder nahmen die höhnische Aufforderung jedoch in

ihrem Sinne auf und riefen sie nach.

Franz schien kurz zu zögern, während er seinen Mantel wieder schloss. Die Muskeln in seinem entstellten Gesicht zuckten; die spärlichen Haare flatterten im Wind. Dann zog er mit einer schnellen Bewegung das längliche Stück Messing mit dem umwickelten Stofffetzengriff aus seinem Gürtel.

Einige Umstehende johlten wie bei einem Akrobaten, der zu seinem finalen Kunststück ansetzte.

»Nun denn, Elfenvolk, dies hier wurde mir als Abschiedsgeschenk – und als Vergütung für die treuen Dienste, die ich geleistet habe – durch den Vogt des großen Koboldkönigs Alaxandr verliehen. Eine Klinge aus edelstem Koboldstahl, dank der ich derweil im Alter mit Stolz auf diese Jahre zurückblicken kann.«

Die eruptive Begeisterung der Rheinfelder versiegte derart einstimmig, als ob ein unsichtbarer Dirigent den Einsatz dazu gegeben hätte. Da und dort hörte man ein verlegenes Räuspern. Ansonsten herrschte betretenes Schweigen wie bei einer offenbarten Perversion.

Die Einzigen, die sich nicht beeindrucken ließen, waren ein paar kleine Buben, die miteinander lärmten und sich durch die Reihen drückten, um die Klinge von Nahem begutachten zu können.

Der Chorherr hatte einen roten Kopf bekommen, von dem sich die dünnen Drähte, die seinen Bart bildeten, wie weiße Stacheln abzeichneten. »Mein Sohn, du beleidigst den Zaren des Russischen Reiches, Heilsbringer und Befreier dieser Stadt von dem Halunken Napoleon! Wachtmeister, kommt her!« Er winkte heftig, wie ein Schiffbrüchiger, der verzweifelt einen vorbeisegelnden Kahn auf sich aufmerksam machen wollte.

»Alexander I. hat uns befreit«, bestätigte eine magere Frau mit prägnanter Römernase, die neben Klara stand.

»Ach komm, der Brogli ist irrsinnig geworden, was erwartest du da?«, gab ein buckliger junger Mann unweit von ihr zu bedenken.

»Schweig, du Bonapartist!«

»Nimm das zurück, oder es setzt was!«, brauste der Bucklige auf.

Franz stand auf seinem Fass, hielt das Blech in der Hand, während er die zunehmende Gehässigkeit der Menge verständnislos betrachtete. »Freunde, ihr kennt den großen Koboldkönig Alaxandr nicht? Da entgeht euch …«

»Er tut es schon wieder!«, kreischte die Frau mit der Römernase und presste die Handteller auf die Ohren ihrer kleinen Tochter. Das Mädchen quengelte und versuchte, zwischen den beiden Händen herauszuschlüpfen. Dafür erhielt die Kleine eine züchtigende Kopfnuss, ihr Aufheulen ging jedoch in einem plötzlichen Tumult an der Peripherie des Zuschauerkreises unter.

Die Polizisten hatten begonnen, sich den Weg durch die Menge zu bahnen. Sekunden später schaufelte der vorderste Mann, ein klein gewachsener korpulenter Wachtmeister mit einem flaumigen roten Schnauzer und ebensolchem Haar, die Frau mit der Römernase samt ihrer Tochter auf die Seite. »Franz Brogli! Runter vom Fass«, donnerte er dabei.

»Er hat eine moralische Erschütterung!«, hörte Annette sich selbst rufen.

Niemand beachtete sie.

Neben ihr drängelte sich Pjotr durch.

Es kam, dass die Polizei und der Russe das Fass gleichzeitig erreichten. Der Wachtmeister und seine drei Mannen blieben überrascht stehen.

»Was tut Ihr da? Wisst Ihr nicht, wer ich bin?«, rief der Chorherr fassungslos, als Pjotr ihn wegdrückte.

»Russe, komm uns nicht in die Quere! Hier geht es um die Kirchräson«, warnte der Wachtmeister.

Pjotr zögerte einen Moment, schien sich dann aber doch eines Besseren zu besinnen und machte Platz.

Der Wachtmeister trat ansatzlos gegen das Fass, sodass Franz das Gleichgewicht verlor und vor die Füße seines Gefährten plumpste. Die Messingklinge flutschte ihm dabei aus der Hand;

sie schlitterte einem Burschen in Annettes unmittelbarer Nähe vor die Füße.

»Da, das berühmte ›Schwert‹«, sagte der und lachte verhalten auf, sichtlich darum bemüht, die Lage etwas zu entspannen. Er machte den Fehler, das Blech aufzuheben.

»Wachtmeister Gropp, nehmt diese arme Seele ...«, schnaufte der Chorherr.

Franz Brogli stieß einen markerschütternden Schrei aus, sprang mit der Sprungkraft eines Kautschukspielballs und der Flinkheit eines Äffchens auf die Füße. Dabei rammte er seinen Schädel unbeabsichtigt gegen Pjotrs Kinn, sodass Annette dessen Zähne aufeinanderschlagen hörte. Franz schien es gar nicht zu bemerken. Der Russe hingegen ging lautlos zu Boden und blieb benommen liegen.

»Gropp, haltet ihn ...«, rief der Chorherr hysterisch und griff sich an die Brust, bekam einen Keuchanfall; der Rest seines Satzes versickerte in einer Mischung aus Husten, Inhalation und Spucken.

Franz rannte auf den unglückseligen Burschen zu, pflügte zwischen ein paar Kindern hindurch, die schreiend nach allen Seiten auseinanderstoben, und knallte dem bedauernswerten Kerl die Stirn gegen die Nase, worauf der besinnungslos umkippte und die Klinge fallen ließ. Franz erntete sie mit einer unfassbaren Gewandtheit, noch bevor sie auf dem Boden aufschlug.

»Für diesen diebischen Versuch werde ich dir die Hand abhacken, dreister Schurke!«, schrie er von Sinnen. Er holte mit dem Messingstück aus.

»Nein!«, kreischte Klara; Therese und Emma fielen zeitversetzt in den Schrei mit ein.

»Brogli!«, bellte Wachtmeister Gropp.

»Haltet diesen flinken Teufel fest!«, schrie eine Frau.

»Na warte, du Missgeburt«, sagte Quadratschädel und preschte vor. Mehrere Männer folgten ihm.

»Tut ihm nicht weh!«, hörte Annette Klara flehen. Sofort wurden sie und ihre Mädchen von einem der Polizisten zurechtgewiesen und mit einer unmissverständlichen Armbewegung fortgeschickt.

Annette konnte die Gewaltbereitschaft, die Wut und das Testosteron förmlich riechen. Ihr Hals schnürte sich zu, ihre Beine setzten sich automatisch in Bewegung; wie fast alle Frauen und Kinder strebte sie vom unheilvollen Epizentrum weg.

Sie drängte sich an die Straßeneinmündung der Rindergasse, die nach Osten wegführte, neben der weinenden Klara stehend, die ihre ebenfalls heulenden Kinder an sich drückte. Annette schob sich ihre verrutschte Haube zurecht und riskierte einen Blick zurück.

Quadratschädel und ein kräftiger Fleischer hatten Franz Brogli an den Oberarmen gepackt. Franz brüllte und zerrte.

Ein Pulk aus Männern wartete in einem Respektabstand die weitere Entwicklung ab. Einer der Stadtpolizisten hatte derweil den niedergestreckten Burschen unter den Armen aus der Gefahrenzone geschleift.

»Aufhören! Im Namen des Gesetzes!«, rief Wachtmeister Gropp. Er hatte seinen Holzknüppel gezogen, fuchtelte damit warnend vor den Rangelnden herum.

»Weichet zurück, ihr Schattenriesen!«, schrie Franz; sein flockiger Speichel spritzte in Gropps Gesicht.

Der schrie angeekelt auf, wischte sich mehrere Male hastig über die Wange. Der Fleischer hingegen lachte schadenfroh – und in diesem Moment …

Mit einem kraftvollen Ruck riss sich Franz Brogli von seinen beiden Gegnern los und stürmte davon. Flink wich er dem Pulk aus. Die Männer machten ohnehin keinen ernsthaften Versuch, ihn aufzuhalten.

»Du Hurenbock, bleib stehen!«, schrie einer von Gropps Polizisten.

Hinter Annette stöhnte Klara auf.

Emma rief schluchzend: »Was macht Onkel Franz da?«

Franz rannte schnell wie ein abgeschossener Pfeil und rauschte in die Futtergasse auf der gegenüberliegenden Seite des Zähringerplatzes. Seinen deformierten Oberkörper hatte er vorgebeugt; die grotesk überlangen Arme wippten derart nahe über dem Straßenpflaster, dass er Annette an einen tropischen Affen erinnerte, den sie auf einer Illustration in einem Naturkunde-Schulbuch gesehen hatte.

Die Polizisten nahmen die Verfolgung auf, zur Unterhaltung der Schaulustigen. Klara wimmerte, dann liefen sie und ihre Mädchen verzweifelt hinterher – und Annette schloss sich an, ohne weiter nachzudenken. Mit ihnen flutete halb Rheinfelden in die Futtergasse: übermütige Kinder und Jugendliche, die meisten der dürren Weiber, Arbeiter und Tagelöhner aus Franz' Publikum in ihren zerlumpten Mänteln und mit ihren fadenscheinigen Wollkappen. Quadratschädel und der Fleischer blieben resigniert stehen, aber Pjotr, der sich benommen wirkend am Kinn rieb, humpelte hinter der toll gewordenen Meute her. Annette sah ihn noch aus den Augenwinkeln, aber ihre Beine bewegten sich mechanisch, und schon war er weg.

Ihre Sinne verwischten; sie hatte Druck auf den Ohren und hörte die Ausrufe der Menschen um sich herum, ja sogar ihre eigenen Schritte wie durch Watte. Ihr Sehfeld wurde schmaler, an den Rändern schien alles zu verschwimmen, dort wuselten nur noch Schemen und Gestalten. Die kalte Luft brannte in den Lungen. Ihr Atem ging rasselnd, ihr Herz pumpte. Ihre verschwitzte Kopfhaut unter dem Haubenfutter begann zu jucken wie bei einem Lausbefall. Vor ihr hüpften die Schuten auf den Köpfen der Frauen und Mädchen, keuchten die Männer, schmatzten die Schritte durch den Matsch der pflasterlosen Gasse.

Die südliche Straßenseite war mit den hohen Gartenmauern der Patrizier-Residenzen gesäumt, die nördliche bestand zunächst aus den städtischen Stallungen.

Es roch nach Pferdemist und nach Stroh, nach Lederzaumzeug und dem Rauch der Heizfeuer. Ein paar Arbeitsgäule vor einem offenen Stall blickten Annette und den Laufenden träge zu, während sie aus einem Außentrog gezupfte Strohhalme kauten. Dann gingen die Ställe in kleinbürgerliche Häuser über.

Der Straßenmatsch war glitschig, uneben und zudem, wie zuvor in der Geißgasse und überall in der Stadt, mit einem Eisfilm überzogen. Annette verlangsamte ihren Lauf, dennoch rutschte sie zweimal um ein Haar weg.

Einige andere Schaulustige erwischte es übler: Ein paar Meter vor ihr glitt ein junger Mann aus. Er fiel der Länge nach hin und schlug mit dem Gesicht voran geradewegs in eine halb gefrorene Pfütze. Annette gewahrte bei einem raschen Seitenblick, dass er sich auf die Knie zog und sich dabei den blutenden Mund hielt, während das Pfützenwasser von seinem Gesicht tropfte. Ein kleines Mädchen hielt neben ihm an und presste sich vor Entsetzen die Hand auf den Mund.

Am Ende der Futtergasse bog der Volksauflauf nach Norden ab. Die Straße dort verlief parallel zur westlichen Stadtmauer, die auf dieser Stadtseite Löcher wie ein Käse aufwies, weil die Stadtoberen schon vor einiger Zeit erkannt hatten, dass eine mittelalterliche Schutzmauer ihren militärischen Nutzen gegen moderne Kanonen eingebüßt hatte. Außerdem wollten sie – zumindest, wenn man dem Tratsch glaubte – das urbane Siedlungsgebiet auf die Ebene westlich der Stadt expandieren lassen.

Aus diesem Grund standen einige verblüfft gaffende Arbeiter in den jetzt vorhandenen Breschen. Annette sah, wie einer auf eine Stelle vor ihr deutete und etwas zu seinem Kollegen sagte. Annette wandte ihren Blick wieder nach vorne.

Die Meute lief vor einem schmucken Fachwerkhaus auf. Die Polizisten, zuvorderst Wachtmeister Gropp, umzingelt von aufgeregten Buben, dahinter ein Querschnitt der Bevölkerung, mit dampfenden Köpfen und keuchendem Atem.

Geschrei und ein schwer verständliches Stimmengewirr hallten Annette entgegen. Und zahlreiche Finger zeigten die Hausfassade hoch.

Das darf nicht wahr sein, dachte Annette, als sie neben Klara und deren Töchtern anhielt. Ihr Herz hämmerte wie wild, insbesondere weil der Anblick so unfassbar war. So unfassbar, dass die meisten Anwesenden für kurze Zeit sogar den lockenden Geruch einer frisch gebrühten Weizensuppe ignorierten, der durch die Butzenfensterritzen des Gasthauses *Storchen* gleich nebenan zog.

An der Hauskante des imposanten Fachwerkbaus befand sich ein Blitzableiter, dessen daumendickes Kabel die ganze Fassade entlang bis aufs Dach führte, bevor es in einem himmelwärts ragenden Eisendorn auf dem Schornstein endete. Einen ähnlichen Blitzableiter hatte Annettes Vater auch an dem Familienstadthaus in Brugg anbringen lassen, so wie es alle taten, die sich eine Installation leisten konnten.

Franz Brogli hatte an diesem Exemplar hier eine akrobatische Meisterleistung vollbracht: Er war wie ein Eichhörnchen bis kurz unter die Dachschräge geklettert und stieß drohende tierhafte Schreie aus. Sein Gewicht zog am Eisenstrang und an den Dachverankerungen; die Ziegel knirschten protestierend. Die Messingklinge baumelte an seinem abgewetzten Gürtel, sichtbar unter dem hochgerutschten Mantelsaum.

Unter ihm, an einem Fenster in der zweiten Etage, gaffte der Hauseigentümer, ein dürres Männlein mit einer versilberten Brille und in einem kostümartigen Frackmantel konsterniert auf den Mann, der da vor seiner Fassade baumelte. Annette kannte den Alten bereits vom Sehen, er war einer der städtischen Patrizier, aber der Name war ihr entfallen. Er rief krächzend: »Holt dieses Gespenst von meinem Blitzableiter runter, um Himmels willen!«

»Scheiß auf den Blitzableiter, die sind ohnehin an dieser verdammten Kälte schuld!«, rief einer der Handwerker und bekam für diese Impertinenz von einem Polizisten postwendend eine Watsche verabreicht.

»Brogli, wird's bald! Runter vom Haus des Herrn Großrats«, polterte Wachtmeister Gropp mit hochrotem, dampfendem Gesicht, der Schirm des Tschakos halb über die Augen verrutscht.

Die Menge skandierte nun wild durcheinander, und Franz kreischte zurück. Die Kinder sahen mit offenen Mündern zu oder blickten gespannt zu Franz hoch, während ihre Eltern mehrheitlich und lauthals den Wachtmeister unterstützten.

Eine einsame rebellische Seele, ein Jugendlicher, rief allerdings in übermütiger, romantischer Schwärmerei, Franz solle über die Dächer von Rheinfelden entfliehen. Er kassierte dafür einen saftigen Tritt in den Hintern.

»Ihr seid niederträchtig wie die Riesen, ihr Hunde!«, zeterte die nasenlose Gestalt am Blitzableiter. »Der soll leiden, der Hand an das Geschenk Alaxandrs legt.«

Viele Münder jaulten ein weiteres Mal empört auf.

»Du bist verhaftet wegen Aufruhrs, wegen Beleidigung der Obrigkeit und unbotmäßigen Verhaltens!«, brüllte Gropp und rüttelte am Blitzableiterstrang.

»Nein!«, entfuhr es Klara, aber Annette hielt sie am Arm zurück, bevor sie etwas Unüberlegtes tun konnte.

Pjotr, wie aus dem Nichts wieder in Annettes Nähe aufgetaucht, drehte den Kopf, betrachtete die beiden Frauen mit rasselndem Atem, den Mund weit geöffnet. Einen Moment lang konnte Annette in seinen zungenlosen Rachen spähen.

»Wäre nicht das erste Mal, das ›unbotmäßige‹ Verhalten«, sagte da eine Frauenstimme verächtlich und erhielt mehrere zustimmende Voten.

Das Männlein mit dem Frackmantel zeterte an seinem Fenster: »Schluss jetzt, Wachtmeister! Ich befehle Euch, diesen Störenfried zu inhaftieren, wie auch immer!«

Eine Arbeiterfrau neben Annette zischte zu Klara: »Ins Gefängnis gehört er!«

Klara erbleichte und wandte sich ab, wobei ihr stille Tränen über die Wangen flossen. Annette wollte sich ihr zuwenden, wurde aber sofort wieder von einem erneuten Raunen abgelenkt.

»Dieser verrückte Russe!«, rief eine Stimme.

»He, was wollt Ihr? Haltet Euch fern!«, donnerte Wachtmeister Gropp.

Pjotr hatte sich vorgekämpft. Er stand nun neben dem Kabelende, das in der gefrorenen Erde verschwand.

»Wenn du nicht runterkommst, Brogli, dann lass ich dich runterschießen wie einen Piepmatz!«, drohte der Wachtmeister, die Augen auf den Russen gerichtet. Dann nickte er seinen Männern zu. Zwei von ihnen zogen ihre Pistolen.

Das Männlein am Fenster rief auf einmal: »Ihr wollt auf meine Hausfassade feuern? Und wenn ihr mich …?«

»Ihr droht einem Helden der Kobolde?«, fuhr Franz dazwischen. Dann kreischte er wieder wie ein Nachtgespenst.

»Ich zähle bis drei!«, drohte Gropp, forderte den Großrat mit einer Handbewegung auf, sich vom Fenster zurückzuziehen, und schlug nochmals gegen den Blitzableiter.

»He, beschädigt ihn nicht!«, protestierte das Männlein.

»Eins!«

Einige Frauen zogen ihre Kinder weg. Selbst die meisten Männer wirkten wie erstarrt. Der Großrat wankte vom Fenster zurück und wurde von den Schatten dahinter verschluckt.

»Zwei!«

Die beiden Polizisten spannten ihre Pistolenhähne. Das Klicken jagte Annette einen Schauder über den Rücken – *wie an der Barrikade,* dachte sie.

Die Menge war totenstill geworden, außer Klara, die schluchzte und sich an Annettes Arm festklammerte, sodass es beinahe wehtat.

»Hinfort mit euch elendem Pack!«, rief Franz schrill und zog mit der Rechten die Messingklinge. Er konnte sich einhändig nur mühsam festhalten.

Das schien Pjotr sofort zu erkennen, denn er packte das Kabel und schüttelte es, als gäbe es kein Morgen. Eine der drei Verankerungen an der Dachkante sprang mit einem satten metallischen Klirren ab. Der Ruck war stark genug, um Franz den Halt verlieren zu lassen.

Mit einem Aufschrei stürzte er vier Meter in die Tiefe und knallte zwischen den Polizisten auf den gefrorenen Schlamm der Gasse, während Klara an Annettes Arm mit einem Seufzer die Besinnung verlor.

5

»Das wird eine diffizile *affaire* für Emil«, flüsterte Fernand de Muespach trocken, die Anwesenden sorgfältig taxierend. Sein Parfüm aus der Provence schwängerte die pfeifen- und kerzenrauchverhangene, stickig warme Luft des Rheinfelder Rathauses mit einer sanften Note von Lavendel und Zitrone.

Annette schnupperte verstohlen.

Sie saßen auf dem hintersten Rang des Plenarsaals, der für geladene Zuschauer vorgesehen war.

Die massiven Abgeordnetenbänke staffelten sich bis zu den Wänden hin, mittig im Raum befand sich ein opulentes Podiumspult für die drei Vorsitzenden. Die Bänke rahmten dieses Podest u-förmig ein. Deren altes gebeiztes Holz knarrte bei jeder Bewegung.

Annette trug ein geblümtes ozeanblaues Kleid mit Rüschen am Kragen und erstmals seit unzähligen Monaten eine Haube ohne Futter, da das Wetter der letzten Tage erfreulich mild gewesen war. Ihr Blick wanderte über die zahlreichen gemalten Monarchen-Portraits an den Wänden, alles Habsburger, die in den Jahrhunderten zuvor über Rheinfelden und Vorderösterreich geherrscht hatten. Unter den Augen der vergangenen Herrscherdynastie tagte der Große Rat der Stadt und verabschiedete Gesetze, Verordnungen und Anweisungen als eine von zwei Instanzen neben dem regierenden Kleinen Rat, der sich aus Abgeordneten des Großen Rats rekrutierte.

Nun saßen hier die Patrizier und Noblen der bedeutenden Geschlechter. In Ihren Gesichtern zeigte sich ein breites Spektrum an Gefühlsregungen, von verhaltenem Interesse über lauerndes Abwarten bis zur spöttischen Verachtung.

Sie nahmen an einem regen Disput zwischen Emil Schäfer, dem protestantischen Einwanderer, der erst seit einigen Wochen in der Stadt wohnte, und dem ehrwürdigen Chorherrn teil, der sein Amt schon angetreten hatte, als Frankreichs Gesellschaft noch in die alten drei Stände aufgeteilt war.

Er wird sich nicht durchsetzen, befürchtete Annette mit einem bitteren Geschmack im Mund.

In der gleichen Sitzreihe wie sie, etwa zwei Meter entfernt, saftete der Quadratschädel in der Arbeitskleidung eines Zimmermanns vor sich hin. Der Schweiß klebte in seinem strähnigen Bart und seinen buschigen Augenbrauen, aber er schien sich nicht weiter daran zu stören, verfolgte er doch die Geschehnisse mit großer Aufmerksamkeit.

Auf der Gästebank auf der gegenüberliegenden Seite, unter einer bunt bemalten Scheibe mit der Kreuzigungsszene, saß Pjotr in seiner weinroten Aristokratenhose und mit einem ebenso gefärbten Frack, der aussah, als benutze er ihn jede Nacht als Kopfkissen. Seine dunkelblauen Augen verharrten interessiert bei Emil.

Wie viel Deutsch versteht der Mann? Er muss aus gutem Hause stammen, wenn er mehrsprachig ist.

Annette realisierte plötzlich, dass sie ihn offen angaffte, und drehte den Kopf verlegen weg, wobei sie vortäuschte, sich an ihm kratzen zu müssen. Dabei schweifte ihr Blick auf die vorderen Bankreihen.

Dort befand sich unter anderem Hans Georg Kalenbach als Vertreter der Stadtregierung, einen nominellen Fürsprecher Emils. Er wirkte angespannt und kränklich. Sein Wanst zuckte unter seiner Redingote, als habe er Bauchkrämpfe. Seine Hände umklammerten den Knauf des Spazierstocks, den er zwischen den Beinen hielt, so fest, dass die Handknöchel weiß hervortraten. Als er bemerkte, dass Annette ihn ansah, lächelte sein Mund. Seine Augen taten es nicht.

Neben Kalenbach saß das dürre Männchen aus dem Fachwerkhaus, von dessen Blitzableiter Franz Brogli heruntergeschüttelt worden war und sich wie durch ein Wunder – *Gott mag offenbar die Erschütterten,* dachte Annette – nicht mehr als ein paar Prellungen und blaue Flecken geholt hatte. Das Männchen trug einen reich verzierten dunkelblauen Rock, der in seiner Eleganz und seinem Prunk vom Hofschneider Ludwigs XVIII. selbst hätte stammen können. Seine Augen leuchteten aufmerksam; er schürzte seine dünnen Lippen.

Ferner entdeckte Annette den Abgeordneten mit der hellblonden Haarpracht und dem auffallend lang gezogenen Kinn, der sich am Tage ihrer Ankunft am Obertorplatz mit dem russischen Weizen profiliert hatte und der ebenfalls fast jeden Abend im *Salmen* dinierte. Er wirkte gelangweilt. Sein vordringliches Interesse bestand anscheinend darin, sich die Fingernägel mit einem Hornstöckchen zu reinigen.

Dann betrachtete Annette den fünften und letzten Besucher der heutigen Debatte, der allein auf dem östlichen hintersten Rang hockte. Den Mann hatte sie bisher noch nicht gesehen, da war sie sicher. Er hatte eine imposante Statur, eine etwas muskulösere Ausgabe von Emil gewissermaßen. Seine Pranken hatte er auf dem Bauch verschränkt. Für einen Arbeiter oder gar Tagelöhner, der er offensichtlich war, verdienten die rötlichen Locken sowohl seines Haupthaares als auch seines dichten Vollbartes Anerkennung: Sie machten einen gepflegten Eindruck, was von einem ausgeprägten Hygienebewusstsein zeugte. Seine Kleidung war alt, mehrfach geflickt und abgetragen, aber keineswegs schmuddelig.

»Paul Gass! Bitte erhebe dich, mein Sohn!«, forderte in diesem Augenblick der Chorherr den rothaarigen Hünen auf, wie aufs Stichwort.

Der stand langsam und umständlich von der Holzbank auf. Seine ineinander verschränkten Finger rangen nervös miteinander, dann fiel ihm offenbar ein, dass er seine Hände auf der Lehne der Vorderbank abstützen könnte. Diese protestierte knarrend gegen das Gewicht.

»Hilfsförster Gass«, eröffnete einer der drei Vorsitzenden auf dem Podest, ein schmächtiger aristokratisch wirkender Mann Ende vierzig mit einer Knollennase, der Brutschin hieß, die Befragung, »der Gossentratsch kolportiert, Er wohne seit geraumer Zeit mit dem Brogli in der gleichen Wohnkammer. Ist Ihm jemals solche Aggressivität widerfahren?«

»Entschuldigung, Heerr Stadtraat?«, nuschelte Paul Gass in seinen Bart.

»Die Leute sagen, dass du mit Franz Brogli zusammenwohnst, Paul«, erklärte der Chorherr, der sich auf die vorderste Bank auf Höhe des Podiumstischs gesetzt hatte. »Hat er dich je angegriffen? Sag die Wahrheit, mein Sohn!«

»Nein, mein Vaater.«

»Sagst du das mit reinem Gewissen?«

»Geewiss, Vaater.«

»Nun denn, die Herren«, meinte Brutschin entschieden, »gibt es keine Veranlassung, von einer Regelmäßigkeit dieser ... irrsinnigen Anfälle auszugehen. Ich beantrage, dass die bedauernswerte Seele Franz Brogli unter der Aufsicht der Heiligen Mutter Kirche verbleibt, unter regelmäßigerer Beobachtung als bisher.«

»Hört, hört!«, quittierten sowohl einige Großräte als auch der Chorherr.

Andere tuschelten mit ihren Nachbarn. Wenige verwarfen als Zeichen der Ablehnung die linke Hand, so auch zu Annettes Überraschung das dürre Männchen.

Kalenbach beobachtete und tat gar nichts.

»Thron und Altar ...«, seufzte de Muespach neben Annette leise.

Annette flüsterte: »Glaubt Ihr, dass sie ... ich meine, weil wir Protestanten sind ...?«

De Muespach, der gerade Pjotr musterte, antwortete: »Nein, wegen der Rationalität, das Echo von Aufklärung und revolutionärer Ideen, Ideen von Franzosen, was sie umso mehr hass...«

»Ruhe auf den Rängen!«, rief ein zweiter Vorsitzender mit quäkender Stimme – ein Großrat mit einem feisten Ranzen, einem Backenbart und feuchten Augen hinter einer Silberbrille. Er wollte wohl einschüchternd wirken, aber dazu fehlte ihm die autoritäre Härte seines Kollegen. Und als er Annette betrachtete, zog es seinen Blick langsam hinunter zu ihrem Busen. Nach einigen Sekunden schien er sich wieder zu besinnen, blickte auf, dann rutschte der Blick erneut ...

Da richtete Annette ihren Oberkörper absichtlich etwas auf, sodass sich der Stoff ihres Rocks über ihren Brüsten spannte.

Na warte, du alter Frosch! Ich werde dir was bieten.

Schnell wandte sich der Vorsitzende ab, mit roten Wangen und ostentativer Hochnäsigkeit.

In diesem Augenblick hatte Emil sich offensichtlich dazu entschlossen, seinen größten Trumpf auszuspielen. Er baute sich vor dem Podium auf.

Annette bewunderte seine Beharrlichkeit, seinen Mut und wie gut er aussah. Einen Augenblick lang verschwamm alles andere zu einem optischen Brei, nur seine Erscheinung stach heraus.

Er trug seinen einzigen Frack und ein azurblaues Seidenhalstuch. Die vergoldete Kette einer Taschenuhr, die Emil besonders gerne zu gesellschaftlichen Anlässen mitnahm, untermalte das Hellrot seines Oberteils.

»Ich bedauere Eure Schlussfolgerungen, verehrter Herr Ratsvorsitzender«, appellierte er, »jedoch auch, dass ich nochmals die Ernsthaftigkeit und die Dringlichkeit meines Anliegens betonen muss: Jedem der edlen Herren hier ist bewusst, dass dem ehemaligen Bauern Brogli während seiner Zeit in der französischen Armee etwas von weitreichender Tragik zugestoßen ist, was sein Wesen vollständig verändert hat. Alle Leute, die ich sprach, darunter auch Mitglieder dieser geschätzten Versammlung, bezeugten – und der Herr Gass wird mir da zustimmen, der ja als Knecht schon früher mit ihm unter dem gleichen Dach gelebt hat –, dass der alte Franz Brogli vor seiner Einberufung ein nüchterner, braver Mann gewesen war …«

»Ihr scherzt wohl? Der Mann wurde wegen Unzucht von diesem Gremium verurteilt«, erinnerte der Vorsitzende mit dem feisten Ranzen. Die schwimmenden Augen hinter seiner Brille blitzten vor Empörung.

Annette spitzte ihre Ohren, als Emil konterte: »Und er büßte seine Strafe ab. Ich bezweifle aber, dass deswegen der Teufel persönlich aus der Hölle kommt, um ihn mit Wahnsinn zu bestrafen!«

Die weißen Barthaare des Chorherrn bebten auf seinem Kinn vor Entrüstung: »Keine Blasphemie, nicht von einem Protestanten!«

»Und einem ehemaligen Bonapartisten«, gab Kalenbach kaum hörbar zu bedenken, die gefalteten Hände wie beim Gebet an die Stirn gedrückt, seinen Blick auf den Boden gerichtet.

»Wie kann er es wagen?« flüsterte Annette aufgebracht zu de Muespach. »Er sollte eigentlich ...«

De Muespach drückte seine Hand auf ihren Arm und brachte sie damit zum Schweigen.

»Ich bin vor allem studierter Mediziner, alles andere tut nichts zur Sache!«, knirschte Emil.

»Deshalb vertraue ich Euch, Emil«, beschwichtigte Kalenbach hastig. »Aber Eure Argumente müssen schon überzeugender sein.«

Emil atmete hörbar aus. Sein Nacken rötete sich, aber seine Stimme klang beherrscht: »Ich möchte sowohl den anwesenden Herren als auch meinem geschätzten Freund, dem Herrn Kleinrat Kalenbach, in Erinnerung rufen, dass im Stand Aargau seit den Zeiten der Helvetischen Republik die gesetzliche Verfügung gilt, dass Geistschwache und Irrsinnige in die medizinische Obhut einer staatlichen Anstalt zu geben seien.«

»Helvetische Republik ...«, wiederholte ein dürrer alter Großrat verächtlich und spie in den Spucknapf zwischen seinen Füßen.

»Dieses Gesetz wurde bei der Neukonstituierung des Standes nach dem Wiener Kongress beibehalten«, argumentierte Emil weiter, »und ist deshalb unverändert anzuwenden, ob das gefällt oder nicht. Franz Brogli wurde im Zarenreich wohl durch grausame Umstände erschüttert – durch eigenes Verschulden oder durch Fremdtaten, das sei dahingestellt, aber Besessenheit scheidet gewiss aus. Das ist eine Erklärung aus den finsteren Zeiten des Mittelalters ...«

Ein Raunen ging durch den Saal. Der Chorherr verzog seinen Mund, verbiss sich aber einen Kommentar, als einige Räte, auch das alte Männchen, Emil mit einem »Hört, hört!« unterstützten.

Der Vorsitzende Brutschin erhob sich von seinem Platz, warf dabei einen vieldeutigen Blick in Richtung des Männchens und unterband weitere Zurufe, indem er die Arme hob. Dann wandte er sich direkt an Emil. »Die Zeiten haben sich wiederum geändert, wie Er, Doktor Schäfer, nur zu gut weiß«, meinte Brutschin mit einem kryptischen Lächeln. »Die Obrigkeit hat aus Sorge um den Bürger entschieden, dass es nach den Jahrzehnten des seelenlosen Chaos unverantwortlich ist, der Heiligen Mutter Kirche ihre gottgegebene Stellung zu verwehren, ihr und all ihren Mitteln für die Geschundenen und die Verlorenen. Seht doch, wohin uns Sein sogenannter Fortschritt geführt hat.«

»Und dennoch hat der Aargau gewisse Errungenschaften aus den ›seelenlosen‹ Tagen in seinem Gesetz bewahrt. Franz Brogli muss eine fachlich einwandfreie Behandlung erhalten, vorzugsweise in meiner Obhut im Stadtspital, zumindest aber in der Anstalt in Königsfelden. Wenn Ihr es wünscht, können wir diese Differenz auch von der Ratsversammlung in Aarau beurteilen lassen.«

Brutschins Lächeln verschwand. Seine Züge wurden beinahe mitleidig, dann machte er eine verwerfende Handbewegung. »Mein lieber Herr Kleinrat Kalenbach, könntet Ihr Eurem jungen Bekannten hier einige lokale Begebenheiten erläutern? Mich deucht, er hat diese noch immer nicht erkannt.«

Kalenbachs Brille tanzte auf seinem Nasenrücken, als er nach Luft rang. Er starrte auf seine gefalteten Hände und sagte mit belegter Stimme: »Emil … Herr Doktor Schäfer, bei allem Respekt für unseren geliebten Stand … dem Fricktal und damit auch Rheinfelden ist eine gewisse föderale Eigenheit geschuldet. Ihr als Sympathisant des Unitarismus mögt vielleicht Anstoß daran finden, aber uns wurde seitens Aarau die Freiheit zugestanden, die Dinge manchmal nach eigenem Gutdünken zu erledigen. Und zu meinem aufrichtigen Bedauern muss ich anfügen, dass …« Er sah auf wie ein unterwürfiger Hund, der jeden Augenblick einen Tritt seines Herrchens erwartete. »… dass Ihr …«

»… dass Er, Herr Doktor Schäfer«, beendete Brutschin ernst, »aufgrund Seines tätlichen Vergehens an einem leitenden Arzt der Klinik Königsfelden, was von Seinem rebellischen und impulsiven Geist zeugt, von diesem erlauchten Rat als nicht geeignet eingestuft werden kann, um eine solche delikate Behandlung der Seele zu bewältigen. Eine Infragestellung der heilenden Kräfte unserer Mutter Kirche sei zudem von nun an untersagt«.

Annette traf die harsche Formulierung des Verdikts so, als hätte sie jemand mit einer Bratpfanne geschlagen.

»Hört, hört!«, stimmten viele Abgeordnete bei.

Das alte Männchen hingegen warf ein: »Der Rat müsste darüber noch befinden, Vorsitzender Brutschin! Meint Ihr nicht auch? Differenzen mit einem Vorgesetzten falsifizieren die Methoden nicht, wie mir meine Lebenserfahrung sagt.«

»Gott weiß, was die gequälten Seelen benötigen, verehrter Herr Ehrenvorsitzender Brutschin«, murmelte der Chorherr dem Männchen beschwörend zu, während der jüngere Brutschin ein verkniffenes Gesicht zog und …*seinem Vater* … einen strengen Blick schenkte.

»Einem wehrlosen Mann Hilfe vorenthalten und das Gesetz des Standes übergehen, meint Ihr, das sei gottgefällig?«

De Muespach packte Annette am Arm.

Lieber Gott, habe ICH das gerade gesagt?!

In der Kammer hätte man ein Haar flattern hören können. Die Ratsherren schienen den Atem anzuhalten, alle starrten auf Annette. Ihre Mienen verrieten Empörung, Überraschung, Gereiztheit.

Kalenbach schnappte nach Luft wie ein sterbender Lachs in der Salmenwaage und klammerte sich wieder an seinen Spazierstock, als hinge sein Leben davon ab.

Der Chorherr bekreuzigte sich. Seine Adlernase und seine Stirn nahmen dabei die Farbe seines Bartes an; er sah aus wie nach einem Bad in flüssiger Kreide. Dann drehte er sich wortlos zu Emil.

Wie auf ein stilles Kommando hin taten es ihm die meisten

anderen Ratsherren gleich.

»Tapfer, *ma belle,* aber herrje …«, flüsterte de Muespach.

Annette bemerkte, wie sie errötete, und senkte den Kopf.

Sie hörte Emil die peinliche Stille brechen: »Ich muss mich für die vorlauten Worte meiner Gattin entschuldigen! Sie waren unbedacht und in Hysterie gesprochen.«

»Was für ein Skandal!«, sagte der Vorsitzende mit dem feisten Ranzen aufgebracht, nachdem er wieder Annettes Busen begafft hatte.

Zustimmendes Murmeln aus den Rängen, das wie das Brausen einer Flut den Raum überrollte.

»Emil, Ihr solltet …«, begann Kalenbach.

»Herr Doktor Schäfer!«, schnitt Brutschins Stimme durch Kalenbachs Satz wie ein Messer durch weiche Butter. »Die Worte Seiner Gattin sind ein Affront! Sie hat diese achtenswerte Institution als auch die Heilige Mutter Kirche mit ihren Worten desavouiert. Unter normalen Umständen wäre eine Überstellung an den Schultheißen gerechtfertigt, aber diese Versammlung wurde auf Ehrenwort des hochgeschätzten Kleinrats Kalenbach einberufen, unter dessen Protektion Er und Seine Gattin vorgeladen wurden. Der Vorsitzende wird daher Gnade vor Recht sprechen und Frau Doktor Annette Schäfer des Saals verweisen. Sie hat auf sechs Monate das Recht verloren, direkt mit einem Ratsmitglied in Ausübung seiner Pflichten zu sprechen, und lebenslänglich das Besuchsrecht zu einer Ratssitzung verwirkt. Sie gehe nun!«

»Hört, hört!«, stimmten fast alle Abgeordneten zu.

Der auffallend hellblonde Mann, der sich mit seinem Hornstäbchen gerade am Kinn kratzte und dabei ohne Hemmungen gähnte, war einer der wenigen, der Annette einen anerkennenden Blick zuwarf.

Da gab de Muespach Annette einen leichten Knuff in die Seite. *Nicht da, da bin ich empfindlich,* dachte sie in einer kurzen Aufwallung irritierender Gefühle, genährt durch Angst und Nervosität.

Sie schnellte hoch wie eine Springfeder. »Hochgeschätzte Ratsmitglieder und lieber Herr Chorherr, ich bitte demütigst um Verzeihung! Ich weiß nicht, wieso …«

»Mein Weib soll schweigen!«, sagte Emil laut, während er unmissverständlich auf die schwere Eingangstür deutete.

Annette fühlte sich mit einem Mal geschwächt; sie meinte, jeden Augenblick umzukippen.

Emil nickte de Muespach zu, der sich ebenfalls erhoben hatte und seinen Arm bei Annette einfädelte, was diese dankbar annahm.

»Wir gehen raus!«, flüsterte de Muespach bestimmt.

Die Holzdielen knarrten entsetzlich laut, als sie sich die Bank entlangbewegten. Ansonsten begleitete sie nichts als Kleiderrascheln und Atemzüge, zwischendurch das Knistern von qualmendem Tabak.

Emil unterbrach diese scheußliche Atmosphäre: »Ich bitte um Vergebung für dieses Malheur, auf dass wir unsere Meinungsverschiedenheiten nun in einem rationellen Klima weiterverfolgen …«

»Doktor Schäfer, Er möge zum Schluss Seines Plädoyers gelangen! Andere Aufgaben erfordern ebenfalls die Aufmerksamkeit des Rates«, konstatierte Brutschin durchaus höflich.

Annette und de Muespach waren bei der Eichentür angekommen, die aus dem Saal führte. Annette spürte Blicke im Rücken und wagte es nicht, sich nochmals umzusehen. Stumm betrachtete sie de Muespachs Hand, wie diese die Türklinke ergriff.

Hinter ihr versuchte Emil, den Faden wieder aufzunehmen: »Nun, wie ich durch Gespräche vernommen habe, sieht sich der geschätzte Herr Chorherr offenbar nicht zweifelsfrei in der Lage, die schwere Aufgabe von Franz Broglis Seelenheilung selbst zu übernehmen …«

Ich bin ein schlechtes Weib! Wer hört ihm denn jetzt noch zu?

»… er wolle angeblich diese Aufgabe einem anderen kirchlichen Gremium übergeben. Ich habe Euch, verehrter Herr Chorherr, daher ein letztes Angebot zu machen, das diskussionswürdig sein müsste und auch die Interessen der Kirche wahrt. Ich pflege noch immer Kontakt zu einem Arzt und Theologen in Königsfelden namens Wilhelm von Plotz, der vor einem Jahr aus München in die Schweiz gezogen ist. Er ist ideal, um …«

Emils Ansprache wurde unverständlich, als de Muespach mit einem seltsamen Lächeln die Tür schloss, absichtlich bedächtig, wie Annette vermutete, um noch einen Teil der Replik mitzukriegen.

Der Vorraum zum Plenarsaal roch nach Staub und Kerzenrauch. Schweigend ließ Annette sich von de Muespach durch das Eingangsportal und über eine Außentreppe in den Innenhof des Rathauses führen. Die kühle, aber belebende Luft tat gut. Ihre Stiefel klackten über das Steinpflaster.

»Annette, ich gebe zu, ich bewundere Eure Dreistigkeit. Wärt Ihr die Frau eines weniger hochstehenden Bürgers, säßet Ihr allerdings wohl schon in einer Zelle«, sagte de Muespach ernst.

Annette fühlte sich wie ein kleines Mädchen und war gleichzeitig wieder voller irritierender Gefühle, die der mehr als doppelt so alte Mann bei ihr auszulösen vermochte. Schamvoll schwieg sie, betrachtete ihn verstohlen.

Eigentlich hieß er Ferdinand, bevorzugte aber angeblich seit dem ersten Franzoseneinfall in die Schweiz, noch vor Annettes Geburt, die französische Version. Er stammte von einer deutschen Hugenottenfamilie ab, die sich nach dem Siebenjährigen Krieg aus geschäftlichen Gründen in Basel niedergelassen hatte. Trotz ihres Ursprungs und der tragischen Geschichte der französischen Protestanten trat die Familie seit jeher stark frankophil auf.

Als die Franzosen schließlich über die Grenze kamen, biederte sich de Muespach als schwärmerischer Neunzehnjähriger, der sich gerade durch sein Medizinstudium paukte, bei den Invasoren an.

Annette wusste nicht, was das konkret hieß. Sie selbst hatte nie gefragt, aber sie hatte de Muespach sehr genau im Gespräch mit anderen beobachtet und noch mehr über ihn gehört. Mythos, Fremderzählungen und Andeutungen sowie sein schelmisches Schweigen auf konsequentes Nachhaken hatten sich in ihrem Kopf zu einer abenteuerlichen Legendensuppe vermischt.

Die Gerüchteküche erzählte von Spionage, von Denunziationen, von gefälschten medizinischen Gutachten für Feinde des napoleonischen Regimes, die »überraschend« verstorben waren.

Annette fand nicht als Einzige, dass diese Geheimniskrämerei einen großen Teil seiner charismatischen Aura ausmachte.

Nach einer vergeblichen Kandidatur als Deputierter des Standes Basel in den Großen Rat der Helvetischen Republik kam er 1799 als frisch promovierter Arzt in einem Basler Spital unter und war nebenbei Dozent der Medizin an der altehrwürdigen Universität der Rheinstadt.

Es folgten eine Heirat und mehrere Kinder, die de Muespach kaum sahen, da er sich in der Zeit auffällig oft auf Auslandsreisen befand, bei denen er angeblich Referate über Lazarettmedizin und –wesen hielt.

Obschon er keine Minute in der Armee gedient hatte …

Emil hatte de Muespach vor fünf Jahren als Student in Zürich kennengelernt, als der dort mehrere Gastvorlesungen gegeben hatte, und war von dem weltgewandten, eloquenten Mann sehr rasch eingenommen.

Emil gelang es, eine Unterassistenzstelle zu ergattern, und er vermochte seinerseits, mit seinen bonapartistischen Ansichten und seiner beruflichen Hartnäckigkeit die Aufmerksamkeit de Muespachs auf sich zu ziehen. Sie blieben daraufhin brieflich in Kontakt. Manchmal hatte de Muespach, wenn er gerade auf der Durchreise war, die Schäfers in ihrem Stadthaus in Brugg besucht, wo er auch von den Eltern willkommen geheißen wurde.

Und so war Annette ihm erstmals im prunkvollen Salon der Schäfers begegnet. Sie fand ihn anziehend, aber das konnte sie sich nur schwerlich eingestehen: sein ruhiges Auftreten, seine Art zu reden, seine langsamen und besonnenen Gesten, seine würdevolle, aristokratisch anmutende Haltung, sein trockener, zuweilen sehr provokanter Witz … Obschon er nicht schön im klassischen Sinne war, beileibe nicht: mittelgroß, käsige Haut wie ein Blaublütiger und eine lange schmale Nase in einem glatt rasierten knochigen Gesicht, auf der er eine winzige goldgefasste Brille mit runden Gläsern trug. Seine beinahe schwarzen Augen standen eng beisammen, klebten richtiggehend an der Nasenwurzel.

In diesem Augenblick ließ de Muespach ihren Arm los. Sie waren im Begriff, vom Innenhof auf die Marktgasse zu treten, und der Anstand verlangte eine gewisse Distanz.

»Bitte informiert Herrn Doktor Schäfer nach der Versammlung, dass wir uns im Gasthaus *Schiff* befinden«, wandte sich de Muespach an den jungen Stadtpolizisten, der vor dem Hauptdurchgang Wache schob. Mit diesen Worten ließ er unauffällig einige Münzen in dessen Kitteltasche tröpfeln.

Annette spürte einen Stich in der Brust. In dieser Beziehung handelte de Muespach wie Emil.

»Mit Vergnügen, mein Herr«, antwortete die Wache lächelnd. Der Mann war gut aussehend mit seinen kräftigen glatt rasierten Wangen, und dem gewellten blonden Haar.

»Verbindlichen Dank, Herr …?

»Gefreiter Fritz Crispin, zu Euren Diensten«, antwortete der Polizist und musterte Annette mit interessiertem Blick.

»Nun denn, Herr Crispin, ich habe die Ehre. Wollen wir, Madame?« De Muespach machte einen auffordernden Wink, und Annette folgte ihm mit einem verschmitzten Lächeln.

Beim Gang durch die Marktgasse fiel ihr auf, dass wieder vereinzelte streunende Hunde und Katzen zu sehen waren – die besonders schlauen, die nicht in den Kochtöpfen gelandet waren. Außerdem war von irgendwoher das Quieken von Schweinen zu vernehmen. Das bedeutete wohl – und das stimmte sie zuversichtlich –, dass die Glücklichen, die ihr Vieh nicht der Not hatten opfern müssen, sich auch wieder trauten, dieses offen auf die Straße zu lassen.

Unterwegs kamen ihr die gewohnten Gesichter der Bediensteten und der Mägde entgegen, die für ihre Herrschaften einkauften. Sie empfing Grüße und verteilte die ihren mit einem Lächeln und einem Nicken. Selbstverständlich fielen ihr die neugierigen Blicke auf, die man ihrer Begleitung schenkte.

Sie machte sogar Klara aus, die zusammen mit einigen anderen Weibern eine Marktbude mit Wintergemüse belagerte. Dank der frei gewordenen Transportwege und dem langsamen Auftauen der Äcker konnten die umliegenden Bauern jahreszeituntypisch, aber dennoch halbwegs erfolgreich Steckrüben, Weiß- und Rotkohlköpfe, Zwiebeln und Schwarzwurzeln auf bewachten Feldern ziehen. Die Erzeugnisse wurden nun zu saftigen Preisen an eine sich rempelnde Menschenansammlung verkauft.

Sie erreichten nach wenigen Minuten das westliche Ende der Marktgasse und damit ihr Ziel.

Das Gasthaus *Schiff* war ein eigentümliches Haus mit Steinfundament und Holzverschalung, das direkt am Rheinufer stand. Seine Form wirkte irgendwie zusammengestaucht, als habe Gott es unter Gewaltanwendung zwischen dem Kopf der Rheinbrücke und dem Nachbarhaus hineingequetscht.

Hier roch es nach Flusswasser, dem Unrat der Straße und den beißenden Abwässern des Gewerbekanals, der sich westlich der Brücke in den Rhein ergoss.

De Muespach ging durch die grob gezimmerte Tavernentür und hielt sie für Annette offen.

Der Schankraum beinhaltete ein paar einfach geschreinerte Langtische mit den dazugehörigen Bänken; Zierrat, wie Netze, ein präparierter Karpfen und mehrere Bilder im Stil der Bauernmalerei, die alltägliche Fischerei- und Schiffereimotive zeigten, hing an den Wänden. Die nördliche Seite des Raums bestand aus einer Fensterfront mit Blick auf den Rhein, auf dem Annette ein paar Boote manövrieren sah, die wohl gerade im Begriff waren, die Stege unterhalb der Rheinbrücke an einer kleinen vorgelagerten Insel anzulaufen.

Die Theke und ein Küchendurchgang befanden sich auf der Ostseite, eine geöffnete Tür in der nordwestlichen Ecke führte auf eine kleine Terrasse. Lautes Lachen und vulgäre Reden drangen von dorther. Es roch nach Tabakrauch, Lampenfett, Kaminfeuer, Fisch und nach ungewaschenen Menschen.

Die einzigen sichtbaren Gäste, einige Fischer und Schiffer, saßen an einem gemeinsamen Tisch. Drei verzehrten Fischsuppe; vier weitere saßen leise diskutierend über ihrem Dünnbier, knabberten dabei an Zwieback oder rauchten Pfeifen.

Alle hatten kurz aufgesehen, als Annette und de Muespach eingetreten waren. Sie musterten Annette, dann betrachteten sie de Muespach vieldeutig, um sich anschließend wieder ihrem Gespräch und einem kräftigen Schluck Bier zu widmen.

Ein alter Schiffer, mit weißem Haarkranz, saß am fernen Ende der Bank mit dem Rücken zur Eingangstür, nuckelte an seiner Hanfpfeife und starrte durch die verschmierte Scheibe auf die langsam gleitende Oberfläche des Rheins. Er drehte noch nicht mal den Kopf.

Die Kaschemme erinnerte Annette an die Übernachtungsorte während ihrer Reise nach Rheinfelden; sie fühlte sich auf der Stelle unwohl und gab sich Mühe, die Gestalten am Tisch mit ihren groben Kleidern nicht anzusehen.

Die Wirtin, eine rundliche Frau mit dünnem ergrautem Haar unter ihrer Schute, runzeligen Pausbacken und geschlitzten Augen, bei denen man kaum die Pupillen erkennen konnte, stand hinter der Theke und wischte Staub von den Zapfhähnen, eine kleine qualmende Pfeife zwischen ihre Lippen geklemmt.

»Herr Muspach, Ihr seid schon zurück? Und mit der protestantischen Frau Doktor dabei?«, brummelte sie. Die Pfeife in ihrem Mund wippte während des Redens auf und ab und hin und her.

»Werte Frau Keller, ich habe Eure kleine Spelunke und Euren Charme vermisst, und beides wollte ich der Frau Doktor vorstellen«, entgegnete de Muespach schmunzelnd. »Bitte bringt uns zwei Dünnbiere!«

Die Wirtin nickte und blähte ihre Pausbacken auf, während sie den Rauch ausblies. Dabei legte sie den Lappen übervorsichtig auf die Theke.

De Muespach machte eine einladende Geste, mit der er Annette an einen leeren Tisch gleich neben der Theke dirigierte. Mit der anderen Hand holte er seinerseits eine kleine Pfeife aus der Manteltasche, im Gegensatz zum Exemplar der Wirtin aus teurem weißem Porzellan mit blauen Blumenverzierungen gemacht.

Annette warf einen beunruhigten Blick zu den Männern am Langtisch und versuchte einzuschätzen, wer von denen für eine solche Pfeife zu einer Schandtat bereit sein könnte. Zögerlich setzte sie sich de Muespach gegenüber, der sich wie selbstverständlich so platzierte, dass er die Eingangstür im Blick behalten konnte.

»Wollt Ihr noch den *Schweizerboten* zu den Humpen dazu, Herr Muspach? Noch nicht so alt, direkt aus dem wunderschönen Aarau, und ich konnte sogar ein paar Wörter daraus lesen …«, frotzelte die Wirtin von der Theke her, während sie halb gebückt das Fass unter dem Zapfhahn zu prüfen schien, um dann die Pfeife aus dem Mund zu nehmen und verärgert mit der Zunge zu schnalzen.

»Ist es derjenige, den Ihr mir schon zweimal angedreht habt, Frau Keller?«, antwortete de Muespach mit gespieltem Tadel. »Zschokkes Auffassungen und sein Verdienst zu diesem Kulturkanton hier sind wahrlich lobenswert, aber ich ziehe ein Gespräch mit der jungen Dame mir gegenüber vor.«

»Jaja«, brummelte die Wirtin gedankenverloren. Dann verschwand sie durch die Tür hinter dem Tresen.

Annette machte im Raum dahinter die Küche aus; der Geruch des Kochfeuers und von Angebratenem strömte in den Schankraum. Es duftete gar nicht mal übel.

De Muespach stopfte wortlos seine Pfeife. Der Tabakbeutel, in den er griff, war aus amerikanischem Wildleder gemacht und mit einem punzierten Bild versehen: eine stilisierte Tabakplantage, auf der eine ganze Reihe schwarzer Sklavensilhouetten ackerten und von einer gesonderten Silhouette mit Peitsche bewacht wurden.

Annette bemerkte außerdem, dass die vier Fischer mit Zwieback und Pfeifen hinter de Muespachs Rücken mit großen Augen auf das Leder starrten. Der Beutel kostete mehr, als sie in zwei Monaten verdienten, von der Porzellanpfeife ganz zu schweigen. Annettes Sorge nahm sprunghaft zu. Nur mit Mühe konnte sie Haltung bewahren.

»Esst Ihr häufiger in dieser Absteige, Fernand?«, raunte sie und behielt dabei die Fischer im Auge.

De Muespach hatte seine Pfeife fertig präpariert und kramte Streichhölzer aus der Hosentasche, während er ungerührt antwortete: »Ich wohne hier für die Dauer meines Aufenthaltes, meine Teure.«

»Wieso habt Ihr nicht nach einem Bett im Spital gefragt?«, meinte sie entsetzt und viel zu laut.

Die zwei schmauchenden Fischer hinter de Muespachs Rücken begannen miteinander zu flüstern.

»Holla, nicht so laut, Frauchen!«, ermahnte der Schiffer mit dem weißen Haarkranz Annette, ohne sich vom Fenster wegzudrehen.

Die anderen Männer murmelten ihre Zustimmung. Alle trugen nun ernste, gar verdrießliche Mienen, als habe Annette eine feierliche Zusammenkunft gestört. Im Gegensatz dazu brandete von draußen, von der Terrasse her, wieder lautes Gelächter auf.

In dem Augenblick quietschte die Küchentür, und die Wirtin kam mit einem frischen Fass Bier zurück. Sie bückte sich hinter die Theke, dann hörte Annette das Schaben von Holz gegen Holz.

De Muespach sog an seiner Pfeife. Dünne Rauchschwaden, die angenehm süßlich rochen, vernebelten ihn wie einen indianischen Schamanen.

»Ich habe genug Lebenszeit in einem Spital verbracht, meine Teure, ich bin Arzt«, griff er unbeeindruckt wieder den Faden auf. »Da brauch ich dies nicht auch noch auf Reisen zu tun. Außerdem finde ich Tavernen faszinierender. Ich mag es, den Puls zu spüren. Neuigkeiten, Tratsch, Gerüchte, kleine Geheimnisse. Diese Passion gefällt mir fast noch besser als die Medizin. Natürlich auf die Gefahr hin, der Gesellschaft und dem Geschwätz von langweiligen Zeitgenossen ausgeliefert zu sein.«

»Eine merkwürdige Beschäftigung, Fernand.«

De Muespach blickte statt einer Entgegnung an Annette vorbei, offensichtlich auf die Wirtin, denn die erschien neben ihr und stellte zwei Holzhumpen auf den Tisch. Blassgelbes Bier schwappte darin.

Einer der Fischer hinter de Muespach, der sich wohl alle Mühe gegeben hatte, die Konversation mitzulauschen, schob sich den letzten Zipfel seines Bretzels in den Mund und höhnte, Krumen versprühend, zum Schiffer mit dem weißen Haarkranz: »Alle edlen Pinkel haben seltsame Beschäftigungen, gell, Sepp?«

Sepp, der alte Fischer, der noch immer aus dem Fenster geblickt hatte, drehte sich langsam um, sog unablässig an seiner Hanfpfeife und schien wie aus einem Traum gerissen. Sein Gesicht sah müde aus, aber seine Augen funkelten wissend. Seine Wangen waren von Blatternarben zerfurcht; sie glichen einer vom Wetter gezeichneten Felswand.

»Dieser edle Pinkel hat wirklich ausgefallene Beschäftigungen«, orakelte Sepp kichernd und klopfte dann den Pfeifenkopf gegen die Tischkante. Schwarz verbrannte Hanfkrumen regneten auf die Holzdielen und verströmten ihren typischen Geruch.

De Muespach, der seinen Oberkörper für einen prüfenden Blick gedreht hatte, wandte sich säuerlich lächelnd wieder Annette zu und schien entschlossen zu sein, das kindische Geplapper hinter seinem Rücken zu ignorieren.

»Wieso treibt Ihr Euch in Spelunken herum und lasst Euch von niederem Gesindel verspotten?«, zischte Annette. Sie spürte eine nicht erklärbare Enttäuschung, als habe de Muespach sie auf grundlegende Weise betrogen. Fast sofort schämte sie sich für ihre Gedanken, nahm zur Ablenkung einige überhastete

Schlucke ihres Dünnbiers, das ganz ordentlich schmeckte, verschluckte sich prompt und hustete.

Die Fischer brachen in Gelächter aus und prosteten Annette lauthals zu. Annette spürte, wie ihr die Gesichtsröte bis zum Schutensaum stieg. *Unverschämte Vagabunden!*

De Muespach drückte kurz ihren Arm, was sie beruhigte, ja, was sich geradezu angenehm anfühlte. »Ich bin früher viel gereist, wie Ihr schon wisst, da konnte man sich die Verhältnisse in einer Unterkunft nicht immer aussuchen und musste eine gewisse Bescheidenheit annehmen. Aber dafür stieß ich auf interessante Zeitgenossen … Heute musste ich für einen solchen allerdings den Rheinfelder Ratssaal besuchen, zugegeben. Schmeckt Euch das Bier?«

Annette nickte. Sie nahm vorsichtig drei weitere Schlucke. Sie spürte, wie eine sanfte Euphorie in ihren Kopf stieg. Flöhe juckten hinter ihrer Stirn; sie bescherten ihr eine schwatzhafte Dreistigkeit, denn sie streckte ihren Oberkörper vor und flüsterte konspirativ: »Leute behaupten, dass Ihr früher im Dienst Seiner kaiserlichen Majestät gestanden habt. Ihr habt ihm doch nicht etwa als Mundschenk in billigen Kneipen gedient?« Sie kicherte und fühlte sich wie ein kleines Mädchen in Erwartung einer spannenden Gutenachtgeschichte.

De Muespach schwenkte seine Pfeife mit weichen Bewegungen wie ein dozierender Lehrer seinen Rohrstock, dabei raunte er: »Eine vorwitzige Frage! Ich habe diese Gerüchte gehört, die jemand irgendwann in die Welt gesetzt hat. Ich hatte bestimmte Aufgaben in meiner Funktion als Professor der Universität Basel, durch die ich viel reisen musste. Mehr aber auch nicht.«

»Na schön«, murmelte Annette enttäuscht, aber ihre Zunge wollte noch immer nicht ruhen: »Was habt Ihr gemeint, als Ihr von ›interessanten Zeitgenossen‹ geredet habt … ich meine … im Ra…?«

»Dieser eine Mann uns gegenüber, unter dem Fenster mit dem Kreuzigungsmotiv … der mit den verstümmelten Händen und den ungepflegten, aber teuren Kleidern.«

Annette streckte sich in ihrer Aufregung so weit über den Tisch, dass sie de Muespach einen offenherzigen Einblick in ihr Dekolleté gewährte, den dieser mit ungerührtem Gesicht quittierte. »Er nennt sich Pjotr, kommt aus Russland. Eine merkwürdige Gestalt, eine unheimliche Gestalt.«

»Er ist also mit diesem Franz Brogli angereist, von dem die ganze Welt aufgewirbelt wird? Höchst interessant. Und noch merkwürdiger dabei ist, dass ich ihn schon irgendwo gesehen zu haben glaube.«

»Diesen abstoßenden Mann?«, wunderte sich Annette.

Genau jetzt torkelten mehrere Fischer, schmauchend und lauthals über Fischgründe und -rechte diskutierend, durch die geöffnete Terrassentür in die Gaststube und lärmten wie eine plündernde Soldateska.

»Wer sind der edle Herr und die offenherzige Dralle?«, fragte ein junger Bursche in einer Strickjacke fröhlich, wurde aber sofort von dem blatternarbigen alten Sepp am Arm gepackt und wortlos auf die Holzbank gezogen.

Die Wirtin stand schon für die nächste Bestellung bereit und verlangte dabei energisch mehr Anstand in ihren vier Wänden.

»Ich habe diesen Pjotr wohl mal auf einer Reise von mir gesehen, denke ich«, sagte de Muespach nachdenklich, als fände der Krach um ihn herum nicht statt. Er sog an seiner Pfeife.

»Wo denn?«

»Vielleicht in Polen, während der … oder vielleicht in Oberitalien? Seine Daumen wurden nicht durch einen Unfall abgerissen, so viel kann ich sagen. Mir scheint das eine chirurgisch präzise Verstümmelung zu sein.«

»Und seine Zunge?«, fragte Annette.

»Seine Zunge ist ebenfalls kupiert? Muss eine Bestrafung gewesen sein. Eine sehr unübliche Bestrafung, sehr mittelalterlich. Das Zarenreich käme infrage, auch das Osmanische Reich, vielleicht noch Spanien, Preußen unwahrscheinlich, obschon vor wenigen Jahren auch dort solche Verstümmelungen bei schwerwiegenden Vergehen noch vollzogen wurden.«

»Dann wisst Ihr also doch über solche Dinge Bescheid?«

»Was meint Ihr mit ›solche Dinge‹? Ich weiß nur, dass ich den Mann von irgendwoher zu kennen glaube, meine neugierige Madame Schäfer«, sagte de Muespach belustigt und nahm noch einen Schluck aus seinem Humpen. Tropfen perlten über sein Kinn. Er schien es nicht zu bemerken.

Und hinter Annettes Rücken wurde dieses Mal die Eingangstür aufgestoßen.

»Aha, wen haben wir denn da?«, frohlockte de Muespach.

Annette drehte sich um und sah eine ganze Traube bekannter Gesichter nacheinander hereinkommen, als hätten sie sich nach der Ratsanhörung zu einem gemeinsamen Umtrunk verabredet.

Den Anfang bildete Fritz Crispin, der junge gut aussehende Polizeigardist vom Rathaustor. Mit selbstzufriedenem Blick ging er zur Theke und grüßte die Männer im Raum beiläufig, die zurücknickten, ihn aber misstrauisch beäugten.

Der Quadratschädel folgte Crispin mit verschwitztem Gesicht.

Danach kamen der rothaarige, beschränkt wirkende Paul Gass und dann Emil selbst herein, der ein müdes Gesicht machte. Zuletzt trat– *wenn man vom Teufel spricht,* dachte Annette – Pjotr nachgewieselt.

Kalt lief es ihr über den Rücken, als der Russe sich mit einem gezückten Notizblock zu dem Polizisten Crispin gesellte, keine drei Meter von ihrem Sitzplatz entfernt. Crispin bestellte ein Dünnbier und nickte Pjotr zu, nachdem er einen Blick auf das Geschriebene geworfen hatte.

Gass stand neben ihnen und rang mit seinen Pranken, schien sich sehr unwohl zu fühlen und ließ Emil nicht aus den Augen.

Emil setzte sich zu Annette und de Muespach und forderte den Quadratschädel ebenfalls dazu auf. Der nahm am Bankende auf Annettes Seite Platz.

»Ich werde mich Euch nachher widmen, Herr Has. Zuerst habe ich etwas mit meinem Eheweib zu besprechen«, rief Emil, denn in der Zwischenzeit herrschte im *Schiff* eine beachtliche

Lautstärke.

Has nickte, dann tat er zumindest so, als würde er eingehend die Szenerie der Gaststube betrachten.

Annette konnte Emils Schweiß durch den Geruchsdunst des Raums riechen, als er sich vorbeugte. »Frau, was war das vorhin für eine Dreistigkeit? Dein loses Mundwerk hätte mir beinahe eine große Möglichkeit verdorben.« Annette hatte eine Zurechtweisung erwartet. Die Schärfe seines Tonfalls aber war entsetzlich.

»Ich … verzeih mir!«, stammelte sie und spürte, wie ihr die Röte ins Gesicht schoss.

»Tu das nie wieder, Annette!«, verlangte er gerade so laut, dass sie es vernehmen konnte. Dann schnaufte er tief durch und fuhr abschätzig fort: »Kalenbach, dieser falsche Kerl, hat mich in keiner Weise unterstützt. Ich dachte, er wäre ein Freund.«

»Ich kann doch nichts für seine Entscheidungen.«

»Er hat gegen mich geredet. Da habe ich die Gelegenheit, im Dienste der Wissenschaft zu walten, und er … dieser feige Hund …«

»Lass Doktor von Plotz das erledigen, Emil!«, unterbrach ihn de Muespach. »Halte deinen eigenen Namen raus, schiebe ihn vor! Von Plotz wird dir eine Standesverfügung auftreiben können, glaub mir!«

»Fernand«, sagte Emil erleichtert, »ich wusste, ich kann mich auf dich …«

De Muespach räusperte sich und klopfte mit dem Knöchel seines Zeigefingers ermahnend gegen die Tischkante. »Das wird dich aber eine kleine Spende an einen alten Freund von mir kosten, fürchte ich.«

»An dem soll's nicht scheitern.«

Annette wurde heiß und kalt. »Emil, wer ist dieser Doktor von Plotz?«

Emil winkte ab. »Die wollen Brogli im Grunde gerne loswerden, auch der Chorherr. Der weiß, dass er ihm nicht helfen kann, dass Brogli sogar zum Ballast werden könnte. Diese edlen

Herren können aber einem Einwanderer und Protestanten wegen ihres Dünkels nicht nachgeben, egal wie rationell er argumentiert oder wie ausgezeichnet oder schlecht sein Ruf ist. Kurz: Man misstraut mir, aber die Notwendigkeit hat dennoch den Weg zu einem Handel geebnet.«

Er winkte de Muespach und Annette noch näher. Ihre Köpfe berührten sich fast. An der Theke prustete Crispin aus irgendeinem Grund.

»Ich habe eine Abmachung vereinbaren können. Einige der Räte waren zum Glück in ihrem Gewissen berührt. Zum einen muss Brogli – wenn schon – von einem Facharzt behandelt werden, der genehmere Ansätze in der Heilung von Erschütterten verfolgt als ich – wie unser Freund von Plotz beispielsweise, den ich vorgeschlagen habe. Zum anderen werden wir diesen Sonntag konvertieren.«

Annette presste ihre Lippen zusammen. Ihre Gefühle schlugen Purzelbäume, und sie bekam nasse Augen.

»Es mag dir nicht gefallen«, reagierte Emil darauf, »aber mache deinen Frieden damit! Nur so kann ich diesen einfältigen Stadtpfaffen beschwichtigen. Und nur so hat Franz Brogli eine Chance, Heilung zu erfahren.«

»Ich will nicht!«

Emil packte Annette am Handgelenk, sodass sie überrascht aufschrie.

Der Geräuschpegel des Gasthauses verebbte. Crispin stellte seinen leeren Humpen mit demonstrativem Krachen auf die Theke und beobachtete ihren Tisch mit Argwohn.

Emil scherte sich nicht um die Umgebung. Er zischte: »Du bist mir *vraiment un peu* zu aufsässig, Weib! Ich will nichts mehr hören, verstanden?«

Annette wusste, was sie als gute Ehefrau zu tun hatte. Sie senkte ihren Kopf und nickte.

»Kein Französisch unter meinem Dach!«, knurrte die Wirtin, äugte dabei besorgt zu Annette. Zustimmendes Geraune, dann nahm der Geräuschpegel um sie herum wieder das vorherige

Ausmaß an.

Emil fuhr fort: »Und nun möchte ich, dass du dich wieder deinen Pflichten widmest. So ... Meister Has, es wäre so weit ... Guckt nicht so verdattert, müsst Ihr Eurer Gattin nie die Leviten lesen? Und auch mit dir, Fernand, gibt es noch eine Kleinigkeit zu besprechen.«

»Was hast du mit Herrn Has zu reden?«, fragte Annette, vermied es aber dabei, Emil anzugucken.

»Du kennst den dritten und angenehmsten Teil des Handels noch nicht: Wir können von der Stadt etwas Land an der südöstlichen Banngrenze erwerben. Einen ehemaligen Hof, den wir beliebig umbauen können, und eine viertel Juchart* Land dazu. Ein gutes Angebot, ermöglicht durch den alten Ehrenvorsitzenden des Großen Rats. Ein richtiger Prachtkerl ist der! Nun ja, ich betrachte diesen Kauf als eine Art – sagen wir – Gebühr an die Stadt für die Erlaubnis zur Überstellung Broglis.«

»Und ganz nebenbei schaffen sie dich Unruhestifter aufs Umland hinaus, weit weg vom Zentrum«, sagte de Muespach und lachte auf, bevor er seinen Humpen endgültig austrank.

»Ich freue mich, das Land zu begutachten«, sagte Annette artig.

»Das wirst du. Juristische Formalitäten müssen allerdings noch erledigt werden, dann will ich einen Architekten aus Basel holen lassen, wofür ich deine Hilfe benötige, Fernand. Und dann natürlich die Zimmerarbeiten, die unser Herr Has hier verantworten wird. Einen ersten Auftrag hat er schon.«

»Wie schön! Ich sehne mich nach dem Tag, an dem wir einziehen können«, sagte Annette mit monotoner Stimme.

»Weib, lass uns jetzt allein! Herr Gass, wo seid Ihr? Ah ... seid doch so gut und geleitet meine Gattin nach Hause, ja?«

In Paul Gass, der sich immer noch an der Theke herumdrückte, kam Bewegung. Er trippelte mit hochrotem Kopf und verkrampften Schritten näher und wirkte dabei, als müsse er dringend auf die Latrine.

»Wirtin, Bier für drei, Wurst und Brot!«, orderte Emil.

* Eine Juchart entspricht ca. 36 Aren, also 3600 Quadratmeter (Größe von Gegend zu Gegend variierend).

»Kommt gleich«, bekam er zur Antwort.

Annette erhob sich und ließ sich von de Muespach, der aufgestanden war, um ihr die Hand zu reichen, über die Bank helfen, während Has sofort auf ihren Platz nachrückte. Annette fiel auf, dass de Muespach über ihre Schulter hinweg zur Theke schielte.

Der Russe ist immer noch interessant!

In diesem Moment trat Gass vor sie. »Maaine Verehrung, gnädige Ffrau … Gass bin ich. Ich meine, Iihr könnt mich Paul neennen.« Er lächelte unbeholfen und zeigte dabei krumme Zähne. Seine Knollennase war von roten Äderchen durchzogen. Er trug einfache Gewänder aus Leinen und Wolle, dazu einen faserigen Schal mit einem gezackten Muster darauf und eine haubenartige Kappe aus grobmaschiger Wolle.

»Nun gut, folgt mir«, entgegnete Annette und konnte es kaum erwarten, aus dieser Spelunke zu kommen.

Als sie in die kühle Luft der Marktgasse hinausgetreten waren und der frische Wind, der die Geruchsnote des Gewerbekanals mit sich trug, ihr Hirn auslüftete, wusste Annette auf einmal, was sie zu tun hatte.

»Herr Gass, darf ich Euch um ein Gefallen bitten?«

Paul Gass' Wohnzelle war kleiner als eine Vorratskammer in Emils Elternhaus, zugig und roch nach Kerzenrauch, Kohl und mehreren Batzen Kernseife. Einzige Lichtquelle des Raums, neben drei Kerzen, war eine Dachluke mit Spinnweben, von der Annette annahm, dass sie wohl selten geöffnet wurde: Der Gewerbekanal kam an der Rückfront der Mietskaserne wieder aus einem Tunnel hervor und beglückte die Anwohner mit einer Geruchspalette aus Abwasser, Fäulnis und Gerbereiabfällen. Der Gestank hing über dem Innenhof und kroch in die Wohnungen der umschließenden Bauten, selbst wenn die Fenster zublieben.

An das Geruchsklima hatte sich Annettes Nase schnell gewöhnt, stärkere Sorgen hatten ihr die baufälligen Treppen und die wurmstichigen Zwischenböden bereitet, bei denen man fürchten musste, bei einem falschen Tritt mit gebrochenen Knochen wieder in der Eingangsetage zu landen. Als sie durch die Flurfenster gesehen hatte, hatte sie im Innenhof Frauen beobachtet, die Wäsche aufhängten oder Abfälle im Kanal entsorgten. Und gegenüber präsentierte sich ein kleiner Junge im Adamskostüm, der ungeniert aus einem Fenster des oberen Stocks einer Gerberei direkt in den Kanal pinkelte.

Paul Gass zuckte nur grinsend die Schultern. »Das Plumpsklo is am Kanal unteen, is 'n langer Weg. Hoffentlich sieht iihn sein Vaater nich, weil der arbeitet mit Pisse.«

In der Wohnkammer watschelte er unverzüglich zu zwei zusammengerollten Schilfmatten, welche neben Reisebündeln und zwei verfilzten Schlafdecken lagen und offensichtlich Franz und Pjotr gehörten.

Es gab im Raum außerdem eine Jutematratze, einen kleinen Kochherd in einer Ecke, einen winzigen Tisch mit zwei Schemeln daneben und ein paar Bretter, die als Gestell an die Wand genagelt waren. Eine Emailschüssel mit frischem Wasser, etwas Geschirr, zwei Vorratstiegel und ein Nähkasten standen darauf.

Annette konnte sich beim besten Willen nicht vorstellen, wie drei erwachsene Männer in diesem beengenden Raum miteinander leben konnten.

Gass trat an sie heran, grinste und trug die gepackten Beutel so mühelos in den Händen, als seien Federn darin. Er warf sie auf die Jutematratze und blickte Annette erwartungsfroh an.

»Danke«, sagte sie höflich und nestelte am Strick des ersten Beutels. Der Stoff verströmte Modergeruch, als sei er irgendwann feucht geworden und nie mehr richtig getrocknet. *Passt zum Russen!*

Der Beutel platzte auf wie eine überreife Frucht und gab Pjotrs Besitztümer frei, vor allem Kleider in ehemals erlesener Qualität. Und jedes einzelne Stück wirkte nun verludert.

Was für ein Schwein!

»Siind schöne Kleider, nich? Schade nur, dass deer Pjotr sie nich flicken will«, plauderte Gass.

Annette täuschte ein Lächeln vor, während sie sich überwand, die Kleider zu durchwühlen. Muffelnde Dreiviertelhosen, eine Felljacke, weich, möglicherweise gar aus Zobel, dann ein paar Strümpfe, ein Schal – ein beachtlicher Haufen. Dann klimperte etwas. Ein Geldbeutel.

Gass hatte es auch gehört. »Aaber nix klauen, gell?«, knirschte er.

Er wirkte nun so verlegen wie in der Marktgasse, wo Annette ihn den ganzen Weg bis zur Brodlaube davon hatte überzeugen müssen, dass die Rettung für Franz von dem Umstand abhing, in seinen und Pjotrs Sachen herumschnüffeln zu dürfen. Annette beschloss, ihre dazu bewährte Taktik noch um einen Tick zu verstärken. Sie setzte ihre beste Unschuldsmiene auf, klimperte mit ihren braunen Augen und zupfte diskret an ihrem Kleid, um es zu ihrem Vorteil verrutschen zu lassen.

»Was denkt Ihr von mir, Paul? Glaubt Ihr wirklich, ich wäre dazu in der Lage?«, flötete sie mit mädchenhafter Stimme.

Der arme Teufel wurde rot, bekam einen Schweißausbruch und stotterte so heftig, dass sie ihn erst nach dem dritten Anlauf verstehen konnte.

»Nee … neiin, nat… natürlich … n… nich, Frau Doktr …!«, brachte er schließlich heraus – aber da hatte sich Annette bereits wieder lächelnd dem Geldsack zugewandt.

Er war in ein altes Hemd eingerollt. Sie schüttelte es, der Beutel aus feinstem Leder plumpste mit einem dumpfen Klirren heraus. Als sie ihn öffnete, traute sie ihren Augen nicht. Es befanden sich genug *Louis d'or* und andere Münzen darin, um das Leben eines renommierten Arztes für Patienten der Oberschicht für ein Jahr zu führen. *Ein stattliches Vermögen für einen Vagabunden!*

Als sie den Beutel wieder verschnürte, bestätigte ein flüchtiger Seitenblick ihr instinktives Gefühl, dass der großgewachsene Tagelöhner ihre Rundungen anstarrte wie ein Verhungernder eine reiche Tafel. Ein Speichelfaden hing ihm dabei bis in den Bart. Annette lachte innerlich und schob Pjotrs Reisebeutel beiseite.

Der zweite, von Franz, sah viel abgerissener aus, wirkte wie ein selbst genähter Flickensack, der zudem nur halb gefüllt war. Als sie ihn nach einer gefühlten Ewigkeit aufgenestelt hatte und ausschüttete, purzelte wenig Nennenswertes aus seinem Innern heraus: zwei mit kindlichen Schnitzereien verzierte Stöckchen, eine Essgabel mit krummen Zinken und einem Horngriff, eine abgewetzte Fellmütze im russischen Schnitt, ein Säckchen, das – wie Annette nach einer kurzen Inspektion feststellte – mit vertrocknetem Saatgut gefüllt war. Außerdem kramte sie ein Dokument in einem zerfledderten Umschlag unter zwei erbärmlich miefenden Socken hervor.

Mit Daumen und Zeigefinger fischte sie das Papier heraus. Es roch nach kaltem Rauch, hatte verfilzte Kanten und war so hauchdünn, dass sie befürchtete, es zerfalle bei der nächsten Berührung.

Das Schreiben beinhaltete ein offizielles Mobilisierungsaufgebot des Kantons Aargau vom März 1811, in Französisch und Deutsch abgefasst, mit den Überresten eines Wachssiegels unter der Unterschrift des aargauischen Kriegsministers. In der Mitte des Briefkopfs prangten zwei gekreuzte Fahnenstangen mit der französischen Trikolore einerseits und der Aargauer Flagge andererseits. Ein winziger stilisierter Soldat in einer roten Uniform mit himmelblauen Ärmelaufschlägen und einem ebensolchen Kragen befand sich zwischen den Schenkeln des angedeuteten Dreiecks, das die Stangen bildeten, und salutierte dem Betrachter zu. Franz war in diesem Marschbefehl namentlich erwähnt, ferner, dass er als Rekrut dem vierten Schweizer Regiment unter Oberst Charles von Affry zugeteilt und laut Ankündigung nach seiner militärischen Grundausbildung nach Madrid verlegt werde.

Der Text verriet aufgrund einer angehängten rechtlichen Belehrung zudem, dass der Rekrutierungsbescheid nach einem Urteil des Schultheißen und der Räte der Stadt Rheinfelden anstelle einer Gefängnisstrafe wegen »sittlicher Verfehlung und Unzucht« ausgesprochen wurde.

Auf einmal schlug Paul Gass' Atem gegen Annettes Nacken.

Der Geruch von Bier brachte ihre Gedanken wieder in die Gegenwart zurück.

Der Tagelöhner hatte sich ihr von schräg hinten genähert. Seine kräftige linke Hand lag in seinem Schritt, massierte ungeniert die dicke Anschwellung unter dem Stoff. Er schnaufte schnell und heftig, seine Augen glänzten wölfisch, starrten auf Annettes Busen.

Annette ließ das Mobilisierungsaufgebot fallen und wich entsetzt zur Wand zurück. Gass trampelte näher. Sie spürte kitzelnde Spinnweben im Nacken und die raue Holzwand an ihrem Hinterkopf. Der Mundgeruch des Tagelöhners kroch ihm voraus wie ein unheilvoller Nebel. Sie spürte, wie eine lähmende Schwäche ihren Körper ergriff. Gass' Hand hob sich langsam.

Was bin ich doch für eine Närrin! Einen primitiven Schwachkopf mit meinen Reizen …

»Paul, bitte, wir sind doch Freunde! Macht bitte nichts Unüberlegtes!«, haspelte Annette.

Sie hörte sich selbst kaum, stattdessen vermengte sich das Gurgeln des Gewerbekanals und der Hall der Alltagsgeräusche, die durch die dünne Wand drangen, zusammen mit Gass' lüsternem Schnaufen in ihren Ohren zu einem brausenden Sturm.

»Paul, Ihr werdet bestraft, wenn …«

Seine Hand legte sich feuchtwarm und schwer auf ihren Busen. Sie schrie auf und klammerte ihre Finger um die seinen. Sie zerrte, vermochte die Pranke aber nicht zu bewegen.

»Nein!«

»Will meine Beelohnnung!«, keuchte er.

Er zog am Kleidersaum über ihren Brüsten, sodass der Stoff knirschte. Der andere Arm packte sie fest wie eine Schraubzwinge um die Hüfte und presste ihren Schoß gegen den seinen. Sie konnte die harte Männlichkeit durch den Hosenstoff spüren. Bedrohlich und groß!

Annette begann, auf seine Hand an ihrem Ausschnitt einzuschlagen. Er schnaufte heftig und zerrte energischer. Irgendwo an ihrem Rücken riss eine Naht. Seine Finger quetschten sich zwischen Stoff und Busen. Annette kreischte nun wie am Spieß.

Ein Poltern an der Tür antwortete ihr.

Jemand hämmerte gegen das Holz, und es war eines der schönsten Geräusche, die Annette je in ihrem jungen Leben gehört hatte.

»Paul, geht's dir gut? Was ist da drin los?«, rief die besorgte Stimme von Spitalschwester Martha.

Sie hämmerte abermals.

Die Situation fiel so grotesk in sich zusammen, dass Annette später, als sie Emil dessen Nachfrage nach ihren blauen Flecken beantwortete, das absonderliche Gefühl hatte, alles gar nicht wirklich erlebt zu haben.

Paul heulte auf wie ein waidwundes Tier und fuhr von ihr zurück, als sei sie auf einmal giftig geworden. Völlig verwirrt, völlig unschlüssig stand er da und betrachtete seine Hände mit aufgerissenen Augen, als hätten diese gerade noch ein unverschämtes Eigenleben geführt.

»Iich …«, stammelte er und zuckte zusammen, als die Türklinke gedrückt wurde.

Eine konsternierte Martha trat ein.

Rasch strich Annette ihr Kleid zurecht, merkte, dass es nicht mehr so gut saß wie zuvor, stellte zudem fest, dass sie am ganzen Leib zitterte.

Martha trug wie immer ihre Haube, dazu ein schwarzes Rockkleid, worin sie wie die Nonne wirkte, die sie einst gewesen war. In ihrer Hand hielt sie Franz' Messingklinge wie ein Kruzifix vor ihrer Brust.

»Bub, was ist hier geschehen? Frau Doktor, Ihr hier?«, murmelte sie und machte dabei eine ahnende Miene.

Annette zwang sich zu einem Lächeln. Irgendwie brachte sie es zustande. »Schwester Martha, Paul war so nett, mir die Besitztümer von Franz Brogli zu übergeben … Ihr wisst, wegen der Überweisung nach Königsfelden. Schön, Euch zu sehen!«

Martha sah sie einen Moment mit zusammengepressten Lippen an, dann nickte sie, bevor sie meinte: »Ich komme in einem guten Moment …«

Das könnt Ihr laut sagen, liebe Martha.

»Ich habe zufällig Broglis Blechding im Unrat neben dem Spitaltor gefunden. Vielleicht haben es einige Kinder in den Schlick geworfen, als sie das Interesse daran verloren haben. Ich habe es an mich genommen. Vielleicht, weil es ein Symbol seines Leidens ist.« Martha kniff die Augen zusammen, als sie Gass betrachtete, der den Tränen nahe schien und sein Gesicht in seine riesigen Schaufelhände vergraben hatte.

»Wie meint Ihr das, Martha?«, fragte Annette leise, während sie die Gelegenheit wahrnahm, sich an dem Hilfsförster vorbeizudrücken.

Martha antwortete, und ihr Gesicht verhärtete sich mit jeder Sekunde mehr und mehr, bis Annette das Gefühl hatte, es sei aus Stahl geschmiedet worden. »Ich verachte Männer, die den Ehebund vor Gott geschlossen haben und dann in das *Meerfräulein* zu den Huren schleichen. Brogli … er verdarb Johanna, meine ehemalige Mitschwester. Sie war ein so gutes Mädchen. Fleißig, gehorsam, ein tugendhaftes Geschöpf, das nach der Verweltlichung des Stifts bestimmt einen braven Mann gefunden hätte. Aber Wollust hinter dem Siechenhaus im *Kloser Feld?* Sie wurde aus der Stadt verbannt. Ich weiß nicht, was aus ihr geworden ist.« Sie hielt sich den Kopf, als bereite ihr die Erinnerung körperliche Schmerzen. Dabei sah sie Gass an.

Annette wollte die Mietkammer nur noch verlassen, und als sie Gass in ihrem Rücken schluchzend näher treten hörte, wohl auf Martha zu, wich sie zur offenen Tür weiter, durch die das Knarren der Treppe und Kindergeschrei zu vernehmen waren.

Martha reagierte rasch. Sie hielt Annette sanft an der Hand fest und drückte diese. »Brogli ist ein Sünder. Wir alle sind Sünder oder begegnen der Versuchung, Frau Doktor, und vielleicht verdienen wir Sühne, nicht wahr? Das Metallstück hat mich daran gemahnt. Außerdem wollte ich dem armen Paul«, und sie ließ Annette los und legte stattdessen ihre welke Hand auf Gass' Schulter, »ein Erinnerungsstück an seinen ehemaligen Vormund verschaffen.«

Gass machte keine Anstalten, die Klinge zu nehmen, hatte den Blick gesenkt, die Wangen tränennass.

Du Taugenichts, du wollüstiger!, brodelte es in Annette.

»Ich kann das Blech nehmen und dem Franz Brogli zurückgeben, oder dessen Nichte«, bot Annette nach einem langen verächtlichen Blick auf Paul an. Ohne abzuwarten, nahm sie Martha das Messingstück aus der Hand und trat über die Türschwelle.

Martha sprach ernst und eindringlich: »Ich bezweifle, dass die Studer es haben möchte, Frau Doktor. Auch sie fühlt Schuld.«

Annette, schon halb weg vom wurmstichigen Treppenabsatz, erstarrte, drehte sich nochmals um und fragte heiser: »Was hat sie denn gemacht?«

»Sie war diejenige, die die Unzucht aufdeckte und ihren Onkel bei der Obrigkeit anklagte.«

6

Annette trug ihr kunstvoll besticktes eierschalenfarbenes Empirehäubchen und den aus feiner Baumwolle gesponnenen grünen Dreiecksschal. Emil hatte darauf bestanden.

»Du sollst feierlich aussehen«, hatte er unaufhörlich betont. »Bestes Unterkleid, beste Gewänder, beste Schute. Verstanden, Weib?«

Für die Zuschauer die Kleider, für Franz mein verstecktes Accessoire, ergänzte Annette in Gedanken.

Das Gefängnis befand sich unter dem städtischen Hauptgarnisonsgebäude, am südwestlichen Stadtende. Nur eine Häuserzeile dahinter lag mit dem Hauptwachplatz eines der Zentren Rheinfeldens, umkränzt von massiven Patrizierhäusern und dem kleineren Kirchplatz mit der altehrwürdigen St. Martins-Stiftskirche.

Es gab einige Gaffer an diesem lauen Tag Ende Mai, über deren Köpfen der lockende Duft aus der nahe gelegenen öffentlichen Backstube hinwegzog. Dem feineren Milieu entsprechend hatten sich Mägde, Stiftsnovizen, ein paar Polizeirekruten, einige neugierige Patrizierfrauen mit ihren Bediensteten und ihren Kindern sowie ein paar dubios wirkende Gestalten angesammelt, die sich nahe bei den Damen herumdrückten und immer wieder mal zu den Uniformierten schielten.

Annette erinnerte sich an die warnenden Worte ihrer Mutter, auf der Straße oder in einer Menschenmenge stets auf Beutelschneider zu achten, besonders in den wohlhabenden Stadtvierteln. Der Vorsatz hatte allerdings nicht verhindert, dass ihre Mutter zweimal um ihre Münzen erleichtert worden war.

Klara, Emma und Therese warteten nahe der Kutsche; die beiden Mädchen schauten mit verkniffenen Gesichtern drein, als hätten sie Zahnweh. Emma starrte auf das dreckverschmierte Straßenpflaster, und Therese beobachtete die Leute. Hin und wieder warf das kleine Ding mit den dicht gewachsenen nussbraunen Locken Blicke auf Annette, um bei Erwiderung sofort wegzusehen.

Als ob sie sich für Klaras Geständnis schämt, dachte Annette.

Klara hatte kaum eine Wahl gehabt, als die von Schwester Martha erwähnte Judasrolle zu bestätigen.

Annette hatte sie gleich am Tag nach den Ereignissen im Rathaus und in Paul Gass' Wohnkammer gestellt. Angeblich benötigte Emil die Details für seine zu erstellende Krankengeschichte – soweit er diese würde eruieren würde können.

Klara bekam einen Weinkrampf, als sie ihrer Dienstherrin schamvoll beichtete, dass ihr verstorbener Mann Gottfried leider ein neiderfüllter Mensch gewesen sei.

Klara und er hatten auf dem Brogli-Hof gewohnt, waren Teil der nach den zahlreichen Schicksalsschlägen verbliebenen Rumpffamilie. Franz war fünf Jahre älter als Gottfried, konnte wegen seines Fleißes, seiner Zähigkeit und Gottes Hilfe einen florierenden Bauernhof vorweisen, der ihm Anerkennung und Respekt einbrachte. Gottfried aber störte sich zunehmend an seiner zweitrangigen Rolle.

Er habe sich wie ein besserer Knecht behandelt gefühlt, versuchte Klara ihn zu entschuldigen. Sie hatte sich geräuspert, dann ausgeholt: »Ich verlor als Mädchen meine Familie, Onkel Franz seine. Ich war fünf, als Onkel Franz den Hof übernehmen musste und Paul Gass von der Stadt als Knecht zugeteilt bekam. Paul war als Findelkind ursprünglich aus Laufenburg gekommen, wo er in Schwester Marthas Waisenhaus groß geworden war. Die hat ihn dann auch mit nach Rheinfelden genommen, als Stallburschen, nachdem sie den Posten im Spital angenommen hatte. Paul vergötterte Onkel Franz, und der behandelte ihn gut.«

Die Jahre damals schienen Klaras glückliche Jahre gewesen zu sein, denn sie schweifte mehrmals in alltägliche Anekdoten ab, die Annette langweilten, wie sie schamhaft vor sich selbst zugeben musste. Sie drängte ihre Magd so sanft wie möglich zur Pointe.

»Ich habe Gottfried mit fünfzehn geheiratet, er kam als Bauernsohn von einem Nachbarshof. Ich schwöre, Frau Doktor, ich habe seine Eifersucht und seinen Neid erst nach der Heirat erkannt.«

Sie schluchzte, dann meinte sie, sie habe sich um die Töchter gekümmert, während ihr Gatte seinen Frust nährte. Als er sich mal den Knöchel brach, schleppte ihn Franz ins Stadtspital. Dort müsse ihrem Onkel dann erstmals Schwester Johanna begegnet sein.

»Mir fiel auf, dass Onkel Franz sich verändert hatte. Er war nach dem Tod meiner Tante betrübt gewesen, nun leuchtete sein Gesicht wieder, und er lachte manchmal. Aber er sprach nie über etwas – also folgte ich ihm und … wollte meine Neugier stillen. Er schlich sich immer wieder nach dem Abendbrot davon, mit irgendeiner Begründung, er wolle ins Wirtshaus und dergleichen. Aber dort war er dann nie. Manchmal dachte ich, er ginge ins Haus *zum Meerfräulein*. Als ich ihn dann mit Schwester Johanna sah, wie sie … hinter dem Siechenhaus, wo die Schwester Dienst hatte … Ich war verstört, musste es Gottfried erzählen, und er drängte mich zu einer Anzeige. Er bestürmte mich regelrecht, behauptete, es sei, um Franz vor sich selbst zu schützen. Ich schwöre es! Ich war so dumm und so vertrauensselig.«

An diesem Punkt brauchte Annette einige Minuten, um die weinende Klara wieder zu beruhigen. Die Magd schloss danach rasch ab: Franz und Johanna erhielten ihre Strafe, Gottfried die Pacht über den Hof.

Therese sei dann gerade einmal zwei Monate alt gewesen, als Gottfried beim Holzfällen von einem herunterstürzenden morschen Ast so unglücklich am Bein getroffen wurde, dass derselbe Knöchel wie zuvor abermals entzweibrach. Paul habe ihn dann erst gegen Abend gefunden, schreiend vor Schmerz, mit einem offenen Bruch auf Kiefernnadeln liegend. Gottfried sei drei Tage später am Wundbrand gestorben. Kurz darauf habe Klara dann den Hof per Gesetz verloren.

»Gottes Gerechtigkeit scheint einmal funktioniert zu haben«, spottete Emil am selben Abend als Entgegnung auf Annettes Bericht. Dann wandte er sich wieder seinen Vorbereitungen zu.

Emil war bis zum Tag seiner Abreise ausgelastet gewesen: Er führte Korrespondenz mit Königsfelden, ließ mit Schumppelins Genehmigung eine alte Kutsche des Spitals für einen mehrtägigen Personensicherheitstransport umbauen und besuchte Franz Brogli dreimal in seiner Kerkerzelle am Hauptwachplatz.

Er schlief wenig, wurde zunehmend angespannt und grüblerisch, manchmal richtig mürrisch. Er bemängelte den angeblich zu dünnen Kaffee und die scheinbar zu krumm tranchierten Brotscheiben, die Annette ihm morgens servierte. Er tadelte sie auch, wenn Klara seiner Meinung nach das Gemüse schlecht würzte oder das Appartement zu wenig putzte.

Annettes Anwesenheit schien ihn ganz einfach zu nerven, wenn es nicht um den ehelichen Beischlaf ging.

Diese, die noch nie so viel in einem Haushalt getan hatte und dafür jeden Morgen, wenn sie aufstand, ihren Stolz hinunterschlucken musste, ja ihn sogar derart verdrängte, dass sie sich Ratschläge in der Spitalküche einholte, fühlte sich mehr und mehr ungeliebt. Und einsam.

Ihre einzige Ablenkung fand sie in der Literatur. Sie las zwei Novellen und viele Male die Briefe, die sie von ihrer Mutter und ihrer Schwester erhalten hatte, in denen die beiden wunderbar geschwätzig den neusten Klatsch aus Brugg schilderten, auch wenn sie die Familienneuigkeiten sehr knapp beschrieben und sich – womöglich absichtlich – auf Gesellschaftsthemen beschränkten.

Nun saß Emil in seinem Lederreisemantel und mit einem einfachen Schlapphut auf dem Kutschbock neben Paul Gass. Er hatte unverständlicherweise darauf beharrt, den tumben Tagelöhner statt einen der regulären Kutscher mitzunehmen, was Annette unverzeihlich fand.

Sie konnte den Kerl mit den roten Haaren kaum angucken,

ohne angeekelt zu erschaudern. Nun hielt dieser Lustmolch unsicher die Zügel in den Händen und studierte anscheinend die Pferdekruppe vor ihm.

Die umgebaute Kutsche war nach dem Vorbild von Gefangenentransportern gestaltet. Einer der Hufschmiede aus der Futtergasse hatte eiserne Gitterstäbe vor die Fenster gelötet. Die Innenwände ließ Emil nach den Beschreibungen seines Vorbilds, dem französischen Arzt Pinel, mit einer Schicht aus strohgestopften Jutesäcken polstern. Er hatte erklärt, dies diene der Gesundheit des Patienten, falls dieser einen Tobsuchtanfall bekäme.

Aus dem Land der Revolution kam auch eine weitere Erfindung, die er nach einer Zeichnung hatte duplizieren lassen: ein Gesichtskäfig. Emil sagte lakonisch, dass er ihn bei seinen Einsätzen in der Verwahrzelle benötige.

Annette hatte ihn innerlich ausgelacht, als er die Funktionsweise hatte demonstrieren wollen. Er stülpte sich den Käfig über den Schädel; der Boden sollte offenbar wie eine Halskrause auf seinen Schultern zum Liegen kommen. Er mühte sich ab, zwängte seinen breiten Schädel durch die Öffnung, fluchte, bekam einen hochroten Kopf. Als er es endlich geschafft hatte, verging Annette der Spott. Sein ernstes Gesicht hinter den Gitterstäben kam ihr unheimlich vor, irgendwie unmenschlich. *Eine Scheußlichkeit aus einem Albtraum.* Sofort schämte sie sich für diesen Gedanken.

Der Käfig lag in einer Tasche auf dem Kutschendach verstaut, verzurrt mit einem Lederriemen, zusammen mit den restlichen Gepäckstücken.

Die Polizisten brachten Franz Brogli aus dem Garnisonsgebäude, was unruhiges Gemurmel auslöste. Die Hälse reckten sich.

Vier Uniformierte bildeten ein kurzes Spalier bis zur Kutsche. Sie klackten mit den Stiefeln, als der Schultheiß in seinem robenähnlichen Amtskleid die Eingangstreppe herunterstiefelte. Er wirkte verbittert, was vor allem an seinen gleichermaßen hängenden Wangen und Schultern lag. Sein Haupthaar, das größtenteils unter einer seidenen Haube verborgen war, war von gelichtetem Schwarz.

Ihm folgten ein glatzköpfiger, bleicher Aufseher, der die Führungskette von Franz' Handschellen in der Faust hielt, dann Franz selbst.

Dieser strahlte wie ein Maikäfer, obschon offensichtlich verlaust und einen bestialischen Körpergeruch wie eine Wand vor sich herschiebend. Kaum schien ihm die Sonne ins Gesicht, blieb er stehen. Der Glatzköpfige wurde an der Kette zurückgerissen und grunzte überrascht.

»Welch herrliche Luft, liebe Freunde«, rief Franz entzückt, »nach dieser stickigen Herberge!«

»Vorwärts jetzt!«, knurrte der Glatzkopf.

»Onkel Franz!«, rief Therese. Klara hielt ihr zu spät den Mund zu.

»Kleiner Zwerg, es ist mir eine Ehre«, grüßte Franz. Er hielt dem Zug des Aufsehers erstaunlich gut stand. Dann parlierte er zusammenhangslos in Richtung seiner Grossnichte, nannte sie Elfe und verglich sie mit den zarten Schneeflocken in den Ländern der Kobolde.

Der Schultheiß sah erst mit verkniffenem Gesicht zu, hatte dann genug und befahl: »Schluss jetzt, verladet ihn unverzüglich!«

Der Glatzköpfige und zwei Polizisten aus dem Spalier waren nötig, um Franz Brogli zur offenen Kutschentür zu schaffen. Er widerstrebte, bockte wie ein Esel, faselte dabei unaufhörlich und unverständlich vor sich hin. Dann drückte ihn seine Eskorte endlich ins Kutscheninnere, wo Annette ihn gedämpft weiterquasseln hörte.

Klara hatte ihre beiden Töchter an den Schultern gepackt und zog sie wortlos aus der Menge. Therese maulte vergeblich. Ein paar Damen der feinen Gesellschaft rümpften die Nase, tuschelten untereinander.

Annette sah ihrer Dienstmagd und deren Töchtern nach, bis

sie in der Backstube verschwanden.

Die Arme, wie es ihr jetzt geht? Ich muss …

»Frau, komm her, begleite mich noch ein Stück«, hörte sie da Emils Stimme.

Was hat er gesagt?

Emil winkte Annette zu sich heran, wandte sich dann an seinen Begleiter. »Paul, geh bis zum Waldrand in die Kabine zu Franz, nimm den Wasserschlauch mit und wasche ihn so gut wie möglich! Ich möchte noch etwas mit meiner Frau besprechen.«

Gass schaute so belämmert, als habe Emil ihn aufgefordert, in aller Öffentlichkeit die Hosen herunterzulassen.

»Bitte, Paul, wird's bald?«, beharrte Emil im Hinblick auf den wartenden Schultheißen, der mit einem Dokument herumwedelte.

Gass ließ betreten die Zügel los und glitt vom Kutschbock.

»Doktor Schäfer, können wir die Überstellung beenden? Weitere Pflichten rufen!«

»Gewiss, Schultheiß, ich bitte um Verzeihung.«

»Euer Weib nehmt Ihr mit dem Verdammten mit? Haltet Ihr das für verantwortungsvoll?«, fragte der Schultheiß ohne wirkliches Interesse.

»Nur ein kurzes Stück«, rechtfertigte sich Emil rasch, während er Annette auf den Bock half. »Es gibt noch einige vertrauliche familiäre Dinge zu erläutern, deren Besprechung wir in der Hektik der Vorbereitungen leider nicht …«

»Na meinetwegen«, sagte der Schultheiß und winkte ab. »Solange Eure Gattin unbeschadet zurückfindet und nicht in den Mägen von Wölfen oder in den Händen von Banditen endet, geht es mich nichts an. Und nun Eure Signatur bitte!« Er streckte Emil das Dokument hin.

Wie hervorgezaubert hielt einer der Polizisten auf einmal ein Tintenfässchen samt Feder in der Hand. Der Schultheiß zog den Kiel aus dem Fässchenhals und strich die überschüssige Tinte pedantisch am Gefäßrand ab. Dann übergab er ihn Emil.

Annette saß daneben auf dem Sitzbrett, das trotz dünner Polsterung unangenehm hart gegen ihren Hintern drückte; wie zuvor Paul starrte sie verlegen auf die Pferdekruppe vor ihr. Sie wusste nicht, was sie hier verloren hatte.

Sie hörte das Kratzen der Feder über Papier, Geflüster der Damen und Mägde, weit entferntes Kindergeschrei und Franz' Plapperei aus dem Kutscheninnern. Offenbar suchte er gerade seine »Medizin« gegen Koboldflöhe.

»Na dann, Herr Doktor Schäfer, behüte Euch Gott! Und eine gute Reise«, sagte der Schultheiß höflich.

Dann scharrten die Stiefel, und Emil ließ die Peitsche knallen.

»Hüaa!«, rief er laut.

Eine Minute später zog die altehrwürdige Stiftskirche, ein mittelalterlicher Gotikbau, zu ihrer Rechten vorbei, was bei Annette unangenehme Erinnerungen an den Monatsanfang auslöste.

Sie hörte das Glockenbimmeln wieder in ihren Ohren, das Rascheln der Kleider und das Hüsteln der Leute. Sie roch wieder den Weihrauch, den sie seither jeden Sonntag riechen musste, die Kerzen und das massive Holz der Sitzbänke.

Die Konvertierung zum Katholizismus war, entgegen Emils Vorstellungen, vor der gesamten versammelten Kirchengemeinde vollzogen worden. Sowohl der Chorherr, die Mehrheit der Ratsherren als auch Spitalmeister Schumppelin, allesamt mit Argusaugen im Kirchenschiff sitzend, hatten auf eine öffentliche Zeugnisabgabe bestanden.

Auf Annette klebten also die Blicke der Noblen und Gemeinen Rheinfeldens, als sie beide vor den Altar gerufen wurden. Zwei Reihen hinter ihnen hatte Carl Wilhelm Brutschin, der Großratsvorsitzende, Platz genommen. Annette konnte seine prüfenden Augen geradezu körperlich spüren.

Als sie von der Bank aufstand, fröstelte es sie. Sie musste sich auf jeden einzelnen Schritt und besonders stark auf ihre Contenance konzentrieren.

Der Pfaffe nahm danach das Glaubensbekenntnis ab, das Annette auf Emils Geheiß auswendig gelernt hatte, bis sie es kaum mehr hören konnte. Der Alte taufte sie beide, gab ihnen die Hostie und gebärdete sich dabei selbstgefällig wie der Erlöser höchstpersönlich.

Annette hatte in diesem Moment das Gefühl gehabt, ihre Familie und ihr bisheriges Leben zu verraten.

Sie beschloss, in ihren Briefen vorerst nichts über ihren Konfessionswechsel zu berichten. Außerdem fragte sie sich, wie Emil, der von seinen Eltern betont atheistisch erzogen worden war, damit zurechtkam. *Er wird es wohl als Pflichtübung angesehen haben. Oder vielleicht ist er auch deswegen so mürrisch gewesen? Weil es ihn mehr belastet, als er zugeben will?*

Sie war wieder so in Gedanken versunken, dass sie gar nicht bemerkt hatte, dass Emil bereits durch die halbe Stadt gefahren war. Erst als die Kutsche auf das Kupferturmtor zurumpelte, den nordöstlichen und damit am weitesten von der Garnison entfernten Stadtzugang, und der charakteristische Geruch der Ziegelbrennerei von außerhalb des Stadtrings in der Nase stach, fanden ihre Gedanken in die Gegenwart zurück.

Annette fühlte sich auf seltsame Art befremdet. *Die Fernstraße wäre einfacher zu erreichen,* dachte sie, *oder täusche ich mich?*

Emil neben ihr grüßte gerade den postierten Stadtpolizisten. Der nickte als Entgegnung und winkte sie weiter.

Die Kutsche zwängte sich durch den engen Torgang, querte den Magdenerbach über eine neu wirkende Holzbrücke und rumpelte an einigen Arbeitern der Ziegelbrennerei vorbei, die ihre Fuhren mit Handkarren in die Stadt transportierten.

Annette fragte vorsichtig: »Worüber wolltest du mit mir reden, Emil?«

»Später! Etwas Geduld«, antwortete Emil kurz angebunden.

Annette überfiel ein lästiges Magenbrennen, während sie den Stadtfriedhof mit seiner kleinen Kapelle südlich passierten. Sie fuhren auf einem schmalen Feldweg weiter, der sich kaum von der braunen Gleichförmigkeit der umliegenden Äcker abhob. Ein paar arbeitende Knechte und Bauersleute sahen ihnen neugierig nach, bevor sie sich wieder auf ihre karge Aussaat konzentrierten.

Anschließend schwenkten sie in östlicher Richtung auf die Fernstraße gen Möhlin, das Nachbardorf, ein.

Annette blickte südwärts zum Horizont, zu den Jurahügelzügen hin – dort erspähte sie diejenige Straße, auf der sie im März nach Rheinfelden gekommen waren.

Emil gab den Pferden die Peitsche. Als die Kutsche ruckelte und ihre Geschwindigkeit anzog, kam wie als Erwiderung ein freudiges Kichern aus dem Innern der Kabine.

Sie bewegten sich am Fuß des Kapuzinerberges entlang, des kleinen Rheinfelder Hausberges, dann folgten sie einem kurzen Anstieg auf dessen weitläufige Terrasse.

Obschon weit und breit kein Gegenverkehr oder ein nachfolgendes Gefährt zu sehen war, verrenkte Emil sich zusehends den Kopf, spähte in alle Richtungen.

»Emil, pass auf, wo du hinfährst!«, rief Annette.

Emil zog beiläufig an den Zügeln, ohne zu antworten.

»Emil, red mit mir! Du machst mir Angst!«, flehte Annette.

Das Magenbrennen wich einer dumpfen Leere, die ihr die Energie raubte. Wortlos betete sie zu ihrem neuen, katholischen Gott, während sie sich an unbestellten Feldern vorbei dem Gemeindewald näherten. Rheinfelden, in ihrem Rücken liegend, war unter der Horizontlinie verschwunden.

»Also gut, weiter nicht, Emil! Ich fürchte mich sonst auf dem Heimweg«, lamentierte Annette absichtlich übertrieben.

Die Antwort bestand aus einem ungeduldigen Grunzen. Daraufhin tastete sie unwillkürlich über ihre von Emil abgewandte Körperseite. Die Härte des Messings unter dem Kleid, wo sie das in mehrere aufgenähte Garnlaschen eingeschobene Blech mitschmuggelte, spendete seltsamerweise Trost. Sie wünschte sich irgendwie, wie ein kleines Mädchen, dass diesem nutzlosen Blech doch noch ein Glückszauber innewohnte.

Zuerst hatte sie Klara die Klinge geben wollen, aus sentimentalen Gründen. Dann aber … warum sie die Klinge behalten hatte, konnte sie nicht wirklich sagen. Der Anblick faszinierte sie, und sie bezweifelte, dass ihre Magd sie wirklich haben wollte.

Ihr Plan, die Klinge heimlich mitzunehmen, um sie dem Franz Brogli zurückzugeben, als Trost, bevor er in einem Loch in Königsfelden verschwinden würde, basierte auf ihrem Bauchgefühl. Es fühlte sich einfach richtig an, auch wenn ihr klar gewesen war, dass sie ihr Vorhaben nur schwerlich würde umsetzen können.

Dann rumpelte die Kutsche über eine Abfolge von Schlaglöchern in den Wald hinein; Annettes Oberkörper hüpfte rauf und runter, ihr Hinterteil knallte schmerzhaft auf den Kutschenbock zurück, und zu allem Überfluss piekte das Metall schmerzhaft in ihre Seite.

Emil zügelte die Pferde, bis die Kutsche langsam genug fuhr, dass sogar ein Kleinkind mit ihr hätte Schritt halten können. Er lenkte sie um eine enge Abzweigung von der Fernstraße auf einen queren Waldweg Richtung Süden. Die Karosserie war zu breit und riss auf beiden Seiten tief hängende Zweige mit. Die Piste war so morastig, dass der Weg einem lang gezogenen Sumpf glich.

Annette wurde noch ärger durchgeschüttelt. Ihre Pobacken, so fürchtete sie, würden nachher so blau wie Zwetschgen sein.

»Emil!«, klagte sie.

»Es dauert nicht mehr lange«, stieß er hervor. »Hoffentlich halten die Achsen, die sind zusätzlich verstärkt.«

Mit unmenschlich lautem Getöse, so hatte Annette das Gefühl, kämpften sie sich vorwärts. Links und rechts knackte und krachte die Karosserie durch das Holz, unter ihnen rumpelte das Fahrgestell gequält über knorrige Wurzeln und durch mit Schlammwasser gefüllte Schlaglöcher.

Die ganze Kutsche ächzte wie ein geschundenes Tier.

Annette rechnete auf einmal fest damit, dass das Fahrzeug nächstens auseinanderbrechen und diese unheimliche Fahrt mit zerschmetterten Knochen enden würde. Ihre Gedanken verloren sich in Befürchtungen und wurden erst dann unterbrochen, als sie die Fernstraße überquerten, auf der sie nach Rheinfelden gekommen waren. Die Räder verfehlten dabei knapp ein Eichhörnchen, das gerade noch so entkam.

Dann befuhren sie auf der gegenüberliegenden Seite einen breiteren und besser gerodeten Waldweg, der nach einigen Minuten aus dem Unterholz hinausführte und dem Waldrand folgte. Immer weiter nach Süden.

Annette war in eine lähmende Müdigkeit verfallen. Sie konnte nicht mehr sagen, wie lange sie unterwegs waren; es fühlte sich wie ein halbes Leben an.

»Wir sind gleich da«, sagte Emil ruhiger als zuvor, obschon er immer noch Kontrollblicke über die verwaisten Äcker westlich ihres Wegs warf. »Da vorne kommt die Schiffackerflur.«

»Was für eine Flur?«, fragte Annette apathisch, aber dann weiteten sich ihre Augen.

Die zerfurchte Fahrbahn endete an der Ruine eines Gehöfts. Das Grundstück war verwildert und in Waldrandnähe mit dem Unterholz verwachsen. Das Grün der Bäume auf den sich erhebenden Tafeljurahügeln dahinter dominierte das Panorama.

Der Hof selbst hatte aus einem Wohnhaus und zwei Ställen oder Scheunen bestanden – Annette wusste das nicht zu unterscheiden. Der ehemalige Acker westlich der Gebäude war von borstigen Gräsern überwuchert, die gerade wieder zu grünen begannen. An seinen Rändern entlang diente eine durchgehende, zerzauste Heckenstruktur als Grundstücksbegrenzung. Deren Büsche waren derart ineinander verwachsen, dass sie den Hof von dieser Seite aus wie ein undurchdringliches Urwaldgestrüpp abschirmten.

Die drei Gebäude waren elliptisch zueinander angeordnet. Das Wohnhaus wies eine bemerkenswert große Grundfläche auf; ein Indiz für einen gewissen Wohlstand der ehemaligen Besitzer. Es war zweigeschossig und im typischen Stil der Nordwestschweiz gebaut, mit einem steilen Schindelsatteldach über einer hochstirnigen Giebelwand. Die Wände bestanden aus dunkel und mürbe gewordenem Fichtenholz.

Der Weg, der einmal an der Längsseite des Hauses vorbeigeführt hatte, war nahezu vollständig von den näher gekrochenen Sträuchern und Gräsern des Waldes überwuchert.

Emil drosselte das Tempo der Pferde, erhob sich vom Bock und schaute über das Kutschendach zurück, dann beobachtete er einige Sekunden lang angestrengt die Hecke jenseits des einstigen Ackers.

Als er sich offenbar davon überzeugt hatte, dass keine Beobachter in der Nähe waren, hockte er sich wieder hin, bog mit der Kutsche vor dem überwucherten Teil der Straße ab und fuhr über den matschigen, unebenen Grund um das Wohnhaus herum. Während er und Annette sich Mühe geben mussten, nicht vom Kutschbock katapultiert zu werden, erklang aus dem Kutscheninnern ein übermütiger Jauchzer.

Emil steuerte in die Mitte der Ellipse, in den Innenhof. Sie fuhren auf das größere der beiden Wirtschaftsgebäude zu, vermutlich eine ehemalige Scheune. Die Dachschindeln fehlten fast zur Hälfte. In der Nähe des Eingangs befand sich zudem ein alter Ziehbrunnen. Aus dessen Trockenmauer wuchsen zähe Unkrautbüschel heraus.

Annette drehte den Kopf und betrachtete das kleinere Nutzgebäude, das vor dem Panorama des südlichen Waldausläufers stand. Die eine Seitenwand war eingestürzt, dadurch erweckte es den Eindruck, jeden Moment laut krachend in sich zusammenzufallen. Den größten Teil des heruntergefallenen Dachstuhlgebälks konnte Annette durch die torlose Eingangsöffnung begutachten.

In diesem Moment hörte sie Türscharniere quietschen.

Aus dem Wohngebäude trat – durch eine offensichtlich frisch ausgebesserte Tür – eine sehnige Gestalt. Annette erkannte den Mann sofort, der seine Hand hob, um sich gegen das blendende Sonnenlicht abzuschirmen.

August Has, der Quadratschädel.

Er machte sich daran, der Kutsche hinterherzulaufen. Emil

seinerseits lenkte das Gefährt durch das windschiefe Tor in die alte Scheune.

Der Geruch von modrigem Holz und Fledermauskot brach über Annette herein. Durch die schindellosen Stellen des Daches wehte ein heftiger Luftzug. Die Balken knirschten besorgniserregend, und Annette, die eine feine Prise herabrieselnden Staubes auf die linke Wange abbekam, fürchtete einen Moment lang, der ganze Dachstuhl rausche gleich herunter.

Dann hielten sie an.

Keine Sekunde später hatte Annette Emil am Unterarm gepackt, wollte ihn am liebsten ins Fleisch kneifen und war frustriert, dass sein dicker Ledermantel das nicht zuließ.

»Emil, was machen wir hier? Was tut der Gass hier? Und was Has?«, fauchte sie.

Emil erwiderte nur: »Gleich!« Er beugte sich auf die Seite und zurrte die Zügel an einem Eisenring an der Bockkante fest.

»Emil!«, kreischte Annette. Sie schlug auf seinen Unterarm, erschrak gleich darauf über ihre Verwegenheit.

Er fuhr zu ihr herum, packte ihre Hand fest, ja geradezu grob, riss sie von seinem Unterarm los, sodass sie dieses Mal vor Schmerz aufschrie. Seine Augen glühten erbost. Die Haut auf seiner Stirn und unter seinen Barthaaren schimmerte feuerrot.

Wie ein Fieber, er ist wie in einem Wahn, dachte Annette.

August Has, der diskret die Ruine betreten hatte, räusperte sich überlaut und meinte: »Herr Doktor Schäfer, Frau Doktor, ich freue mich, Euch hier zu empfangen.«

»Herr Has, schön, Euch zu sehen«, gab Emil gepresst zurück. Er ließ Annettes Hand los, funkelte sie mit einem warnenden Blick an, dann kletterte er vom Bock. Unten trommelte er mit der flachen Hand gegen die Karosserieseite und rief: »Paul, komm raus, wir sind in Königsfelden angekommen! Und das Ganze schnell, wenn ich bitten darf!«

Sofort ging die Kutschentür auf, und Gass zwängte sich mit käsigem Gesicht heraus. Annette rümpfte demonstrativ die Nase, zog eine verächtliche Miene und sah an ihm vorbei. Gass seinerseits vermied wie üblich den Augenkontakt und half Franz, der sich auf seiner Schulter abstützte, aus dem Wagen.

Der Entstellte kicherte und schnatterte dabei: »Ich muss Euch, mein lieber Freund, noch unbedingt von meiner Finte gegen die unwürdigen Trolle erzählen … ach, mit meinem Schwert, den Göttern sei's gedankt …«

Emil sah Annette forschend an, bevor er die Fixierungslederriemen von seinem Reisegepäck löste und die erste Kiste vom Kutschendach hievte. »Lern doch unser neues Eigentum kennen, Weib, das uns zu erstehen erlaubt wurde. Ich habe in naher Zukunft vor, das Wohnhaus zu einer Landvilla umzubauen, umgeben von einem Garten und einem Obsthain. Die Scheune hier wird instand gesetzt, der alte Stall dort abgerissen. Vom Waldrand bis zu der Hecke werden dann Obstbäume, Gemüsestauden und Blumen blühen. Wir werden Bedienstete anstellen, und unsere Kinder werden hier …«

»Was tust du, Emil?«, flüsterte Annette. Tränen flossen ihr über die Wangen, tropften auf den Dreiecksschal.

Emil schüttelte den Kopf, murmelte etwas Unverständliches, reichte Has das Gepäckstück; von den restlichen Taschen ließ er ab und meinte: »Herr Has, Ihr wisst, was Ihr zu tun habt. Ich danke Euch!«

Dann gesellte er sich zu Gass, der mit dem plappernden Franz wartete. Den Entstellten in ihrer Mitte eskortierend, liefen sie aus der Scheune – nicht ohne vorher die Nase hinauszustrecken und die Gegend zu überprüfen.

Annette weinte lautlos.

Erst nach einem Augenblick wurde ihr bewusst, dass Has schräg unter ihr alles mitbekam. Peinlich berührt trocknete sie die Tränen.

Der Zimmermann mit dem quadratischen Gesicht tat indes so, als sei sie nicht da, und schwankte mit der voluminösen Kiste auf den Schultern aus dem Scheunentor. Sie war ihm dankbar dafür.

Annette erhob sich langsam von ihrem Sitz. Nachdem sie steif wie eine Puppe hinabgeklettert war, zupfte sie sich ihre Kleidung zurecht.

Von irgendwoher pfiff eine Meise. Die Pferde wieherten leise und schnaubten, noch immer im Geschirr eingespannt. Eines senkte den Kopf und schnupperte am Lehm des festgestampften Bodens. Ein anderes ließ Äpfel fallen. Milchiges Licht fiel durch das offene baufällige Tor. Sie stieg über einen Schutthaufen aus Altholz, vermodertem Herbstlaub und heruntergefallenen Schindeln und trat in den Innenhof.

Sie fröstelte trotz der Sonne. Ihre Schuhe versanken in der weichen Erde und schmatzten bei jedem Schritt.

Wieder einmal fühlte sie sich als die einsamste Frau im ganzen Land.

Vor ihr knarrte die ausgebesserte Haustür abermals, dieses Mal trottete ihr Gass aus der Düsternis des Wohnhauses entgegen. Er senkte augenblicklich den Blick und umging sie in einem viel zu großen Bogen.

Sie drehte ihren Körper von ihm weg. *Wie kann Emil mir das nur antun?,* dachte sie bitter.

Emil hatte sich bei der aufgewühlten Annette natürlich nach den blauen Flecken an Dekolleté und Gesäß erkundigt, als sie sich am Abend nach dem Besuch in Gass' Wohnkammer entkleidet hatte. Sie lieferte ihm die fadenscheinige Erklärung, sie sei im maroden Mietskasernentreppenhaus fast den Treppenschacht hinuntergestürzt, als ein Absatzbrett durchgebrochen sei; Paul Gass habe sie etwas ungelenk und nicht gerade zimperlich, aber gerade noch so festhalten können.

Emil zog eine Augenbraue hoch, während er mit sachlichem Gesicht ihren Brustansatz betrachtete, der mit Hämatomen gesprenkelt war. Er nickte schließlich sinnierend. Sie fragte ihn, was er denn denke. Er lächelte daraufhin und meinte, er würde sich darum kümmern und ein ernstes Wort mit Paul Gass wechseln müssen.

Annette hatte nichts mehr darauf entgegnet.

Mit müdem Kopf wankte sie durch die offene Haustür, die im Luftzug schwankte und vor sich hin quietschte.
Aus dem Innern drangen Stimmen sowie Gepolter, als würden schwere Gegenstände herumgeschoben. Eine angenehm rustikale Geruchsmischung aus altem Fichtenholz und Asche schlug ihr entgegen. Dennoch hatte sie das unsägliche Gefühl, ein gigantischer Höllenschlund sauge sie ein.

Als bekräftige das Schicksal diese Befürchtung, wehte der Durchzug die Tür hinter ihr zu. Vor Schreck tat sie einen Hüpfer und sah sich zitternd um.

Im Erdgeschoss des Hauses bestand die Innenarchitektur aus zwei Räumen. Der größere beinhaltete die Überreste einer Küche samt Essnische sowie den Wohnbereich. Der zweite, kleinere war wohl einmal ein Vorratsraum gewesen, was man aus ein paar übrig gebliebenen Regalfächern an der Trägerwand herleiten konnte. Trennte die beiden Räumlichkeiten einst eine weitere Wand, so war die in der Zwischenzeit herausgebrochen oder irgendwie sonst zerstört worden.

Eine Treppenruine neben der Essnische führte auf einen Zwischenboden hoch, wo die Schlafkammern gewesen sein mussten.

Die Fensterläden waren alle zugenagelt, weswegen Zwielicht herrschte.

Der Kaminschlot über der Kochstelle war eingestürzt. Jemand hatte die heruntergefallenen rußigen Ziegel derart um- und aufeinandergeschichtet, dass sie mit dem ehemaligen Herd zusammen eine durchgängige Ablagefläche bildeten, denn Möbel, die diese Funktion hätten übernehmen können, gab es natürlich keine mehr. Auf diesem Schuttsockel stand die Kiste, die Has weggeschleppt hatte.

Ein Geisterhaus, fuhr es Annette durch den Kopf, *wie in einem Schauerroman.*

Das Poltern und die Stimmen, das Kichern und das Rumpeln kamen von irgendwo unter der Vorratskammer. Als sie sorgfältiger hinhörte und ihre Augen sich an das dämmrige Licht gewöhnt hatten, erkannte sie dort im Boden eine offene Falltür. Zögernd, widerwillig, aber auch mit einer plötzlich aufkeimenden Neugier, die sie sich nicht erklären konnte, kraxelte sie über die Überreste der ehemaligen Zimmerwand.

Jemand hatte das Falltürblatt mit einem Stück Bast, das durch ein Astloch gezogen war, an einem frisch eingeschlagenen Nagel festgezurrt.

Durch die Luke strömte der Duft von brennendem Lampenöl. Annette sah eine offensichtlich ausgebesserte Treppe, die in einen Kellerraum führte. Lichtfetzen flackerten, dann erschien Emil an der untersten Stufe mit einer Laterne in der Hand und sagte gut gelaunt: »Komm schon runter, Weib! Ich habe mich schon gefragt, was da so lange dauert.«

Ich habe mir überlegt, ob ich zu Fuß nach Brugg flüchten solle.

»Hast du dir dort unten eine Räuberbande aufgebaut, die Menschen verschleppt?«, murmelte sie stattdessen.

Emil schnaubte amüsiert und erwiderte: »Du hättest doch wissen müssen, dass ich meinen Patienten nie und nimmer den Pfuschern in Königsfelden überlassen würde. Das wäre nicht zu seinem Wohl.«

»Also lügst du alle an, auch dein Weib? Ist das zu *unserem* Wohl?«

Er zuckte mit den Achseln, machte aber das verkniffene Gesicht eines auf frischer Tat Ertappten. Seine Stimme verriet jedoch keinerlei Bedauern: »Du hättest dich verplappern können. Du hättest die Vorbereitungen vereiteln können, unbeabsichtigt oder aus Angst, oder schon allein aus Trotz, weil du … voreingenommen gegenüber einem unserer beiden Helfern bist. Du konntest erst jetzt eingeweiht werden.«

»Ich gehe! Ich weigere mich, dir bei diesem … diesem Komplott zu helfen!«

Emils Miene verfinsterte sich. Mit raschen Schritten kam er die Treppe hoch, die besorgniserregend knarrte, und blieb auf dem obersten Tritt stehen; Annette schlug der Geruch seines Ledermantels entgegen. Er zischte: »Du bist mein Weib und mir zur Treue verpflichtet! Pass bloß auf, was du sagst.«

»Du hast diesen Gass hierhergebracht, obschon er mir … du weißt das …«

»Ich brauche Helfer bei Broglis Heilung, und es ist umso besser, wenn ich sie mit einer Erpressung gefügig halten kann. Und sein wollüstiger Übergriff auf dich kam auch erst nach einer Konfrontation mit ihm ans Tageslicht. Von dir hab ich ja was anderes gehört – so viel zum Thema ›Wahrheit‹. Also lass deine Vorwürfe, Weib.«

»Emil, das ist gefährlich. Einer dieser Kerle könnte …«

»Schweig!«, unterbrach Emil sie. »Ich habe dich ins Vertrauen gezogen, weil ich deine Hilfe brauche. Das erwarte ich von meiner Ehefrau. Und wehe, du enttäuschst mich!«

»Du drohst deiner Gattin?«, sagte sie fassungslos.

»*Faisons notre jeu, Madame!* Ich werde es den Pfuschern in Königsfelden zeigen!«, zischte er, und Speichel flog von seinen Lippen.

Im flackernden Laternenschein gleicht er einem Feuerriesen, dachte Annette.

»Die mit ihrer seelischen Erschütterung!«, schimpfte Emil weiter. »Sprenger mit seiner Selbstgerechtigkeit und seinen veralteten Ansichten, seinen lausigen Methoden, die nur die Pein der Patienten erhöhen!«

Paul Gass, der eine schwere Holzkiste stemmte und sie verwendete, um die Haustür aufzustoßen, unterbrach die Tirade mit seiner Ankunft. Wie ein Schneider das Maßband hatte er sich zudem mehrere Ledergurte um den Nacken gelegt. Einen Moment hörte Annette nur deren Schnallen, die gegeneinander klimperten. Der Tagelöhner blieb wie angewurzelt stehen, schließlich nuschelte er eine Entschuldigung.

»Paul, bring das Material runter! Alles in Ordnung!«, ermunterte Emil ihn, drängte seine Frau zur Seite und machte dann selbst Platz.

Gass kam näher mit dem stockenden Gang von jemandem,

der seinen Weg zum Galgen antrat.

»Begleite Paul, Annette! Mach dich mit unserem Königsfelden vertraut«, forderte Emil sie auf, als ginge es um den Besuch einer Gemäldegalerie.

Die Kellertreppe war kurz, steil und endete auf gestampfter Erde. Zwei an Nägeln hängende Laternen erhellten den Raum, eine Art Vorkammer von zwei Schritten im Quadrat. Die Decke war hoch genug, um aufrecht stehen zu können.

Durch eine erneuerte Kellertür jenseits des Treppenabsatzes hörte Annette Franz Brogli von Zwergen erzählen, die unter seiner Schlafkammer im »Frostriesenland« jede Nacht nach Gold geschürft hätten.

Gass stieß die Tür auf. Die Gürtelschnallen schlugen klirrend gegeneinander, als er sich unter dem niedrigen Türsturz duckte.

Die Kammer dahinter war verblüffend geräumig.

Die Wände waren mit staubigen Fichtenbrettern verkleidet, an denen altes Harz klebte. Die Grundfläche betrug etwa zwei Drittel derjenigen des ganzen Hauses und war rhombusförmig; die Längsseiten verjüngten sich kontinuierlich, sodass die Wand gegenüber der Tür nur noch halb so breit war.

Kurz vor dieser Gegenwand hatten die Männer eine Nische abgetrennt, indem sie ein Gitter samt Tür zwischen den Wänden eingezogen hatten.

Annette fand den Anblick dieser Zelle abstoßend, aber der Rest des Rauminventars rang ihr Bewunderung ab.

Wie konnte Emil das alles heimlich hierherschmuggeln?

Holzböcke waren entlang der Wände aufgestellt. Auf ihnen waren Holzplatten abgelegt und somit weitere Arbeits- und Ablageflächen geschaffen worden.

In die Decke raummittig und an drei vorteilhaften Orten waren Aufhänghaken für Laternen in die Wände getrieben, sodass der Keller gut ausgeleuchtet war. Die Dochte der Lampen zischten von Zeit zu Zeit; ihr Rauch schwängerte die Luft mit Ölgeruch.

Auf den Ablageflächen reihten sich medizinisches Arbeitsgerät und Operationsbestecke, die mitunter unerträglich makaber aussahen, Phiolen mit Tinkturen und Säften darin, Verbandsmaterial, zwei Nachttöpfe, optische Instrumente, diverse Wälzer – darunter zwei Werke von Philippe Pinel, Emils großem beruflichem Vorbild – sowie ein seltsamer Apparat, der aus einem metallischen Kasten und einem Gewirr von mit Kupferplättchen beschlagenen Lederbändern bestand.

Ein behelfsmäßiger Tisch in der Raummitte mit einem Häuflein Nägel drauf, und ein geschreinerter Holzsessel dahinter ergänzten das Inventar.

August Has stand über diesen Sessel gebeugt, einen Hammer in der Hand und eine zierliche, kringelnde Tonpfeife zwischen den Lippen. Gass ging zu ihm und legte die Ledergurte auf dem kleinen Tisch ab. Has sah auf, quittierte die Unterstützung mit einem Nicken, lächelte Annette zur Begrüßung zu, dann streckte er sich durch, legte den Hammer ab und paffte an der Pfeife.

Annette grüßte leise zurück und sah zwischen den beiden Männern hindurch, wo Franz Brogli, der in der Zelle inmitten von frischem Stroh auf einem Schemel saß, einen Wasserkrug in den verkrüppelten Händen hielt und mit hochinteressiertem Blick den Sessel musterte.

»Ein edles Stück Handwerk, welches Ihr da tischlert, mein lieber Freund«, anerkannte er generös, stellte den Krug ab und klatschte unbeholfen Beifall.

Has lachte bebend, dann sagte er zu Annette: »Frau Doktor, willkommen in unserer ›Anstalt‹ und natürlich auf Eurem Grund und Boden!« Seine Pfeife tanzte bei jedem Wort auf und ab.

»Danke, Herr Has«, antwortete Annette höflich und blieb unsicher stehen.

»Vorher hat er mich einen Zwerg genannt, gnädige Frau«, erzählte Has. »Ein Zwerg in Broglis eigenem ehemaligem Keller … Dieser Dämlack hat einen Narren an dem Kleinen Volk gefressen. Soll ich Euch ein paar Geschichten meiner seligen Mutter davon erzählen? Sind unterhaltsam.«

»Hier war früh'r die Kältekaammer«, nuschelte Paul Gass mit wehmütigem Gesichtsausdruck.

»Edler Zimmermeister, habt Ihr Kenntnis davon, wann in diesem Gasthaus die nächste Mahlzeit serviert wird?«, warf Franz ein.

Has lachte nun höhnischer als zuvor und antwortete: »Nicht jetzt, Brogli! Ich muss hier fertig werden. Hab noch andere Dinge zu erledigen.« Zu Annette sagte er: »Unglaublich, wie der schwafelt, wie ein verdammter Poet! Früher war er einsilbiger als ein Fisch.« Dann nahm er die Pfeife aus dem Mund, drehte den Kopf und spuckte auf den Boden.

Annette schlug angeekelt die Augen nieder.

Has klaubte sich einen der Ledergurte und einen Nagel vom Tisch. Er hämmerte das Leder durch die Schlaufenmitte an die Armlehne

Annette ging zögerlich um den Tisch herum. »Was genau macht Ihr da, Meister Has?«, fragte sie mit einem flauen Gefühl im Magen.

»Ein interessanter Auftrag Eures Gatten. Die Gurte schlingen diesen Irrsinnigen am Sessel fest«, sagte Has und schmunzelte, während er sich einen zweiten Gurt schnappte.

»Daamit sich Franz nich wehtut«, ergänzte Gass und nickte ein paar Mal bestätigend.

Has kicherte, dann zwinkerte er Annette zu und meinte: »Natürlich, Paul, natürlich. Und nun hol den Rest, ja?« Dann befestigte er die zweite Lederschlaufe auf die gleiche Art wie die erste an der anderen Armlehne, während Gass kehrtmachte und aus der Kammer trottete.

Annette versuchte sich vorzustellen, warum Emil einen solchen Sitz fertigen lassen sollte, und ihr fielen nur

Folter, Schmerz, etwas Schlimmes ein. *Franz Brogli wird leiden,* dachte sie, *und Emil wird ihn leiden lassen, bis er geheilt ist.* Sie spürte, wie sich Übelkeit in ihr breitmachte.

»Frau Doktor, alles in Ordnung?«, fragte Has. Er klang aufrichtig besorgt.

Sie nickte fahrig, bemerkte den skeptischen Gesichtsausdruck des Zimmermanns, als sie vom Sessel zum Käfig hinüberging.

Franz sah Annette entgegen, blinzelte, dann ging ein Strahlen über sein Gesicht. »Edle Elfenkönigin, ich wusste nicht, dass Ihr auch unter der Erde wandelt!«, rief er aufgedreht. Er stank zum Himmel, eine Mischung aus Mundgeruch und Urin.

»Euch geht es gut?«, fragte Annette unbeholfen, während sie einen Meter vor dem Gitter stehen blieb und sich den Handrücken an die Nase drückte. Sie zwang sich zu einem Lächeln. *Hol dir hier bloß keine Läuse!*

»Der Magen knurrt, edle Hochwohlgeborene, wie ein Wintersturm im Riesenreich. Ihr habt nicht zufälligerweise einen Happen Karibu oder etwas Pferdefleisch?«

»Vielleicht später, Franz. Ich werde sehen, was ich tun kann.«

»Eine schöne Taverne hier … sehr vertraut. War ich schon mal hier?«

»Ja«, flüsterte Annette.

Franz Broglis Augen wurden mit einem Schlag verklärt. »Wie heißt diese Taverne nochmals? Irgendetwas … ist hier. War hier. Hier sieht es aus … Ich sehe ein Gesicht … ein Gesicht, das mich anstarrt. Es ist halb im Dunkeln … ich … seine Augen, seine Augen!« Sein Gesicht verzog sich zu einer Grimasse. »Jemand ist im Schatten.«

Hinter Annette rumpelte die Tür. Sie sah über die Schulter zurück und erblickte Emil. Er trug etwas Großes, Unförmiges, über das ein Staubtuch als Schutz gelegt war. Emil setzte es behutsam neben dem Metallkasten mit den kupferbeschlagenen Lederbändern ab, klopfte den Schmutz von seinem Mantel, legte seinen Hut auf eine der Ablagen und ging dann zu Has.

»Sagt, wie heißt nochmals diese Unterkunft? Sie ist vertraut … ganz dunkel, gaaanz dunkel …«, hauchte Franz, als hinge sein Leben von der Erinnerung ab. Dann begann er leise zu wimmern.

Annette wurde vom Mitleid übermannt.

Sie hatte das Messingblech auf einmal in der Hand. Wie sie es unbemerkt unter ihrem Rock herauszupfen konnte, würde sie später nie sagen können. Sie wusste nur, dass der Mann hinter dem Gitter Trost benötigte.

Franz war gedanklich derart gefangen, dass er gar nicht mitbekam, wie sie das Blech geschickt zwischen den Stäben hindurch unter das Strohbett schob.

»Weib, bist du von Sinnen? Zieh deinen einfältigen Schädel zurück!«, rief Emil hinter ihr so unvermittelt, dass Annette erschrocken hochschoss, als hätte ihr eine Wespe in den Hintern gestochen.

Eine Sekunde später stand Emil neben ihr.

Er ergriff sie an der Schulter, drehte sie zu sich herum und tadelte: »Annette, was denkst du dir dabei? Du näherst dich meinem Patienten nur unter Beobachtung! Der Mann ist moralisch erschüttert und handelt unvorhersehbar.«

Annette antwortete halb betreten, halb trotzig: »Wie soll ich dann etwas für ihn tun können?«

Emil schüttelte den Kopf, als stünde ein kleines renitentes Mädchen vor ihm, und erwiderte: »Ich brauch dich für andere Dinge. Soll Gass doch Broglis Exkremente aufsammeln, dafür ist er hier.«

Has, der das Hämmern unterbrochen hatte, um zu lauschen, kicherte vor sich hin.

Dadurch wurde Annettes Zorn angestachelt.

»Emil, was soll aus uns werden, wenn der Rat dahinterkommt, dass du sie an der Nase herumgeführt hast?«, warf sie ihm empört vor. »Wir werden zu Parias, kommen ins Gefängnis oder Schlimmeres … und deiner Familie ist damit überhaupt nicht gehol…«

Emil unterbrach sie, indem er den Griff an ihrer Schulter verstärkte. Seine Nasenlöcher blähten sich über dem Schnauzer und bliesen die Luft hörbar aus. »Herr Has, macht doch bitte eine kleine Pause an der frischen Luft! Ich habe hier etwas mit meiner Gattin zu klären.«

Has kicherte nochmals, dann nickte er mit hochrotem Quadratgesicht, legte sich den Hammer lässig auf die Schulter wie ein Bergmann seinen Pickel und trottete in dieser Pose zum Ausgang. »Was für ein störrisches Huhn«, hörte Annette ihn murmeln, bevor er die Kellertür hinter sich schloss.

Ihr Herz hämmerte. »Wieso vertraust du diesem unausstehlichen Mann? Und Gass, der ist dumm und erzählt bestimmt irgendjemandem …«

Emil holte tief Luft, dann erklärte er so ruhig, wie es ihm gerade möglich war: »Gass habe ich im Griff, der zittert schon, wenn ich ihn mal strenger angucke. Has ist schmierig, aber mindestens so geldgierig, wie er Brogli verachtet. Ich werde ihn zudem für den kommenden Villenbau benötigen, er kann also noch erheblich mehr Batzen an uns verdienen, was ihn kooperativer macht. Und als Zimmermann ist er ein legitimer Transporteur von Materialien und Nachschub, da ich ihn vor allen Augen engagiert habe. Wie viel von meinem Material er in wenigen Tagen schon hierher transportiert hat, kannst du ja sehen. Sobald Brogli gesund sein und zurückkehren wird, wird ohnehin alles egal sein. Dann habe ich die Autorität und das Wissen, um das Renommee des Rheinfelder Spitals über die Standesgrenzen hinauszutragen. Die Beschmutzer unserer Familienehre werden verstummen, Königsfelden wird um meine Dienste betteln, Annette.« Sein Gesicht begann zu strahlen. »Und weißt du was? Ich werde sie umsonst betteln lassen.«

»Ich hoffe, du hast recht, Emil«, murmelte Annette.

»Gass und ich müssen eine *voyage* nach Königsfelden vorspielen. Jetzt geh und komm morgen wieder, mit Wurst und Brot, mit Käse und einem Schlauch Wasser! Nimm es aus unseren Vorräten oder von mir aus auch aus denjenigen des Spitals. Oder kauf es von den Fernhändlern. Der Preis spielt keine Rolle. Wechsel dich zudem mit Has ab, dann hast du weniger Müh'.«

»Jemand wird Verdacht schöpfen.«

»Niemand, wenn du es schlau machst.«

Ein treues Weib muss ihrem Mann gehorchen, dachte Annette und fühlte sich für einen Moment, als sei sie diejenige hinter dem Gitter.

7

Die Läuse haben mich schon, dachte Annette frustriert – und in diesem Augenblick begannen zwei verschiedene Stellen auf ihrem Rücken zu jucken. Klara hatte angefangen, ihn einzuseifen, und diesem Umstand war es zu verdanken, dass Annette ihre Arme nicht um die Seite nach hinten verrenkte, um sich blutig zu kratzen. Sie schauderte jedes Mal wohlig, wenn ihre Magd über die entsprechenden Stellen strich. Das angenehme Gefühl verflog allerdings, als Klara unvermittelt ihre Bitte vortrug.

»Könntet Ihr für mich einen Brief an das Irrenhaus in Königsfelden schreiben, den die Ärzte dem Onkel Franz vorlesen würden, Frau Doktor?«

Du dumme Kuh, dachte Annette und schämte sich augenblicklich.

Sie hatte sich das Bad herbeigesehnt. Das Wasser sollte schön heiß und Balsam für die müden Beine und das ramponierte Gemüt sein, eine benötigte Ablenkung von einem hartnäckigen und nagenden Unwohlgefühl, eine Pause von der Angst vor Entdeckung, die seit drei Tagen an ihr klebte wie ein durchnässter Mantel. Seit drei Tagen fühlte sie sich von Dutzenden Blicken voller Argwohn und Verdacht gemustert. Immer, wenn sie nach draußen ging. Bei jedem Schritt und Tritt. Und sie wollte vergessen, dass sie diesem Gefühl schon sehr bald wieder ausgesetzt sein würde, nackt und wehrlos wie ein Säugling …

»Ich wollte Euch nicht belästigen«, stammelte Klara, weil Annette keine Antwort gab. Rasch fuhr sie mit dem Waschschwamm über Annettes Schulterblätter. »Aber Ihr wart gestern Nachmittag nicht zu Hause. Ich wollte auch Eure Vorräte aufstocken und Euch wegen den Anschaffungen berichten, die Ihr mir vorgestern aufgetragen habt. Ich meine, ob ich die teuren Preise für Wurst wirklich bezahlen soll. Die sind schrecklich hoch! Und ich hab festgestellt, dass der Bestand der Haushaltskasse schon sehr tief ist für diesen Monat. Ich meine, es geht mich ja nichts an, aber … wie soll ich … Habt ihr noch …?«

Klaras Stimme klang nun heiser, als drücke ihr jemand die Kehle zu.

»Es reicht, Klara!«, rief Annette. Sie wirbelte so heftig herum, dass das Wasser aus dem engen Holzzuber schwappte.

Klara ließ den seifigen Schwamm erschrocken fallen, der über den Boden hüpfte und um ein Haar unter den Kochherd in die Asche gekullert wäre. Klara sah ihm beschämt nach, als hätte sie eine der teuren Würste in den Dreck fallen lassen.

Ich bin ein so kalter und unbarmherziger Mensch, dachte Annette augenblicklich. *Die arme Klara macht sich nur Sorgen! Und zu Recht … Emil scheut keine Kosten.*

»Ich muss mich bei dir nicht wegen unserer Finanzen rechtfertigen«, grummelte sie und starrte dabei die trübe Wasseroberfläche mit ihren Schaumkrönchen an.

»Verzeiht mir, Frau Doktor!«, flüsterte Klara.

Annette tauchte wortlos ins Wasser ein, bis nur noch der Kopf herauslugte – fast, als wolle sie sich verstecken.

Klara hingegen ging zum Herd und klaubte behutsam den Schwamm auf, an dem eine Schicht aus Staub und Ruß haftete. Sie wusch ihn in einer Emailschüssel mit kaltem Wasser.

Annette schielte zu ihr über die Zuberkante hinweg. Trotz des miesen Gefühls, das sie dabei hatte, sagte sie: »Klara, dein Onkel ist noch unterwegs. Sie kommen frühestens heute Abend in Königsfelden an. Und möglicherweise hat sich die Reise verzögert. Die Straßen sind unwegsam und dazu viel bereister als noch vor ein paar Wochen.«

Klara entgegnete nichts. Sie kniete sich mit dem gesäuberten Schwamm neben den Zuber, wischte mit dem nassen Handrücken über ihre geröteten Augen, dann setzte sie ihre Pflicht fort.

Annette zuckte unwillkürlich zusammen, als sie die Berührung am Nacken spürte. Klaras Reibebewegungen federten ihren Kopf leicht nach vorne und dann wieder zurück. Mechanisch wie bei einer Puppe. *Emils Puppe.* Ihr Kopf dröhnte, ihre Glieder und ihre Zunge fühlten sich bleischwer an. Sie wollte am liebsten schlafen.

Und in Brugg aufwachen.

Während Klara hinter ihr schniefte und mehr massierte, als wusch, flüchteten Annette und ihre Gedanken durch die beschlagenen Scheiben hindurch aus der kleinen Mansardenwohnung.

Sie flog durch die Rindergasse mit ihren dürftigen Fleischauslagen und über die vernarbte Krone der Stadtmauer. Unter ihr zogen Wiesen und Felder, der Exerzierplatz der Rheinfelder Schützen und dann das umfriedete Siechenhaus auf der *Kloos*-Flur vorbei …

Annette und Has waren drei Tage zuvor, spät nachmittags, erstmals zum *Schiffacker*-Hof gewandert, um die versteckten Männer mit Nahrungsmitteln und neuem Lampenöl zu versorgen.

Sie waren dabei offenbar gegen Ende einer Therapiesitzung hineingeplatzt. Die Stimmung im Keller war von Ungeduld und angespannter Schweigsamkeit geprägt; es roch nach verbrannten Haaren.

Emil nahm die Vorräte mit abwesendem Gesichtsausdruck entgegen, hörte nicht richtig zu, vergaß zunächst, Has, der augenscheinlich ungeduldig war, ein paar Münzen in die Hand zu drücken. Erst als dieser mit einem saftigen Spruch reklamierte, schien es Emil wieder einzufallen.

Hinter ihnen trug der kreidebleiche Gass den leblosen Franz in seine Zelle zurück, legte ihn sanft nieder und deckte ihn zu.

Franz Brogli sah viel schlechter aus als noch einen Tag zuvor. Die Stirn mit Schweißperlen bedeckt, die verunstalteten Lippen rissig und zitternd, und der Atem rasselte – nein, röchelte – zwischen ihnen heraus.

Annette beobachtete ihn besorgt, aber Emil nahm sie am Arm und drängte sie nach einigen formellen Worten zum Aufbruch, da die Stadttore von Rheinfelden um fünf Uhr abends schlossen. Sie dürfe dann auf keinen Fall außerhalb der Mauern sein. Und sie solle sich keine Sorgen machen, wiederholte er mehr als einmal, in Rheinfelden wisse man, dass Annette auf dem neuen

Grundstück der Schäfers nach dem Rechten sehen müsse.

Has bestätigte daraufhin, während er Brogli interessiert betrachtete, der städtische Ausrufer habe den Eigentümerwechsel auf den öffentlichen Plätzen bereits verkündet.

Dennoch hatte Annette das Grundstück an diesem Tage mit dem Gefühl verlassen, auf dem *Schiffacker* nicht wirklich erwünscht zu sein.

Der Plan ihres Gatten sah für diese erste Phase vor, dass zweimal Nachschub geliefert werden sollte, beide Male unter dem Vorwand von Emils hinterlassenen Anweisungen, die er am Abend vor seiner »Abreise« beim Abendessen im *Salmen* derart laut verkündet hatte, dass sie garantiert von Zeugen gehört wurden.

Einer davon war niemand Geringeres als Kalenbach, der sich bloß wunderte, dass Emil seiner Gattin die Überwachung von Has' ersten Auftragsarbeiten übertrug, während er selbst auf der Reise war.

Wieso kann das nicht warten?, hatte Annette damals schon mit flauem Magen gedacht. Sie versuchte sich aber zu einem Lächeln zu zwingen, war dann insgeheim sogar froh bei der Aussicht, etwas beschäftigt zu sein, während ihr Gatte weg war, stellte sich sogar schon einen Augenblick lang vor, da sie die *Schiffacker*-Ruine zu dem Zeitpunkt noch nicht gesehen hatte, wie sie die von Has restaurierten Zimmer dekorieren würde.

Kalenbach und andere Gäste um sie herum hatten sich zunächst jedoch nur schwerlich von Emils Erklärung überzeugen lassen, Annette müsse ja auch in seiner späteren Abwesenheit, wenn die eigentliche Villa gebaut werde, zumindest annähernd Bescheid wissen.

»Nun ja, das müsst Ihr wissen«, antwortete der am Nachbartisch sitzende junge blonde Großrat achselzuckend, seinen Daumennagel gerade mit dem Hornstäbchen reinigend. Seine Frau schwieg mit einer Miene, als fände sie Emils Ansinnen anstößig.

»Aber das kann doch warten, bis Ihr zurück seid, Emil«, hatte Kalenbach dagegen Annettes eigene Überlegung ausgesprochen.

»Eine junge anmutige Frau wie Eure Gattin mit solch einer Aufgabe zu belasten, also ich weiß nicht …«

»Finde ich auch«, murmelte der *Salmen*-Wirt. »Der Has ist erfahren genug. Der erledigt die Vorarbeiten auch ohne Euer Weib.«

»Ich arbeite mit jemandem gerne eine Weile, bis ich ihm uneingeschränkt vertraue«, sagte Emil mit einem Augenzwinkern.

Die Runde schwieg einen Moment lang, aber Annette spürte tatsächlich Verständnis für diese Haltung.

Sie war also beim ersten Mal mit Has gemeinsam hingegangen, um gewissermaßen die Jungfräulichkeit als Komplizin zu verlieren. Beim zweiten Mal war Has dann allein an der Reihe. Das wäre heute Morgen gewesen.

August Has hatte sich jedoch geweigert, seine Werkstatt zu verlassen, als Annette hineingeschlüpft war, um mit ihm eine kurze Absprache zu halten und ihm einige Batzen für den Vorratskauf zu übergeben.

Er hatte zwischen seinen Werkstücken, einem Stapel Holz und seiner Werkbank gestanden, sie mit überschwänglich guter Laune begrüßt, sodass seine Frau, dieses teigige Ding mit der vulgären Sprache von damals auf dem Zähringerplatz, neugierig nachgesehen hatte.

»Ich habe – 'tschuldigung dafür – einen dringlichen Auftrag von einem Bürger erhalten, den ich einfach vorziehen muss«, rechtfertigte Has sich mit einem Grinsen und einem Achselzucken. »Außerdem, ich meine, selbst wenn es ein paar liberale Seelen gibt, die Euren Gatten beim Wort genommen haben … verzeiht mir, es ist nicht persönlich gemeint … selbst dann widerstrebt es mir, den Ruf eines Pantoffelhelden zu erwerben, indem ich mich weiter von einer Frau zu einem Auftrag schicken lasse. Schon gar nicht von einer Frau in Eurem Alter, das müsst Ihr verstehen.«

Annette war so sprachlos nach dieser unverblümten Weigerung, dass es Has leichtfiel, sie mit einem fröhlichen Abschiedslächeln aus seiner Zimmerei herauszuspedieren.

Ratlos trottete sie in die geschäftige Rindergasse, roch den Dung, das namensgebende Vieh und die muffigen Ställe, hörte das Muhen der Tiere und die Zurufe der Züchter, die ihre karge Auswahl an lebender Ware zu stattlichen Preisen absetzen konnten, sah dann ein paar kleinen Kindern zu, die vor den Ställen spielten.

Schließlich fasste sie endlich einen Entschluss.

Sie steuerte auf die einzige Fleischauslage in diesem Straßenabschnitt zu. Hinter dem einfachen groben Holztisch mit einem Leinentuch darauf, auf dem die zahlreichen rotbraunen Sprenkel eingetrockneten Blutes ein makaber-schönes Muster formten, stand eine magere Frau mit einer grauen Schute. Neben ihr malte ein vielleicht zehnjähriger Bub mit einem fingerdicken und beinahe körperlangen Stecken Figuren in die Luft. Der Kleine taxierte dabei jeden Passanten, der der Verkaufsfläche zu nahe kam, mit bierernster Miene. Ohne Zweifel hatte er die Aufgabe, die Ware gegen Langfinger zu verteidigen.

Der Geruch von rohem Fleisch und Blut kitzelte in Annettes Nase. Die Auswahl war bescheiden und bestand vor allem aus etwas Räucherfleisch und schmierigen Innereien.

Nach einer kurzen Begutachtung entschied sie sich für das gesamte Räucherfleisch der Auslage sowie eine frische Rindsleber obendrein.

Während die begeisterte Fleischerfrau die Lebensmittel in den Blättern einer alten Journaille zu handlichen Paketen formte, gaffte der Junge Annette unverhohlen an. Unsicher wich sie ihm mit den Augen aus – dem Blick eines Zehnjährigen.

Da stieß der Bub ein tiefes ängstliches Schnauben aus und flitzte schnell wie der Wind in den Schuppen hinter ihm. Die Fleischerfrau hielt ihr die Pakete hin, schielte dabei aber über Annettes Schulter. Sogar, als sie die Geldmünzen erhielt.

Annettes Härchen im Nacken stellten sich auf, als Schritte hinter ihr stehen blieben. Sie drehte ihren Kopf, aber die unverkennbare Würze von Russenschnaps und der modrige Geruch seiner Kleidung hatten ihn schon verraten. Und dann trat er neben sie. Seine blassen Lippen grinsten schief. Sein Bart war stachelig wie ein Nadelkissen. Seine verstümmelte rechte Hand hielt Annette einen Zettel hin, einen dünnen Streifen, von einer Buchseite abgerissen, auf den etwas gekritzelt war.

Aus den Augenwinkeln nahm Annette eine zweite Person wahr, die sich als Fritz Crispin entpuppte. Der junge Polizist machte den Eindruck, als hätte er in seiner Uniform gefeiert und geschlafen: Sie war zerknittert und schräg geknöpft, außerdem wies sie einen Fettfleck von beachtlicher Dimension auf Bauchnabelhöhe auf. Er grinste sie mit glänzenden Augen und verquollenem Gesicht an. Sein Tschako hing ihm schief ins Gesicht, das rot-gelbe Hutband daran war verrutscht. Crispin hob eine kleine Schnapsflasche, die er umklammerte, und prostete ihr zu, bevor er einen kräftigen Schluck nahm. Unmittelbar packte ihn ein kratziges Husten, das sein Gesicht noch mehr rötete.

Da machte der Russe wieder auf sich aufmerksam, indem er seinen Papierstreifen auffordernd vor Annettes Nase herumwedelte. Zögerlich benutzte sie Zeigefinger und Daumen, als seien seine Fingerbeeren vergiftet, klaubte den Streifen und zog ihn auseinander.

Auf dem Zettel stand, in krakeliger Handschrift wie bei einem Kind, aber in sauberem Deutsch: *Ich muss mit Eurem Mann sprechen!*

Die dunkelblauen Augen des Russen hatten sich zu Schlitzen verengt und musterten sie aus dem unbewegtem Gesicht.

»Mein Gatte ist noch unterwegs, wie Ihr vermutlich wisst«, brachte Annette trotz zitternder Lippen heraus.

»Nun, Täubchen, dann richtet ihm bei seiner Heimkehr sofort aus … dass«, begann Crispin, unterbrach seine Aufforderung mit einem krachenden Rülpser, lachte über sich selbst. Dann aber hustete er röhrend, hielt sich den Handrücken vor den Mund und wirkte, als würde er nächstens seine letzte Mahlzeit ausspeien.

»Fritz Crispin, vielleicht solltest du deinen Rausch ausschlafen, bevor dein Weib dich so sieht«, knirschte die Fleischerfrau.

Crispin grummelte etwas von »Geht dich nichts an«, dann drehte er sich um und wankte die Rindergasse zurück, skeptisch beäugt von einigen Frauen, die Körbe mit Holzscheiten schleppten, und verspottet von zwei Buben, die gemeinsam einen Webrahmen transportierten.

Pjotr hatte währenddessen an seinem verwahrlosten Aristokratenmantel herumgefummelt. Er hielt nun sein ledergebundenes Notizbüchlein in den Händen und krakelte, einen Kohlestift geschickt zwischen Zeige-, Mittel- und Ringfinger eingeklemmt, etwas mit verblüffender Geschwindigkeit hinein.

»Frau Doktor, Euer Fleisch!«, erinnerte die Fleischerfrau mit hörbarer Nervosität.

Hastig nahm Annette die hingehaltenen Pakete. Als sie sich umdrehte, schaute der Russe sie auffordernd an. Mit seinem Büchlein und seinem Stift sah er aus wie ein verkrüppelter Zeitungsreporter.

»Ich … ich werde meinem Gatten Bescheid geben, wenn er wieder hier ist«, japste Annette mit überschlagender Stimme, ohne dem Russen ins Gesicht zu sehen.

Der krächzte etwas, was Annette dem Tonfall nach als Einverständnis interpretierte, dann deutete er ein Hutziehen an, wandte sich von ihr ab und schlenderte Richtung Zähringerplatz. Seine Duftnote aus Alkohol und alten Kleidern stach Annette noch in der Nase, als er bereits hinter einer Gruppe Tagelöhner verschwunden war, die gerade ein Geschäft mit einem gutbetuchten jungen Mann aushandelten.

Annette ging in die Gegenrichtung und fühlte sich erst beruhigt, als sie die Wohnkammer betrat, ihr Klara vom Kochherd entgegenkam, die Fleischpakete abnahm und sie nach ihrem Zustand befragte.

Annette betrachtete sie. Klaras verhärmtes Gesicht blickte verständnisvoll, aber in ihren Augen erkannte Annette Unwohlsein, Fragen.

Sie schüttelte den Kopf und meinte nur: »Nach dem Essen lässt du mir ein Bad einlaufen!«

Als Klara Annette abgetrocknet hatte und dann auf deren Anweisung gegangen war, kramte Annette ihren Büffelledertasche heraus, die laut einem Kolonialwarenhändler aus Zürich und ihrem Vater, der sie als Geschenk mitgebracht hatte, aus der ehemaligen Louisiana-Kolonie stammte, und verstaute das Fleisch, ein paar schrumpelige Kartoffeln und ein Fläschchen Laternenöl darin.

Ich muss auf Pjotr aufpassen … ich muss aufpassen, auf ihn und die Wachen und alle.

Sie fasste daher einen Plan, wie sie allfällige Beobachter verwirren konnte. Ohne Überzeugung, dass er klappen würde, machte sie sich daran, ihn auszuführen.

Zurzeit grassierten die Ruhr und die Schwindsucht, und das Spitalpersonal hatte den Auftrag, die daran Erkrankten wie üblich zu separieren.

Seuchenkranke verlegte man in Rheinfelden ins Siechenhaus außerhalb der Stadtmauer auf den westlichen Feldern, etwa einen halben Kilometer vom Stadttor weg.

Natürlich mussten die Siechen von den Schwestern mit Lebensmitteln, Medizin, Instrumenten und sonstigen benötigten Gütern versorgt werden, dazu gab es Wein als Sonderzulage für diejenigen Spitalmitarbeiter, die diese riskanten Fälle betreuten.

Im Großen und Ganzen wurden die Schwestern und Ärzte dort wegen ihrer Mitmenschlichkeit und der Tatsache, dass einige von ihnen ebenfalls den Seuchen zum Opfer fielen, in der Bevölkerung hoch angesehen. Es bestand daher ein gewisser sozialer Druck auf den begüterten Rheinfeldern, das Siechenhaus mit Lebensmitteln oder ähnlichen Spenden zu begünstigen – natürlich mit einem schielenden Auge auf den persönlichen Prestigegewinn und der impliziten Hoffnung, im Bedarfsfall als Gegenleistung eine günstige Behandlung im Spital zu erhalten.

Genau eine solche Spende, so hatte es Annette ausgeheckt, wollte sie nun vortäuschen.

Aber was geschieht, wenn mich jemand nach dem Verlassen der westlichen Felder sieht? Sie sinnierte über diesen Schwachpunkt des Plans, als sie sich umzuziehen begann.

Sie verwendete die unauffälligsten und schlichtesten Kleider, die ihre Garderobe hergab: das dunkelblaue taillierte Rockkleid aus einfachem Leinen mit den grauen Wollstrümpfen darunter, die Lederschuhe mit Holzsohlen, ein Kopftuch in derselben Farbe wie der Rock und das schwarze Wolltuch, das sie sich gegen die Kühle des Abends über die Schultern gelegt hatte – diese Kleider ließen sie fast wie eine Bäuerin aussehen, zumindest aus der Distanz.

Irgendwie gewann das Unterfangen dadurch auf einmal einen klandestinen Aspekt, eine Verwegenheit, die Annette irritierend zu erregen begann. *Wie eine Spionin des Kaisers … wie in den Romanen und Geschichten.*

Mit der Büffelledertasche über den Schultern ging sie in die Spitalbäckerei hinunter. Dort wollte sie einem jungen Bäcker namens Fritz Soundso vier Laibe Roggenbrot unter der Hand abkaufen.

Der Bursche, wie sie rasch erkannt hatte, besaß eine Schwäche für sie. Es lief daher wie am Schnürchen: Fritz Soundso vermochte sich vor Aufregung kaum zu konzentrieren, stotterte, ließ seinen Blick über ihren Körper wandern und kam weder auf die Idee zu fragen, warum sie das Brot nicht einfach über die Schwestern bestellte, noch sich über das »Handgeld« zu wundern, das sie ihm für seine Diskretion, die er übereifrig versicherte, in die Schürzentasche plumpsen ließ.

Zum Glück ist der Junge sittsam, sonst hätte er womöglich eine andere Art Bestechung verlangt, dachte Annette und wunderte sich, einen so abgebrühten Gedanken als völlig natürlich anzusehen und auch keine Scham dafür zu empfinden, zum ersten Mal selbst die menschliche Anfälligkeit für Korruption ausgenutzt zu haben.

Annettes Spionagefantasien und ihr aufgeflammtes Selbstbewusstsein zerbröselten, sobald sie das Spital verlassen hatte. Auf der Straße mit ihren realen Leuten ließ sich eine solche Selbstillusion nicht lange aufrecht halten.

Sie fühlte sich erst etwas erleichtert, als sie zehn Minuten später an der Rheinbrücke vorbeigegangen war und das zerstörte westliche Tor passierte.

Mit ihr rumpelten einige Karren mit Knechten oder Bauern zu den umliegenden Höfen zurück, aber der Großteil der Leute – vorwiegend Fernreisende und Händler – bewegte sich zu dieser nachmittäglichen Stunde auf die Stadt zu. Unter stark bewölktem Himmel wanderte sie ein Stück die Fernstraße nach Basel entlang, die parallel zum Rheinbett angelegt war.

Der Fluss strömte träge, aber mit einer aufgewühlten schaumigen und graugrünen Oberfläche. Sie betrachtete ihn schweigend, musste kurz an Fernand de Muespach denken, der weiter flussabwärts dasselbe Wasser ansehen konnte.

Nördlich von ihr lag die Schützenwiese, ein Exerzierort der Stadtpolizei und des Aargauer Militärs. Einige Gestalten in den dunkelblauen Polizeiuniformen hantierten, in einer Schützenlinie formiert, an ihren Perkussionsschlosspistolen herum. Ein paar Kinder und Frauen, die Körbe schleppten, waren stehen geblieben und beobachteten das Schauspiel.

Annette stahl sich hinter ihren Rücken vorbei.

Das klotzige Siechenhaus aus seinem roten Sandstein und mit seiner angebauten Kapelle ragte aus den umliegenden Feldern wie ein blutiger Leuchtturm heraus.

Laut Schumppelin hatten die französischen Besatzer umfassende Renovierungen an der Umfriedung und am Wohnhaus getätigt, außerdem hätten sie den Garten neu bepflanzen lassen, eines der wenigen guten Dinge, die sie getan hätten, wie er meinte.

Ein niedriges Holzportal, neben dem ein Wachhäuschen für einen Mann stand, angepinselt mit diagonalen Streifen in den Wappenfarben, markierte den Zugang. Er wurde von einem erschöpft wirkenden Polizisten bewacht, der seine untere Gesichtshälfte hinter einem Atemschutz verbarg. Mit der Maske, gefertigt aus einem Stofflappen und zwei feinen Lederbändern, die der Mann um den Schädel gezurrt hatte, erschien er wie die Karikatur eines Banditen aus Annettes Romanen. Er nahm zwei der Brotlaibe und den dritten Teil des Trockenfleischs mit einem höflichen Nicken entgegen und verstaute alles im Wachhäuschen.

»Habt Dank, Frau Doktor«, nuschelte er und forderte sie auf, ihre Spende in einem Eingangsbüchlein zu bestätigen, das er aus seiner Gürteltasche gezogen hatte.

Danach setzte Annette ihren Weg fort. Sie verspürte bei den ersten Schritten einen unangenehmen Harndrang, denn jetzt begann der wirklich schwierige Teil des Weges. Die Anspannung fühlte sich wie ein Wechselbad zwischen kochend heißem und eiskaltem Wasser an.

Sie war froh, dass ihre Füße wenigstens zuverlässig ihren Dienst leisteten. Sie umwanderte Rheinfelden bogenförmig in einem über halbstündigen Marsch, in einem skurrilen abergläubischen Anfall darauf bedacht, immer einen Respektabstand von einem Kilometer zwischen sich und den Mauern zu halten.

Ihr närrischer Aberglaube schien ihr aber Glück zu bescheren. Ein Knecht, der auf einem der verwilderten Felder unterhalb der westlichen Flanke des Kapuzinerbergs Steine aus der Erde puhlte, und eine Bauersfrau mit ihren drei spielenden Kindern, die am Magdenerbach Wäsche wusch und Annette neugierig beobachtete, als diese über einen Steg balancierte, waren die einzigen unmittelbaren Begegnungen.

Sie marschierte durch einen Teppich aus regenerierenden Gärten, Feldern und kleinen Wegen, die an deren Peripherien verliefen.

Manchmal war ein Acker frisch gepflügt worden, und ein paar Kartoffelpflanzen, Zwiebelknollen oder Wirz, eigentlich ein Wintergemüse, wuchsen darauf.

Schließlich überquerte sie das *Engerfeld,* die Nachbarflur

des *Schiffackers,* und sah die sichtverhindernde lang gezogene Grenzhecke und den Waldrand näher kommen. Sie beschleunigte ihre Schritte, immer mit einem Auge auf die Fernstraße etwa zweihundert Meter weiter nördlich schielend, wo sich einige kleine Gestalten und scheinbare Miniatur-Pferdefuhrwerke tummelten.

In dem Moment, als die Ruine des Brogli-Hofs hinter der Heckenstruktur auftauchte, setzte Nieselregen ein. Annettes Körper kribbelte, sie vermochte nicht zu sagen, ob von der Feuchtigkeit, die langsam durch den Stoff ihrer Kleider drang, oder beim Anblick der drei verfallenen Häuser.

Wir werden unser zukünftiges Heim auf einem Gefängnis aufbauen. Kannst du wirklich noch darin leben, mein lieber Gatte? Das Wort »lieber« tönte in ihrer Vorstellung wie von einer zischenden Schlange ausgesprochen.

Als sie in den Innenhof stolperte, hatte sie schwere Beine und einen Dumpfschädel. Sie keuchte, fühlte die brennenden Wangen und schmeckte Wassertröpfchen auf der Zunge, die den Weg aus dem durchfeuchteten Kopftuch über ihren Nasenrücken in die Mundhöhle gefunden hatten. Der Geschmack hatte eine salzige Note – der Beitrag ihres Schweißes.

Das weckte ihren Durst.

Sie ging zum verfallenen Ziehbrunnen vor der großen Scheune, deren Tor nun geschlossen war. Jemand hatte einen alten Pfahl neben den Überresten der Trockenmauer in den Dreck gerammt, woran ein Seil befestigt war, das über die Mauer in den Schacht reichte.

Annette zog den randvollen Behälter aus der Tiefe, mit einiger Mühe, da eine Kurbel fehlte, und schöpfte gierig Wasser. Es war angenehm kühl; der feine Film aus Lehm, der auf der Zunge zurückblieb und zwischen den Zähnen knirschte, störte sie kaum. Dabei betrachtete sie den seltsamen Ersatz für den ursprünglichen Schöpfeimer, der natürlich längst verwittert, gestohlen oder sonst wie abhandengekommen war. Von irgendwoher – dank eines organisatorischen Geschicks, das Emil von seinem

Vater geerbt hatte – hatte ihr Gatte eine Pütz aufgetrieben, in diesem Fall einen eimerförmigen Segeltuchsack mit einem Taugriff, der sonst vorwiegend in der Schifffahrt Verwendung fand.

Der Wind frischte auf und sprühte Regentropfen gegen ihre Stirn. Sie spürte, wie ihre Fingerspitzen eiskalt waren, stellte die Pütz neben der Brunnenummauerung ab und lief zur Haustür.

Als sie das Wohnhaus betrat, stand Emil neben der zerfallenen Kochstelle und hob den Kopf, als die Scharniere quietschten. Der rußige Schutthaufen war nun mit einer Wolldecke abgedeckt, auf der Baumwollballen, Fässchen und Holzkisten lagen.

»Annette, du hier? Ich habe Has erwartet … in einer Stunde!« Röte schoss ihm in die Wangen. Sein haariger Oberkörper war nackt. Vor ihm, zwischen zwei kleinen Schutthaufen, stand eine weitere Pütz neben einer brennenden Laterne. Emils linke Hand hielt ein abgebrochenes, schäumendes Stück Kernseife umklammert, seine rechte einen Leinenfetzen, mit dem er sich gerade den Nacken gewaschen hatte. Er ließ den Leinenstreifen in den Eimer fallen, ein leises Plätschern ertönte.

Sein Bauch hat an Umfang eingebüßt. Er sieht gut aus, dachte Annette, während sie die wabernden Schatten des Laternenfeuers auf Emils Körper betrachtete. Trotz ihrer feuchten Kleider spürte sie – was für ein irritierendes Gefühl – Hitze in ihren Schoß strömen.

Seine Augen … sie glänzen … ich kenne diesen Glanz.

Sie konnte das Weiße der Iris im Dämmerlicht erkennen.

»Has hatte keine Zeit, ich meine, er weigerte sich zu kommen. Ich … wo ist Gass?«, fragte sie rasch und zog dabei mit ihren Fingern die Wollschalenden enger um ihre Schultern.

»Schließe die Türe und komm her! Gib mir die Tasche, *ma chère!*«, forderte Emil sie auf, während er die Seife auf die Wolldecke legte. Er schnaufte schnell und tief … und … und …

Nein, sieh nicht auf seinen Schritt, nicht auf seine Hose!, dachte Annette und tat genau dies in der nächsten Sekunde.

Lust – verwegene Lust, unerklärliche Lust, verdrängte Lust – und das dringliche Sehnen nach irgendeinem guten Gefühl stauten sich in ihrem Körper an wie Rauch unter einer Zeltplane. Sie hatte Mühe zu atmen. Sie spürte, wie ihre Warzenhöfe unter dem Rockkleid hart wurden.

»Annette, die Tasche!«, wiederholte er und setzte ein angedeutetes Lächeln auf.

Annette ging langsam zu ihm hinüber. Sie streifte den Riemen der Ledertasche über den Kopf und setzte ihn neben der Pütz ab. Der Duft der Asche wurde von Emils Körpergeruch übertüncht, kaum kaschiert durch die Seife.

Er sah ihr in die Augen, dann auf die Lippen. Er hatte genau jetzt etwas Verwegenes an sich, wie ein Abenteurer in einem ihrer Romane, der nach langer Zeit im Dreck und in der Ferne wieder zu ihr zurückkehrte.

»Wo ist Gass?«, beharrte sie, ohne aufzuhören, in seine Augen zu sehen.

»Paul ist unten und versorgt unseren Patienten. Er tut das gerne wegen seiner emotionalen Bindung zu Brogli. Wir hatten gerade eine Sitzung. Keine Sorge, Gass bleibt unten. Er hat Schicht.«

Seine Hände nahmen die ihren, die immer noch die Wollschalenden festgehalten hatten. Der Schal glitt von ihren Schultern und fiel wie eine gestrichene schwarze Flagge auf die alten Bodenbretter.

Emils Augen funkelten, als seine Fingerkuppen über den Stoff auf ihrem Busen streichelten, dann ihre linke Warze sanft zwischen Daumen und Zeigefinger quetschte. Der Schauer durch die Berührung pflanzte sich bis in ihren Schoß fort, ja gar bis in die Zehen.

»Emil«, hauchte, nein, vielmehr stöhnte sie, »wenn jemand … Paul …«

Als Antwort schlang er den Arm um ihre Seite und grub seine Finger in ihren weichen Po. Er zog sie zu sich, bis sie sich berührten. Seine Wärme und dieser anziehende Geruch …

Emil beugte sich vor und flüsterte in ihr Ohr: »Weib, du riechst wie ein Köder des Teufels! Und jetzt sei still.«

Sie hörte und spürte das Reffen ihres Rocks, fühlte die Härte seines Glieds, das durch seine Hose gegen ihren entblößten Schoß drückte … und dann verlor sie die letzten Vorbehalte und ließ sich von der Begierde treiben.

Es war ein wilder Rausch, wie ihn Annette bisher noch nicht erlebt hatte, inmitten von Gesteinsschutt, auf Vorratsballen und auf der Wolldecke, die durch die ungestüme Leidenschaft verrutschte.

Später konnte sie sich kaum an Details erinnern, nur an Krach, der von weit her zu kommen schien, an das Klacken herunterpurzelnder loser Kaminziegel, an Dinge, die ihr in den Rücken oder gegen die Schenkel drückten, an Gier und fatale Hemmungslosigkeit, an Seufzer und unterdrücktes Stöhnen, an eine Explosion in ihrem Schoß, wie sie kaum je vorgekommen war, als sie Emil ritt, dann an abkühlenden Schweiß auf der Haut, an den Luftzug, der über ihre Vulva streichelte. Ihre Bauchhöhle glühte wie ein Backofen, was sich angenehm und entspannend anfühlte.

Dann fröstelte sie; der Rock war an ihrem Oberkörper abgeglitten. Emil schnaufte schwer, alle viere von sich gestreckt, auf der Fläche des ehemaligen Kaminfeuerraums liegend, die Augen geschlossen, den Rücken etwas verkrümmt. Sein Gesicht wirkte zufrieden und erhaben wie das einer Heiligenikone.

Sie fühlte, wie sich sein erschlaffendes Glied klebrig und rasch aus ihrer Grotte zurückzog. Er öffnete die Augen und zwinkerte ihr zu. Seine Stirn dampfte.

Dann verzog er sein Gesicht und flüsterte: »Dieser verdammte Ziegel drückt genau gegen mein Steißbein. Steh auf, *ma chère,* sonst laufe ich bald wie ein alter Mann!«

Sie stieg von seinen Lenden, zog in einem unvermittelten schamhaften Anfall rasch ihren Rock hoch und kontrollierte dreimal, ob er richtig saß.

Emil beobachtete sie belustigt, während er sich erhob, besonders, weil sie es krampfhaft vermied, einen Blick auf sein offen zur Schau gestelltes Glied zu werfen. Er zog seine Hose wieder an, massierte kurz seine Steißbeinregion, dann nahm er die Büffelledertasche an sich.

»Wird Zeit, dass ich nach Paul sehe. Der war ja ruhig«, meinte er. »Ich hoffe, er hat den Anstand gehabt, im Kellerraum zu bleiben.«

»Mann, rede nicht so unschicklich!«, enervierte sich Annette lauter als gewollt. In Gedanken schalt sie sich bereits für ihre Triebhaftigkeit.

Emil zwinkerte ihr schelmisch zu. Dann streifte er sich eilig Strümpfe, Hemd, Weste und seinen erdfarbenen Reisemantel, der neben dem Kamin lag, über. »Warte hier kurz.«

Annette nickte und schüttelte ihren Wollschal aus. Trotzdem blieben Staubfäden und winzige Holzsplitter darin hängen. Sie vernahm das gedämpfte Knarren der Kellertreppe. Dabei schob sie beiläufig die heruntergefallenen Stoffballen wieder auf die Wolldecke. Sie arbeitete langsam. Sie gab sich vor, den Moment zu genießen, bestimmt der leidenschaftlichste seit Wochen, aber … *Ich will nicht in dieses Gefängnis hinunter! Ja, richtig, sag es ruhig: Gefängnis!*

»Annette!« Emils Stimme dröhnte durch den Bretterboden.

Sie schreckte aus ihrer Schläfrigkeit auf.

»Annette, komm herunter! Schnell!«

Sie stieg über den Schutt zur offen stehenden Luke. Sie konnte hören, wie Emil unten rumorte. Die Luft schlug ihr dick entgegen und roch nach Lampenöl. Sie trippelte die engen Stufen hinab, stürmte zu der Tür.

Der behelfsmäßige Tisch in der Mitte der Kammer war auseinandergestürzt, seine als Beine dienenden Böcke umgekippt, die Tischplatte auf die Seite gefallen. Einige Operationsinstrumente, deren Zweck Annette gar nicht wissen wollte, lagen verstreut auf der gestampften Erde.

Eine dunkelrote Pfütze mit dünnen, daraus abfließenden Rinnsalen an ihren Rändern breitete sich zügig in Annettes Richtung aus.

Emil kauerte neben dem massiven Holzsessel.

Vor ihm lag Paul Gass regungslos auf dem Rücken und starrte mit aufgerissenem Mund an die Decke. Emil hatte die Hand als Stütze unter dessen Hinterkopf geschoben; die andere ruhte auf seinem angewinkelten Knie.

Hinter den beiden lag Franz Brogli, mit dem Gesicht nach unten, halb außerhalb, halb in seiner Zelle, deren Tür weit offen stand.

Aus Paul Gass' Halsseite ragte das Messingblech. Durch die Wucht des Stoßes hatte es sich verkrümmt und glich jetzt einer gigantischen Vogelkralle, die sich durch die Schlagader gerissen hatte. Die Wundränder waren rubinrot, und das Blut quoll neben dem Messing heraus. Pauls grobe Jacke und Emils Mantel waren derart verschmiert, als seien sie in einen Schlachtbottich getaucht worden. Neben der grausigen Halswunde wies Pauls Schädel eine kraterförmige Platzwunde an der Stirn auf, wo er vermutlich gegen die Tischkante gestürzt war.

Annette spürte, dass ihre Beine gleich den Dienst versagen würden.

Der Raum begann sich zu drehen.

Um nicht auf den Boden zu klatschen, ließ sie sich auf die Knie sacken und keuchte wie jemand, der die Wasseroberfläche durchbrach, nachdem er fast ertrunken wäre. Ihr Körper zitterte. In ihren Ohren rauschte es, und aus der Ferne hörte sie ein Schluchzen.

»Hör auf zu flennen und komm her, Weib!«, befahl Emil aufgebracht.

Annette kämpfte gegen ihren Magen an und kroch näher.

Sie kroch wahrhaftig!

Sie vermied es, in Emils Gesicht zu sehen, so wie sie es einige Minuten zuvor nicht vermocht hatte, auf sein Gemächt zu starren.

Stattdessen fixierte sie die gestampfte Erde des Bodens und krabbelte an der Lache entlang, manisch darauf achtend, nicht besudelt zu werden. Sie spürte Emils wütenden Blick auf ihrer Haut, als sie die sterblichen Überreste von Paul Gass erreichte.

Da wanderte Emils Hand durch ihr Sichtfeld, deren Finger umschlossen den Griff der Messingklinge, zogen ruckartig.

Schmatzend glitt das Metall aus der Wunde, gefolgt von einem schwappenden roten Strom.

Annette keuchte entsetzt auf.

Da schnellte Emils andere Hand vor, griff Annette unters Kinn und hob ihren Kopf an. »Weib«, krächzte Emil leise und monoton, »das letzte Mal, als ich von diesem lächerlichen Metallspielzeug meines Patienten vernahm, sei es offenbar nach seiner Verhaftung spurlos verschwunden. Kannst du mir verdammt noch mal erzählen, wie es den Weg in Broglis Zelle gefunden hat?«

Sie spürte, wie Schuld und Angst ihr Herz zerquetschten. *Franz, was hast du getan? Das kann ich nie mehr gutmachen!*

Emil betrachtete sie wie der Schultheiß seinen Angeklagten. Kalt. Forschend.

»Ist er tot?«, fragte sie weinend.

Emil blies die Luft hörbar durch die Nase und hob das krumme Messingblech demonstrativ an, hielt es ihr so nahe vor das Gesicht, dass sie den metallischen Geruch … *des Bluts* … einatmen musste.

»Ich wollte ihm bloß eine Freude machen«, sagte Annette unter Tränen. »Ich habe mir nichts dabei gedacht. Er war so hilflos und krank. Verzeih mir, Emil! Es tut mir auch um Paul Gass leid …«

»Hast du den Verstand verloren, Weib?«, schrie Emil sie an, sodass die Täfelung an den Wänden zitterte.

»Verzeih mir!«, kreischte sie.

»Einem erschütterten Mann eine Waffe in die Hand zu drücken wie eine dahergelaufene Närrin … Du hast meine Arbeit mit ihm gefährdet, du hast mich gefährdet, und du trägst die Hauptschuld an Gass' Tod, auch wenn der Dummkopf den Gesichtskäfig wieder nicht angezogen hat.« Emil erhob sich, zwang Annette durch seinen Kinngriff mit auf die Beine.

Sie roch ihn durch den penetranten Öl- und den Blutgeruch, und dieses Mal hatte er nichts Abenteuerliches, nichts Verwegenes und Anziehendes an sich. Dieses Mal roch er nach Gefahr.

Ich habe Angst. Gott im Himmel, lass meinen Mann nichts Dummes tun!

»Du wirst von jetzt an genau das tun, was ich sage. Verstanden, Weib? Oder du lernst mich auf eine neue Weise kennen.«

Annette nickte energisch, soweit das in Emils Schraubstockgriff ging, denn die Fingerkuppen bohrten sich schmerzhaft in ihren Kieferknochen.

Dann ließ Emil abrupt los. Er drehte sich von ihr weg, warf einen raschen Blick auf den leblosen Franz Brogli, den Annette vollkommen vergessen hatte, und schien nachzudenken. Seine rechte Hand spielte mit der blutverschmierten Messingklinge.

Wir sollten diese Torheit beenden! Emil, tue es jetzt! Franz kann sich ohnehin an nichts erinnern, also tue es … denk an unsere Zukunft! Ich muss es ihm sagen, ich muss es ihm sagen …

Sie tat es aber nicht.

Stattdessen redete Emils Bassstimme, und sie klang eisig wie das Wetter der letzten anderthalb Jahre: »Ich will, dass du dich jetzt um Brogli kümmerst. Seine Tat dürfte ihn die letzten Kräfte gekostet haben. Sorge dafür, dass er in seiner Zelle und ruhig bleibt! Ich werde den Leichnam loswerden.« Unvermittelt packte er ihren Arm, drückte ihr das Messingblech in die Hand. »Wirf dieses Ding in den Rhein, wenn du wieder in der Stadt bist. Dort wird es bestimmt niemand finden, und kein Regen kann es auswaschen, und kein Pflug kann es zufällig aus der Erde furchen. Und wehe dir, wenn ich es nochmals zu Gesicht bekomme!«

Das Blech war unangenehm schmierig, aber Annette hütete sich, das zu kommentieren. Sie hütete sich, überhaupt etwas zu sagen.

Emil musterte sie noch einen Augenblick, dann holte er einen Schanzspaten aus einer Holzkiste, schließlich eine Wolldecke, die in der Ecke unter einem der aufgebockten Tische lag. Er breitete sie aus, warf sie über den Leichnam und wickelte ihn darin ein, so gut es ging. Danach hievte er sich den Körper mit beachtlichem Kraftaufwand über die Schulter.

Wortlos trottete er mit dem Toten aus dem Keller. Der Durchzug schloss die Tür hinter ihm wie von Zauberhand. Eine Spur aus Blutstropfen von ihr bis zu Annette zeugte von Emils makabrer Fracht.

Annette schien es, als steckten ihre Füße in Honig und an ihren Armen hingen Gewichte. Und sie hätte am liebsten die Beine in die Hand genommen und wäre Richtung Brugg getürmt.

In ihrem Kopf spukten schaurige Gedanken herum, da meldeten sich angsteinflößende Zukunftsvorstellungen. Ächtung, Verhaftung, Gerichtsverfahren, Verbannung, Hinrichtung … *und der arme Franz Brogli … Und was soll mit uns geschehen? Was mit mir? Wem soll ich mich anvertrauen?*

Dann tat sie, was ihr geheißen worden war. In Franz Broglis Zelle stank es wie in einer Latrine – und nach verbrannten Haaren.

Franz' lebloser Körper wirkte kleiner, ja erschreckend mickriger als vor seiner Internierung. Seine affenartig langen Arme wiesen schwache Verbrennungen auf. Er trug erdverkrustete grobe Leinenkleider, bestehend aus einem verdreckten Hemd und einer dünnen Hose, dazu zerfaserte Wollsocken. Als Annette näher kam, vernahm sie erkennbares Atmen – leise und unruhig rasselnd.

»Franz?«

Sie streckte die Hand aus, ekelte sich jedoch, den Mann zu berühren, und zog sie wieder zurück. Sie zwang sich zum Niederkauern. Vorsichtig und die Luft anhaltend, beugte sie ihren Oberkörper über Franz und versuchte, seine Symptome zu deuten: den kalten Schweiß in seinem Nacken, das kaum merkliche Gliederzittern, die flache Atmung. *Er hat Fieber … Fieber – und trotzdem gelingt es ihm, einen kräftigen Mann wie Paul Gass zu überrumpeln, ihm die Blechklinge in den Hals …*

Ihr älterer Bruder, das fiel ihr plötzlich ein, hatte mal in seiner unnachahmlichen altklugen Art postuliert, dass Verrückte in ihrem Wahnsinn auch bei schwächlich wirkender Gestalt enorme Kräfte entwickeln können – und schnelle Reflexe noch obendrein. Seine dozierende Stimme hallte in Annettes Erinnerung. Sie fragte sich, woher ihr damals fünfzehnjähriger Bruder so etwas hatte wissen wollen.

Das überwältigende Gefühl des Luftmangels zwang sie, Atem zu schöpfen. Eine intensive Geruchsprobe von Franz Broglis Ausdünstungen überreizte ihre Nase; sie begann zu würgen.

Los, Weib, mach, was ich dir aufgetragen habe, donnerte Emils Stimme unbarmherzig in ihrem Kopf, die Belehrungen ihres Bruders verdrängend.

Da stöhnte Franz hörbar, schließlich konnte sie ihn klar und deutlich »*Tsar* …« röcheln hören.

Annette griff zögerlich nach einem zerfaserten Stück Leinen von der Größe eines Handtuchs, das aus unbekannten Gründen zwischen zwei Eisenstäbe der Käfigtür gequetscht worden war, stülpte es als Schmutzschutz über ihre Hände, packte Franz an der Schulter und drehte ihn behutsam und mit erschreckender Leichtigkeit um.

Als sein Gesicht zum Vorschein kam, vermischte sich der Ekel mit Mitleid: Es glich dem einer Leiche, dünne, blasse, schier durchsichtige Haut über einem knochigen Gesicht. Zwei aufgeplatzte Brandblasen prangten an seinen Schläfen. Die Stirn war nass vom Fieber. Seine Augenlider zitterten, seine rissigen Lippen waren farblos.

Annette beobachtete wie hypnotisiert einen Schweißtropfen, der sich gerade von der verstümmelten Nase löste. Dann gab sie sich einen Ruck.

Sie hielt nach einer Schüssel, Verbandsmaterial und einer Wundsalbe Ausschau, ohne zu wissen, wie sie damit genau vorgehen musste.

Eine Emailschüssel und einen Schlauch mit frischem Wasser fand sie schnell. Wundsalbe suchte sie vergebens, aber ein Verbandsleinen lag neben dem Holzsessel mit den Lederschlaufen. Er befand sich halb abgerollt neben einer seltsamen Apparatur, die auf einer Holzkiste stand. Annette säuberte den Stoffhaufen vom gröbsten Schmutz und wickelte ihn wieder auf, während sie die Apparatur kurz beäugte.

Auf eine unerklärliche Art löste die Konstruktion bei ihr Nervosität aus. Sie hatte sie nie zuvor gesehen und konnte sich nicht erinnern, dass Emil sie je erwähnt hatte. Dann fiel ihr das zugedeckte sperrige Objekt wieder ein, das er am ersten Tag in diesen unseligen Keller heruntergetragen hatte.

Sie wusch und verarztete Franz, so gut sie konnte, aber sie fühlte sich dabei, als wäre die Apparatur ein Tier, das hinter ihr lauerte.

Als ihr Patient einigermaßen versorgt war, ging Annette einmal um das Konstrukt herum und musterte es von allen Seiten. Es bestand aus drei verschiedenen Elementen, die man mit Klebstoff auf einem quadratischen Holzbrett festgeleimt und damit in eine starre Anordnung zueinander gebracht hatte. Diese Einzelkomponenten waren untereinander mit Kupferdrähten verbunden.

Die auffälligste und größte kam Annette bekannt vor: Sie glich einer wissenschaftlichen Attraktion, die sie zwei- oder dreimal bei Privataufführungen in den Salons der Brugger Oberschicht beklatscht hatte. Reiche Männer ließen diese gerne zur Unterhaltung und Prestigevermehrung vorführen.

Beim ersten Mal war Annette vielleicht acht oder neun Jahre alt gewesen, da hatte ein welscher* Handelspartner ihres Vaters, der auf Geschäftsbesuch vorbeigekommen war, einen technischen Tüftler im Tross gehabt, der finanzielle Unterstützung erhielt und dafür wie ein Zirkusäffchen vorgeführt wurde. In dieser Funktion hatte der Tüftler eine jener Reibungselektrisiermaschinen präsentiert, die einem Spinnrad glichen und die man mit einer Kurbel antrieb. Zwei Reibungsflächen schrammten übereinander, es folgten elektrische Entladungen.

Annette hatte die kleinen bläulichen Blitze voller ängstlicher Faszination beobachtet. Ihre Brüder waren sogar vor Begeisterung aufgestanden und wollten nach vorne an den Vorführ-

* Welschland: die französischsprachige Schweiz.

tisch, was ihr Vater aber unterband, weil er der Sache bei allem Stolz über die Exklusivität wohl doch nicht ganz traute. Immerhin gab es Mediziner, die der Elektrizität die Übertragung von Krankheiten zuschrieben.

Die erste Komponente war im Grunde also eine kleinere Variante jenes Vorführmodells aus Annettes Kindertagen.

Von ihr führten Kupferdrähte zu der zweiten Komponente, deren Funktion Annette nicht einschätzen konnte. Sie bestand aus einem gläsernen Zylinder mit einem Sockel und einem Deckel aus Keramik. Am Glaskörper waren zwei ringförmige Klammerhalterungen jeweils nahe der beiden isolierten Zylinderenden angeschraubt. Befestigt daran befanden sich wiederum zwei vertikal schwenkbare Zinkstifte, deren Spitzen in einer kugeligen Verdickung endeten. Die Glasröhre selbst war trüb, dennoch konnte Annette filigran gefaltetes Papier und Metallscheibchen ausmachen, die im Röhrenkörper abwechslungsweise geschichtet waren.

Die dritte Komponente besaß etwas Unheimliches: ein Metallquader, von der Basis bis zum Scheitelpunkt etwa die Höhe einer Weinflasche besitzend, mit Kupferdrähten, die man zu mehreren dickeren Kabeln gezwirbelt und am Quader angelötet hatte. Auf dem quadratischen Grundbrett war er so angebracht, dass die schwenkbaren Stifte des Glaszylinders nebenan seine Hülle touchieren würden, wenn man diese entsprechend in Position bewegte.

Die Kupferkabel waren stellenweise mit dicht umwickelter Hanfschnur isoliert. Besondere Aufmerksamkeit zogen die abgefeilten Spitzen der Kabel auf sich, hinter denen Haken aus einzelnen gebogenen Kupferdrähten eingearbeitet worden waren. Annette erkannte nach kurzem Nachdenken, dass man diese Enden in irgendetwas Passendes und Flexibles – *Lederbänder!* – einfädeln konnte. Damit würde man wiederum die Drähte irgendwo … an irgendjemandem befestigen können.

Sie verdrängte die Bilder in ihrem Kopf, kaum waren sie entstanden.

Annette wusste nur eines: dass sie hier am falschen Ort war. Dass sie nicht hierhergehörte. Dass dieser Ort und diese Gegebenheiten Dinge waren, die sie nicht in ihrem Leben haben wollte.

Emil … wie kannst du mir das antun? Es ist deine Idee gewesen!

Sie war siebzehn, hatte Angst wie noch nie – und spürte zum ersten Mal in ihrem Leben Hass. Nicht einmal die Royalisten und alle Gegner Napoleons, niemand überhaupt hatte es jemals vermocht, ein solch zerfressendes Gefühl in ihr hervorrufen zu können.

8

Wie kannst du mir das antun? Es ist deine Idee gewesen!

Der Gedanke spukte seit drei Wochen in ihrem Kopf wie ein entfesselter Poltergeist.

Sie hatte häufig Kopfschmerzen, die sie verheimlichte, obschon sie im Spital an entsprechende Pastillen oder Kräuter gekommen wäre. Außerdem war sie extrem launisch, erbrach sich periodisch, als vertrage sie keine Nahrung – oder die ganze Situation – und kämpfte gegen regelmäßig zurückkehrende Magenkrämpfe.

Und wieder einmal ist es so weit, halb Rheinfelden wird sich die Hälse verrenken. Soll ich ihnen zuwinken?

Sie hatte sich ein grasgrünes geschnürtes Rockkleid aus leichtem Garn angezogen und eine schlichte weiße Haube aufgesetzt. Durch das geöffnete Fenster klang der morgendliche Straßenlärm.

Der Juni hatte zwar wieder eine kurze Schlechtwetterperiode gebracht, die bei einigen eine erneute Rückkehr der Kälte befürchten ließ, aber nun dauerte der warme Sonnenschein schon über zwei Wochen an. Die Leute verstrahlten mehr Zuversicht, der letzte Hungerstote war bereits eine Weile her, die Stände und Krämerbuden boten größere Lebensmittelsortimente zu günstigeren Preisen an.

Während die restliche Bevölkerung offenbar aufblühte, weil ihre Gebete endlich erhört worden waren, hielt sich Annettes Furcht hartnäckig. Es kam ihr vor, als sie sei die Einzige, die nun noch von Sorgen geplagt würde. Sie bekam jedes Mal Herzrasen, wenn sie die Wohnung verließ, weil sie sich im Visier der ganzen Welt wähnte.

In diesem Moment piekte sie die Blechklinge, wie zur Ermahnung.

Sie hatte dieses unselige Ding zwischen Rockstoff und Unterrock mit einem langen Baststück an den Oberschenkel gebunden. Fast unerträglich, aber heute musste sie dieses Corpus Delicti ein für alle Mal verschwinden lassen.

Sie wollte es weiter oben am Rheinverlauf versuchen, bevor sie dann zum *Schiffacker* weiterziehen würde. Es war nicht der erste Versuch, das Blech loszuwerden, beileibe nicht, auch wenn sie das Vorhaben immer wieder verschleppt hatte. Sie taugte wenig zu einer Komplizin.

An Paul Gass' Todestag, als das Blech noch feuchte Blutspuren aufgewiesen hatte, hatte sie es im Reflex in das Unterholz unmittelbar neben dem Hof geworfen und war kopflos fortgeeilt, wie ein närrischer Sträfling auf der Flucht.

Eine Minute der Besonnenheit später kämpfte sie sich jedoch zurück durchs Dickicht, sich selbst für ihren einfältigen Impuls scheltend, fing sich blutige Striemen durch dornige Sträucher ein, fand die Klinge auf einem Bett von vermoderten Herbstblättern und nahm sie wieder an sich.

Mit erheblichem Kraftaufwand, indem sie das Blech über die Kante eines Baumstrunks legte und mit ihrem ganzen Gewicht gegen die Krümmung drückte, bog sie die Klauenform wieder einigermaßen gerade, damit sie es wieder unter der Kleidung schmuggeln konnte.

Und sie hatte das Blech wirklich so schnell wie möglich im Rhein versenken wollen. Wirklich! Aber es schien, als hocke ein Kobold auf ihren Schultern und spiele seine überraschenden Streiche.

In den ersten Tagen nach Gass' Tod hatte sie Schumppelin in die Pflicht genommen.

Da ein paar Begüterte der Stadt, die gleichzeitig Mäzene des Spitals waren, von Fieberschüben heimgesucht wurden, belagerten deren Angehörige Martha und die Schwestern weitaus energischer als normal – Sonderwünsche hier, Sonderbehandlung da, Extrawürste dort.

Spitalmeister Schumppelin flehte Annette daher inständig an, dem Spital ein paar Gefallen zu tun, insbesondere die Erledigung von alltäglichen organisatorischen Dingen, die sonst die

Schwestern verantworteten.

Annette konnte schlecht ablehnen, also ging sie mit Klara Wäsche waschen und einkaufen, half mehrere Tage bei der Korrespondenz und in der Verwaltung.

Erst danach kam sie dazu, das Rheinbord nach einem diskreten Ort abzusuchen. Doch auch das gestaltete sich schwieriger als angenommen. Der Uferquai auf dem Stadtgebiet schloss meist bündig mit den Wänden der angrenzenden Stadthäusern ab und bot dadurch keinen Zugang zum Wasser. Die wenigen freien Flächen, die tatsächlich bis zum Rhein reichten, gehörten zudem fast alle zu umschlossenen Innenhöfen in Privatbesitz.

Vereinzelte, winzige Rheinbord-Plätzchen für den gemeinen Bürger wurden tagsüber immer von Passanten zum Flanieren oder von Kindern zum Spielen genutzt. Annette hatte sie ein paarmal vergeblich aufgesucht und war dadurch entmutigt.

Schließlich fiel ihr nur noch eine geeignete Stelle ein: beim Messerturm am nordöstlichen Zipfel der Stadt, der etwas aufwändiger zu erreichen war.

Annette musste dafür der äußeren Seite der Stadtmauer bis zu einem schmalen Durchbruch folgen, weil ein direkter Zugang von der Kupfergasse zum Turm durch ein umfriedetes Grundstück versperrt war. Dieses Anwesen gehörte niemand Geringerem als Franz Joseph Dietschy, einem der mächtigsten Männer Rheinfeldens und gegenwärtiger Aargauer Großrat, wie jedes Kind in der Stadt wusste. Auf oder neben seinem Grundstück bei verdächtigen Handlungen erwischt zu werden, wäre der sicherste Weg gewesen, den ganzen städtischen Justizapparat gegen sich aufzubringen.

Dementsprechend nervös fühlte sich Annette, als sie durch den Durchgang in der Mauer kraxelte, der wie andere wegen des Bedarfs an Platz und Bruchstein entstanden war. Sie betete um desinteressierte Wachen, um Publikumsarmut am Rheinbord und ein Gefühl der Erleichterung, wenn sie dieses Blechstück endlich los sein würde.

Sie sah den Messerturm zu ihrer Rechten, sich aber zu ihrem

Leidwesen auch einem einsamen Pärchen gegenüber, das Hand in Hand über den Wiesenstreifen zwischen Quai und Dietschys Grundstücksmauer schlenderte.

Annette kreuzte sie, sah flüchtig hin und grüßte. Die Frau grüßte höflich zurück, der Mann hielt an und meinte grinsend: »Frau Doktor Schäfer, erinnert Euren Gatten daran, dass er immer noch ein vertrauliches Gespräch zu führen hat.«

Annette sah Crispin zum ersten Mal in Zivil, deshalb erkannte sie ihn erst auf den zweiten Blick.

Wenigstens ist er in Gegenwart seiner Frau nüchtern, dachte Annette, noch bevor sie realisierte, dass sie die Blechklinge heute wieder nicht loswerden würde. Sie lächelte säuerlich.

Crispin erzählte derweil süffisant: »Kennt Ihr den Messerturm schon? An den Innenwänden sind Klingen angebracht. Wusstet Ihr, dass wir im Mittelalter unsere Schuldigen von einer Plattform aus heruntergeschubst haben und die dann in schönen Scheiben direkt im Rhein landeten?«

Während Crispins Frau ihren Gatten für seine Geschmacklosigkeit tadelte, was der mit ungerührtem Grinsen über sich ergehen ließ, entfernte sich Annette nach einer gemurmelten Äußerung, an die sie sich eine Minute später nicht mehr erinnerte.

Die Klinge unter ihrem Rock piekte sie dabei spöttisch in den Oberschenkel.

Es war wie verhext gewesen.

Annette überkam manchmal der Gedanke, Gott wolle nicht, dass sie die Klinge loswerde, wenn er stets ein unüberwindliches Hindernis für sie bereitstellte.

Vielleicht will der Herr mich an unsere Sünden schmieden? Vielleicht zürnt er mir die Konvertierung?

Sie hatte vorerst resigniert, denn jeder der vergeblichen Versuche zehrte auf mysteriöse Art an ihren Kräften, an ihren Nerven, an ihrer Entschlossenheit. Sie entschied, die Klinge zwischenzulagern – und schob sie unter die Matratze des ehelichen Bettes.

Ich bin ein schlechtes Eheweib. Heute, so hatte sie nach dem

Aufwachen entschieden, *heute muss ich sie endgültig loswerden …*

Sie massierte sich die Stirn. Es brummte dahinter wie in einem Bienennest. Sie fühlte sich trotz des verzehrten Frühstücks schwach auf den Beinen, erhob sich vorsichtig vom Esstisch, nahm ihren gepackten Büffelledertasche mit einer Wasserflasche, Verbandsmaterial, Speck und Gerste. Wieder einmal.

Wie kann er mir das nur antun?

An jenem verhängnisvollen Spätnachmittag drei Wochen zuvor war Emil zu ihr in den Keller zurückgekehrt, nachdem er Gass' Leiche samt Spaten irgendwo hingeschleppt hatte, und ordnete an, dass sie in die Stadt gehen und ein Schreiben für de Muespach aufsetzen solle. Darin müsse sie die problematischen Ereignisse kurz schildern – er wisse über Emils Pläne Bescheid, sie müsse also nicht alles von Grund auf erklären – und ihn ersuchen, einen Totenschein für den verstorbenen Paul Gass zu besorgen, der einen Unfalltod ausweisen solle. Den solle de Muespach so schnell wie möglich mit einem vertrauenswürdigen Kurier nach Rheinfelden senden lassen.

Emil kritzelte einige aus den Fingern gesogene Details auf ein Stück Papier, die den vorgeblichen Unfallhergang und die Art von Gass' Verletzungen vorschrieben, damit der Inhalt des Totenscheins zu Emils Geschichte passen würde.

Dann nahm er Annette am Arm. Er zog sie näher, nicht grob, aber unerbittlich, bis sich ihre Gesichter fast berührten. »Du, meine Liebste, wirst Gass' Platz einnehmen. Du wirst so oft wie nötig nach dem Rechten sehen, bis Franz geheilt oder in der Hölle gelandet ist. Du wirst mir assistieren, verstanden? Du wirst hierherkommen, wenn ich danach verlange. Und jetzt geh und verfasse diesen Brief!«

Annette hängte sich die Büffelledertasche um; die Blechklingenspitze reizte dabei ihren Oberschenkel, und ihr Bauch schmerzte.

»Ich hätte meine Anstellung sorgfältiger auswählen sollen«, sagte sie leise und lachte dann heiser.

Tränen traten ihr in die Augen, die sie flüchtig abwischte. Dann wurde ihr unvermittelt schwindelig.

Panisch hielt sie sich an der Tischkante fest, gegen die Übelkeit ankämpfend. Sie schloss die Augen, widerstand mühevoll dem Drang, auf die Bodenbohlen zu erbrechen. Nach ein paar Augenblicken ging es wieder. Sie schlurfte auf Gummibeinen zu der Appartementtür.

Deine Assistentin kommt, geliebter Emil, dachte sie säuerlich. *Vielleicht wird sie sogar von ein paar netten Polizisten zum Schiffacker getragen, wenn sie unterwegs zusammenbricht.*

Natürlich hatte sie den Brief an Fernand de Muespach geschrieben. Natürlich hatte sie die Gelegenheit auch genutzt, um dem Schreiben noch einige persönliche Passagen beizufügen.

Sie benutzte deutliche Worte, zweifelte, ob sich das geziemte, verwarf diese Bedenken aber, als sich ihre Ängste meldeten. Ihre zahlreichen Ängste.

Sie schilderte de Muespach, wie sie sich von allen Seiten eingekreist fühle; sie hoffe, dass er Emil von seinem wahnwitzigen Vorhaben abbringen könne. Sie sehe große Gefahren für ihre Familien auf sich zukommen. Emil würde seine Karriere keineswegs neu lancieren, sondern endgültig zerstören. Sie hoffe, Fernand würde in Bälde nochmals die Möglichkeit finden, nach Rheinfelden zu reisen, um Worte der Vernunft mit ihrem Gatten zu wechseln, Annette selber finde kein Gehör mehr. Sie habe resigniert feststellen müssen, dass Emil nicht nur den hippokratischen Eid breche, sondern auch die guten Sitten mit kaltblütiger Unverfrorenheit und grimmiger Entschlossenheit vergesse.

Ich bin ein verräterisches Miststück, dachte sie, als sie den Brief noch am selben Abend einem Kurierschiffer übergab, der nach Basel fuhr.

Emil kam am späten Nachmittag des darauffolgenden Tages in

die Stadt zurück. Insgesamt entsprach die Dauer seiner Abwesenheit durchaus der realen Zeit, die eine Reise in den Ostaargau und zurück gekostet hätte.

Annette konnte ihrem Mann sofort ansehen, dass er die halbe Nacht mit der Buddelei verbracht hatte. Seine Kleidung war dreckig, seine Redingote wies einen länglichen Riss auf, und an seinen Stiefeln klebten Dreckklumpen. Seine Fingernägel waren so schmutzig wie die eines Bauern.

Er wirkte ausgelaugt und teilnahmslos, wie sie ihn noch nie gesehen hatte. Ein Unwissender musste wirklich glauben, dass er die Reise von Königsfelden hierher am Stück gefahren war.

Seine Rückkehr wurde schnell bekannt.

Annette bekam sie auf dem Bett liegend mit; sie atmete tief und langsam. Ihr war auf einmal blümerant geworden, deswegen hatte sie, trotz der strengen Gerüche aus der Geißgasse, das Fenster der Kammer offen stehen. Auf ihrer Brust hob und senkte sich ein Brief ihrer jüngeren Schwester.

Deren Zeilen waren unheilvoll; sie beschrieb empört die Auflösung ihrer Verlobung mit einem Zürcher Kaufmannssohn, weil die Aargauer Justiz und der Brugger Schultheiß eine Untersuchung gegen die Tuchmanufaktur Lutz eingeleitet hatten – irgendetwas wegen »Vorfällen« während der Zeit der »französischen Besatzung«.

Die Schwester, die sich genau wie Annette nie für das Familiengeschäft interessiert hatte, jammerte vor allem über die verpasste Chance, in das große Zürich umzuziehen, und über ihre geplatzten Träume mit ihrem Kaufmannssohn, der »so schöne braune Augen« habe.

Zu Annettes Leidwesen beschränkte sich die schwesterliche Schilderung der Bedrohung, die über der Familie schwebte, auf ganze zwei Zeilen. *Sie ist fünfzehn und naiv,* dachte Annette mit einem säuerlichen Geschmack in der Mundhöhle.

Sie raffte sich gerade vom Bett auf, um ein Antwortschreiben zu kritzeln – und bei dieser Gelegenheit die Mutter in einem zweiten Brief um mehr Informationen zu bitten –, als von draußen das Getrampel von Pferdehufen, das Quietschen der Wagenachsen und der *Steckli*-Sepp zu hören war, der laut verkündete: »Doktor Schäfer ist wieder da! Der Herr Doktor ist zurück!«

Annette verstaute den Brief in der kleinen Kommode neben dem Bett und eilte zum Fenster.

Emil holperte auf seinem Gespann in die Geißgasse und bremste soeben vor dem Durchgangstor in den Spitalinnenhof ab. Eine ganze Traube dünner Kinder rannte hinter der klobigen Kutsche mit ihren vergitterten Fenstern her. Die Erwachsenen blieben stehen und sahen zu, offenbar froh um eine Abwechslung.

Annette beugte sich so weit wie möglich über das Fensterbrett und warf forschende Blicke auf die Menge, die vor dem Spitaltor kleben blieb. Sie erkannte Gesichter unter den Marktfrauen, Mägden und Handwerkern – und die nussbraunen Lockenschöpfe von Therese und Emma.

Just in diesem Moment hörte sie *Steckli*-Sepp mit aufgeräumtem Tonfall jene Frage stellen, die sie nicht hören wollte: »Herr Doktor, wo habt Ihr den Gass? Ihr habt den doch hoffentlich irgendwo ausgesetzt, diesen Dummkopf?«

Energisch schloss Annette die Fensterflügel, sodass diese in der Rahmenfassung zitterten.

Ihre Nerven sangen die *Marseillaise,* als sie Emils schwere Schritte auf der knarzenden Treppe vernahm. Die Begrüßung war knapp und lieblos. Emil war zu ausgepumpt für lange Reden. Das Einzige, was er zu ihr sagte: »Mach mir eine Mahlzeit! Ich geh mich waschen.«

Keine halbe Stunde später, die Salzkartoffeln lagen dampfend auf einem Teller neben dem letzten Zipfel Kalbswurst und Emil schaufelte alles hungrig in sich hinein, klopfte es eindringlich an der Mansardentür.

Emil fluchte leise und stopfte sich rasch noch eine halbe Kartoffel in den Mund. Dann bedeutete er Annette, ihm zur Tür zu folgen.

Draußen standen Spitalmeister Schumppelin, der Großratsvorsitzende Brutschin und Schwester Martha, die am Treppenansatz stehen geblieben war. Ihr Gesicht sah sorgenvoll aus. Annette betrachtete sie lange, die Schwester erwiderte ihren Blick – und ahnte wohl schon das Unheil, das sie gleich hören würde, denn ihre Augen begannen zu schwimmen.

Der Spitalmeister verströmte trotz Parfüm seine unangenehme Duftnote nach der säuerlichen Vergänglichkeit eines alten Mannes. Brutschin in seiner Samt-Redingote hingegen … *Der riecht nach Ärger,* dachte Annette, die sich unwillkürlich hinter Emils Rücken zurückzog.

»Verzeiht die Störung, Doktor Schäfer, besonders kurz nach einer so beschwerlichen Reise«, begrüßte Schumppelin sie. »Ich hoffe, der Bözberg ist passierbarer gewesen als auch schon.«

Emil nickte den Herren zu, grüßte zurück und reichte seine Hand, die Schumppelin annahm. Brutschin lächelte formell, während er Emils Hand schüttelte.

Jetzt, da sie ihm zum ersten Mal so nahe stand, fiel Annette die ledrige Haut des schmächtigen Großrats auf. Er sah aus wie eine Schlange in Aristokratenkleidung.

Schumppelin fuhr fort: »Nun, wir sind alle froh, dass Ihr wieder wohlbehalten aus Königsfelden heimgekehrt seid. Habt Ihr Franz Brogli wie erwünscht überstellen können?«

Emil bejahte die Frage ohne Zögern und schilderte in wenigen Sätzen die »Überweisung« an den Doktor von Plotz. Dann herrschte einige Sekunden lang peinliche Stille.

Annette hielt den Kopf gesenkt, sie lauschte den Atemgeräuschen der anderen, fühlte einen stechenden Druck im Magen und betete, dass sie niemandem auf die Schuhe speien würde.

»Nun«, hörte sie Schumppelin zögernd weiterreden, »wir haben irritierende Neuigkeiten von der Spitalbelegschaft gehört, und müssen es ja auch selbst feststellen … Paul Gass, wo ist er?«

Annette sah scheu auf, um Emils Reaktion mitzubekommen, stattdessen bemerkte sie die Neugier, die hinter Brutschins unbeweglichem Schlangengesicht loderte.

Emil nickte mit einer betrübten Miene, die ihm täuschend

echt glückte. Statt der Erklärung fragte er jedoch zu Annettes Überraschung: »Darf ich zuerst den Grund Eurer Anwesenheit wissen, ehrenwerter Großrat Brutschin?«

»Ich bin im Auftrag des Rats und auf Bitten meines Freundes Gustav Rudolf Schumppelin hier, Herr Doktor«, antwortete Brutschin unverbindlich. »Er braucht sich keine Sorgen zu machen, das versichere ich Ihm.«

Emil räusperte sich. Dann begann er zu erzählen: »Paul Gass, und es tut mir insbesondere für unsere geschätzte Schwester Martha leid, deren mütterliches Verhältnis zu ihm bekannt gewesen ist, kam durch einen schrecklichen Unfall ums Leben, dessen Rapportierung ich am liebsten weglassen würde.«

»Nun«, protestierte Schumppelin, »das wäre unangebracht. Wir würden gerne alles wissen!«

»Verständlich, Herr Direktor. Wir holperten auf dem Weg nach Königsfelden über eine schwer passierbare Strecke … Kennt Ihr die derzeitigen Wegverhältnisse zwischen Remigen und der Passhöhe auf dem Bözberg – vielleicht von Berichten?«

Schumppelin schüttelte erwartungsgemäß den Kopf, Brutschin sagte knapp: »Nein.«

»Ein Stück der Bergstraße war weggebrochen, wir mussten mit der Kutsche vorsichtig um diese Bruchstelle herummanövrieren. Während Paul die Pferde im Zaum hielt, war ich abgestiegen, um den genauen Abstand im Auge zu behalten und Paul anzuweisen. Dazu kam noch das Verhalten unseres Patienten, der sich am Rande einer Hysterie bewegte. Leider wurde ich von Franz Brogli von meiner Aufgabe abgelenkt, als der einen Schreikrampf bekam. Da rutschte das rechte Hinterrad über die Kante der Bruchstelle, die Kutsche neigte sich, und Paul Gass stürzte vom Bock hinab, genau durch das Stück fehlende Straße den Steilhang hinunter. Es war … schrecklich!«

Er lügt nicht schlecht, erkannte Annette in Gedanken an.

»Ich hörte den Schrei, hoffte, dass die Kutsche nicht umkippte, dann, dass Gass unverletzt geblieben war. Aber auf mein Zurufen hin bekam ich keine Antwort. Hastig überprüfte ich die

Ketten, mit denen die Kutschentüre verschlossen war …«

»Er verstarb also durch den Sturz?«, unterbrach ihn Brutschin.

Martha am unteren Ende der Treppe schluchzte leise.

Emil nickte mit ernster Miene. »Paul Gass verlor sein Leben durch den Strunk eines jungen Baumes … vermutlich durch den Erdrutsch abgeknickt, spitz wie ein Spieß … durchbohrte die Brust von Paul Gass und tötete ihn auf der Stelle.« Zu Annette und Martha gewandt, betonte er: »Verzeiht mir, meine Damen, für diese unappetitliche Schilderung.«

»Wüste Geschichte. Erzähle Er weiter!«, ermutigte Brutschin ihn.

»Zufällig befand sich in der Nähe ein Hilfsförster, wie Gass einer war, der durch den Tumult angelockt wurde, und zusammen vermochten wir ihn vom Baum zu lösen.«

»Was für ein Baum war es?«, fragte Brutschin unvermittelt.

Emil stockte und holte Luft. Dann antwortete er: »Ich bin kein Kenner der Hölzer, aber irgendeine Tanne oder Fichte müsste es gewesen sein. Ich bitte also um Nachsicht, ich verlor in dem Moment keinen Gedanken daran. Nun denn, wir brachten Pauls Leiche zur Kutsche und verluden sie. In Königsfelden vollzog Doktor von Plotz die offizielle Bestandsaufnahme für die Behörden, danach wurde Paul Gass auf dem örtlichen Friedhof beigesetzt.«

»Ich kenne diesen Doktor von Plotz nicht persönlich, aber ein Arzt für moralisch Erschütterte protokolliert auch Totenscheine?«, wunderte sich Schumppelin.

Emil zuckte nur die Schultern. »Er ist aus München, da werden wohl andere Gepflogenheiten herrschen. Er hatte jedenfalls keine Einwände, als wir ihm – also der Hilfsförster und ich – den Toten gebracht haben.«

»Ein Ausländer und – so mutmaße ich – Katholik ist Vertrauensarzt in Brugg? Ein bemerkenswerter Mann muss er sein«, entgegnete Brutschin in einem Ton, der sowohl achtungsvoll als auch ironisch aufgefasst werden konnte. »Nun denn, dann erwarten wir die offiziellen Dokumente mit Spannung. Doktor Schäfer soll seine Aussage schriftlich protokollieren, da die Überführung Broglis im Auftrag des Rats vollzogen worden ist. Seine Reputation ist ebenso berührt wie die unsere. Bis die Vorgänge von Amts wegen bestätigt werden, wird das Spital die vereinbarte Kostenrückerstattung des Doktors sistieren. Guten Tag, der Herr. Gnädigste, meine Empfehlung!«

»Verehrter Herr Großrat, meine Ausgaben waren beträchtlich«, protestierte Emil entrüstet.

»Unsere Vereinbarung hat eine erfolgreiche Überführung ohne Zwischenfälle vorausgesetzt«, unterbrach Brutschin ihn entschieden. »Dies wurde nicht vollbracht. Er hat zudem seine Pflicht versäumt, solcherlei Ereignisse so unverzüglich wie möglich zu melden. Meines Wissens hat Direktor Schumppelin keine Eilnote von Ihm aus Königsfelden erhalten. Er möge sich also an der eigenen Nase nehmen und uns die gewünschten Papiere so bald wie möglich nachreichen. Und im Übrigen hoffe ich, dass Paul Gass eine katholische Abdankung hatte. Wenn Er mich nun entschuldigen würde …«

Annette schlich die Holztreppe hinab, die der Großrat vor einigen Tagen mit einem angedeuteten Abschiedsnicken heruntergerauscht war. Die Stufen knarrten, das erinnerte sie daran, wie Schumppelin und Martha dem Patrizier gefolgt waren.
Der Spitalmeister hatte eine Miene des Bedauerns getragen, mehr als ein Schulterzucken aber hatte er nicht zustande gebracht.

Martha hingegen schlich mit brennendem Eis in den Augen davon. Die Züge der alten Spitalschwester klagten sie mit jeder Hautschuppe an.

Als Annette am nächsten Tag mit Klara zum Markt gehen wollte und mit pochendem Herzen vor Marthas Arbeitstisch auftauchte, ließ ihr Martha lapidar ausrichten, dass sie zu beschäftigt wäre, um mitzukommen.

Seitdem hatte die alte Krankenschwester kein Wort mehr mit ihr gewechselt und ging bevorzugt in eine andere Richtung, wenn sie Annette näher kommen sah. Annette seufzte betrübt.

Die alten Buchenbohlen der mittleren Etage ächzten unter ihren Füßen. Es roch nach Kohl und nach den Kochfeuern, die von den Haushälterinnen oder Ehefrauen angefeuert worden waren.

Richtig unangenehm wurden die Gerüche immer erst eine Etage tiefer.

Annette schnaufte flach wie bei einem Latrinengang. Es stank nach Kampfer, Schweiß, alten Verbänden und Krankheit. Annettes Magen krampfte sich zusammen.

Nicht an den Hofkeller denken!

Sie umklammerte den Taschenriemen fester. Die bauchige Tasche klopfte bei jedem Schritt gegen ihr Becken.

Im Krankensaal des Spitals herrschte an diesem frühen Morgen eine bemerkenswerte Geschäftigkeit. Der Raum war vom Geraschel des Strohs, von Husten und keuchenden Atemzügen erfüllt, nur von den kurzen Anweisungen der Ärzte an die Schwestern und deren leises Plappern untereinander übertönt.

Die Schwestern wechselten Umschläge, wuschen Verbände, zerstampften getrocknete Kräuter, kühlten die Fiebrigen. Ein Knecht und zwei Küchenburschen trugen gekochten Gerstenbrei in hölzernen Näpfen zu den Krankenbetten.

Einer von den Kranken, ein angesehener Kaufmann der Stadt, bei dem die Schwindsucht ausgebrochen war und dessen Körper vor Fieber glühte, wälzte sich und kreischte immer wieder wie ein Kind, das sich auf ein Nadelkissen gesetzt hatte. Damit beschäftigte er gleich drei Schwestern und einen jungen Arzt, der ihn vergeblich mit etwas fettigem Fleisch füttern wollte.

Annette zupfte sich den Haubensaum tiefer ins Gesicht, kam sich danach zwar lächerlich vor, aber die Spitalangestellten taten ihr den Gefallen, sie zu ignorieren.

Vermutlich waren einige von ihnen auch die ganze Nacht beschäftigt, dachte sie. *Wir wissen, wie das ist.*

Dieser ironische Gedanke verstärkte sich, als sie den Operationstrakt und dessen Kammern erreichte – mit den zahlreichen

Kerzen, den Pritschen, den makabren Schneidwerkzeugen der Chirurgen und einer dicken Schicht Sägemehl am Boden, die das Blut aufsaugte. Emil, der ihr die Kammern in den ersten Tagen seiner Anstellung gezeigt hatte, hätte hier eigentlich schon wieder seine Schicht angetreten sollen. Sie konnte sich seine große, müde, aber diszipliniert arbeitende Gestalt genau vorstellen. In ihrer Fantasie hatte er enorme Augenringe über seinem Bart und schnitt gerade mit einer Knochensäge an einem Patienten herum. Oder öffnete Eiterbeulen mit einer kleinen Klinge.

Als sie jedoch feststellte, dass alle Kammern offen und keine Menschenseele zu sehen war, schwante ihr Unheilvolles. Sie beschleunigte ihre Schritte.

Sie machte sich trotz ihres Grimms auch Sorgen um ihren Mann, um dessen Kondition und dessen Verstand. Emil schien seit seiner »Rückkehr« in einem Zustand langsamen Verfalls gefangen zu sein. Das Doppelleben und die zunehmenden finanziellen Schwierigkeiten kosteten ihn viel Kraft.

Er arbeitete in der Regel sechs Tage die Woche, stand um halb sechs Uhr morgens auf, eine halbe Stunde später stand er bereits unten in den Krankenräumen.

Normalerweise machte er gegen halb fünf Uhr abends Dienstschluss und stahl sich dann aus dem Spital fort, nicht immer zur Freude seiner Kollegen, die wegen ihm manchmal Zusatzschichten einlegen mussten. Er schätzte vor, er gehe auf einen Schoppen in den *Salmen* oder plane und organisiere abends den Neubau auf seinem Grundstück.

Nach Hause kam er nur noch selten, denn die Nacht gehörte bis zur Geisterstunde der Arbeit an Franz Brogli.

Annette fragte sich immer, was die Leute dachten, wenn er wieder und wieder durch das Kupferturmtor nach draußen ging, und das kurz bevor die Tore schlossen.

Die beiden entlang der Ostmauer patrouillierenden Nachtwächter waren oft dieselben und schienen momentan kein Problem zu sein. Annette kannte ihre Namen nicht, aber es waren zwei Kerle von derbem Aussehen, ein kurzer dünner und ein hässlicher kräftiger mit einem Buckel. Emil bezahlte sie sicherlich unter der Hand, damit sie keinen Wind machten, wenn er durch eine Bruchstelle in der Mauer wieder in die Stadt zurückkam – sofern er nicht gerade im Keller übernachtete und am nächsten Morgen direkt zur Arbeit ging.

Schon zweimal hatten sich gar ihre Wege gekreuzt, als sie früh am Tag zu diesem unseligen Hof wanderte, um ihre Schicht bei Franz Brogli anzutreten. Sie hatte mit ihm geschimpft, aber er ging nicht darauf ein.

»Wir brauchen diese Stelle, Mann!«, keifte sie ihm hinterher. »Wir verlieren sie noch. Schumppelin wird dem nicht mehr lange zusehen.«

Ihre Worte waren prophetisch gewesen, denn schon am Nachmittag des nächsten Tages hatte Schumppelin sie abgepasst und ihr geklagt, sie solle doch ihrem Mann mal ins Gewissen reden, er scheine seit jener Reise wie ausgewechselt und erledige seine Visiten nur mit halbem Herzen, leiste sich eine unkonzentrierte Arbeitsweise, vernachlässige die Dienstzeiten. Schumppelin müsse bald ein ernstes Wort mit ihm reden, sofern sich das nicht bessere; eine Kündigung trotz des immer noch unangenehmen Ärztemangels sei durchaus möglich …

Erzähle das nicht mir, du Waschweib, und gib unser Geld endlich frei, hatte sie gedacht, sich aber sofort für diesen impertinenten Gedanken geschämt, trotz ihrer Mattigkeit ein verständnisvolles Gesicht aufgesetzt und versprochen, ihren Mann auf das Problem hinzuweisen.

Nur die sehnlichst erwartete Korrespondenz von de Muespach, in seiner von Emil zugewiesenen Rolle als Doktor von Plotz, die ihr keine Stunde nach Schumppelins Lamento von einem Boten der Aargauer Post überbracht wurde, ließ Annette etwas Hoffnung schöpfen.

Der junge Mann, der eine verschwitzte hellblaue Uniform, in der man ihn leicht für einen Soldaten hätte halten können, und staubige Reiterstiefel mit Sporen trug, hatte ihr einen wachsüberzogenen Umschlag von beachtlicher Dicke überreicht.

Die schützende Schicht klebte in Krumen unter ihren Fingernägeln, als sie den Umschlag aufriss und mehrere Dokumente herauszog: zum Ersten einen »offiziellen« Totenschein für Paul Gass, Geburtsort vermutlich Laufenburg im Fricktal, genaues Geburtsjahr unbekannt, Alter aber um die fünfundzwanzig, Todesursache schwere Torsowunde, beigebracht durch einen Sturz auf einen natürlichen Spieß nach einem Kutschenunfall im Jahre des Herrn 1817. Das Siegel schien echt zu sein … Sie fragte sich, wie de Muespach das bewerkstelligt hatte.

Das wird uns wieder einen Gulden oder mehr gekostet haben.

Weiter lagen zwei persönliche Briefe bei, einer davon an Emil, der andere an sie selbst, was sie mehr freute, als sie sich eingestehen wollte, ferner ein mit Kohlenstift gemaltes Totenporträt von Paul, das ihm sogar glich, und ein handverfasstes, penibel zusammengefaltetes Schreiben auf teurem weißem Papier mit dem aufgedruckten Wappen von Windisch im Kopf, in dem ein angeblicher Beamter des Ortes die Beisetzung des Verstorbenen auf dem protestantischen Gottesacker bezeugte. *Brutschin wird vor Zorn rasen. Was wird dann passieren?,* dachte sie mit einem heftigen Ziehen im Bauch.

Schließlich öffnete sie den an sie gerichteten Brief mit pochendem Herzen.

De Muespachs kleine geschwungene Handschrift spendete ihr Trost. Einen kurzen Moment fühlte sie wieder seinen warmen kräftigen Arm in ihrem eingehakt. Es schauderte sie wohlig … bis sie den Brief, der auf Französisch verfasst war, durchlas.

Zunächst übermittelte de Muespach Lob für Annettes Umsicht und für die Sorge um ihren Gatten, um dann knapp mitzuteilen, dass er Emil zwar im separaten Schreiben auf die Gefahren hinweise, die dessen Handeln nach sich ziehen könnten, aber er wisse von Emils Sturheit und seinem tief verwurzelten Hang zur Rechthaberei.

Er sprach ihr lediglich Mut und Kraft zu, diese Zeiten zu überstehen, die so zahlreich an Sorgen und Widrigkeiten seien. Zu seinem Bedauern schlügen auch gefährliche Wogen an seine eigene Haustür, was ein persönliches Eingreifen verhindere.

Dann kam sie zum letzten Abschnitt. Fernand schrieb über Pjotr.

Aus seinen Diensten in der »Bürokratie« des Kaisers sowie Tätigkeiten neueren Datums kenne de Muespach einige fähige Leute, die ihm Kontakte in Russland vermitteln konnten. Er warte zwar noch auf einen detaillierten Bericht, dafür sei die Zeit leider zu knapp gewesen, aber seine Freunde hätten mit großer Neugier und überraschender Nachdrücklichkeit auf seine Schilderungen reagiert, als hätten sie auf eine solche Meldung gehofft. Die Beschreibung von diesem Pjotr habe also ein erwähnenswertes Echo ausgelöst, und de Muespach vermutete daher in seiner letzten Zeile, dass dieser Russe in Tätigkeiten verstrickt gewesen sein könnte, die de Muespach nicht unbekannt seien.

Annette fühlte sich nach diesem Abschnitt, als läge sie unter einer brüchigen Felsnase gefesselt, die sich jeden Moment vom Berg lösen könnte.

Der Russe war ihr seit der Begegnung in der Rindergasse nicht mehr über den Weg gelaufen, das hatte ihr irgendwie geholfen, seine ganze Existenz aus ihrem Bewusstsein zu verdrängen. Und sie bekam Gänsehaut, als sie realisierte, dass sie Emil nie etwas von Pjotrs Gesprächsaufforderung berichtet hatte.

Annette betrat den Spitalinnenhof, presste die Ledertasche an den Körper und musste zu ihrem Verdruss feststellen, dass große Geschäftigkeit herrschte.

Neben dem Tor zur Geißgasse befanden sich die Vorratsschuppen des Spitals. Dort standen mehrere Karren nebeneinander, mit frischem Stroh, Mehl, Schlachtfleisch und auf Holzstangen aufgerolltem Leinen auf den Ladeflächen, die von ein paar Fuhrmännern entladen wurden. Eine der Schwestern, die wegen ihrer klobigen Brille als »Schwester Eule« geneckt wurde, kontrollierte den Bestandseingang und kommandierte mit der Stimme eines Feldwebels.

Steckli-Sepp stand neben ihr, mit den Zähnen ein Stück Rinde von seinem Süßholz reißend, dann wegspuckend. Er steckte es zwischen die Lippen zurück, lutschte an den gelben Zweigfasern und rollte währenddessen seine Peitsche übertrieben sorgfältig auf. Er wurde von Annettes Anblick abgelenkt und musterte sie neugierig, ohne das Holz aus dem Mund zu nehmen, dann lächelte er ihr zu wie ein Mitverschwörer.

Rasch verließ Annette den Innenhof.

Sie bog in die Kupfergasse ab; einige Meter vor ihr wartete das Tor, unter einem weiß getünchten Turm mit ziegelroten Eckquadern hindurch gebaut. Das war stets der Moment, in dem sie anfing, wirklich nervös zu werden.

Die altehrwürdigen Häuserfassaden auf beiden Seiten schienen näher zu rücken. Ein Luftzug strich durch den Torweg und trug eine Wolke aus Pferde-, Schweiß- und Holzduft mit sich. Karren rumpelten ihr entgegen, kreuzten sie auf der Höhe des alten österreichischen Garnisonsgebäudes mit seinem aufgemalten Habsburger-Doppeladler an der Fassade. Reflexartig drehte sie den Kopf von diesem ungeliebten Wappentier weg.

Der kurze Dünne und der große Bucklige waren offenbar schon abgelöst worden, drei andere Stadtpolizisten hatten am Tor ihre Plätze eingenommen. Einer von ihnen stank derart nach Alkohol, als sei er von einer Zechtour direkt zum Dienst getorkelt. Die beiden anderen trugen Staubtücher, die sie sich über die Nasen gezogen hatten, und die nur die Augenpartie frei hielten.

Annettes Nervosität verstärkte sich, weil sie sich an den Wachposten vor dem Siechenhaus und an Krankheit und Tod erinnert fühlte. Da wandte sich ihr schon einer der Stadtpolizist zu. Dunkelblaue Augen musterten sie beiläufig, ein angenehmer Seifengeruch umgarnte sie, dann hob der Mann die linke Hand, die in einem rissigen Handschuh steckte, und bedeutete ihr, zu warten.

Die andere vermummte Wache inspizierte gerade die Fässer auf einem voll beladenen Karren, der den Torweg blockierte.

Auf dessen Bock hockten ein schmächtiges Männchen ohne Zähne und ein älterer Knabe, beide warteten geduldig.

Der Polizist mit der Alkoholfahne, ein älterer Beamter mit grauschwarzem Haar, das unter dem Tschako hervorquoll, gaffte Annette mit seinen trüben Augen an, tapste dann zum kontrollierenden Vermummten und flüsterte ihm etwas ins Ohr. Der Vermummte nickte, winkte den schmächtigen Kutscher weiter, der sich artig bedankte, dann schob er seinen verzechten Kollegen vor sich und befahl nuschelnd: »Ab jetzt übernimmst du!«

Annette wurde unruhig, als er anschließend auf sie zutrat. Hinter ihm wedelte der Zecher großspurig den nächsten Planwagen durch.

»Frau Doktor Schäfer, guten Morgen!«, grüßte er förmlich.

»Guten Morgen«, antwortete Annette. Sie erkannte die Stimme. Seine hellbraunen Augen, sein dunkelblondes Haar. Die Erkenntnis schlug ein wie eine Kanonenkugel.

Gott hilf! Haben sie uns?

Sie wich unwillkürlich zurück, wurde jedoch durch den Seifengeruch ermahnt, dass sich der dritte, ebenfalls vermummte Polizist hinter ihr postiert hatte.

»Im Namen des Gesetzes fordere ich Euch zum Folgen auf!«, befahl Fritz Crispin vor ihr bestimmt, aber höflich.

Annette schnürte es die Luft ab. Sie räusperte sich, sagte dann: »Darf ich wissen, weshalb?«

Der Polizist hinter ihr legte seine Hand auf ihre Schulter. Annette zuckte zusammen, traute sich aber nicht, auch nur einen Mucks zu machen.

»Das wisst ihr. Mitkommen!«, ordnete Crispin an, dann machte er auf dem Absatz kehrt und ging weg. Annette bekam einen Knuff von hinten und folgte ihm notgedrungen. Sie vermied es dabei, den stehen gebliebenen Passanten und gaffenden Fuhrmännern ins Gesicht zu sehen.

Der weiß gekalkte Turm besaß an seiner Nordflanke eine Holztreppe, die laut knarrte, als sie zu dritt hochstiegen. An deren Ende angekommen, stemmte Crispin die schwere Holztür auf.

In ihrer Vorstellung erwartete Annette eine bereits aufgezogene Guillotine samt Scharfrichter dahinter. Ihr Herz raste, ihre Finger hatten sich um den Riemen der Ledertasche gekrampft, und sie hatte das Gefühl, jeden Augenblick Wasser lassen zu müssen.

Die Guillotine blieb ihr erspart, ansonsten gab das Innere der Wachstube allerdings wenig Anlass zur Beruhigung.

Die Luft stand im Zimmer, trotz eines offenen Fensters und der beachtlichen Raumhöhe; sie roch unangenehm nach billigem Tabak, verbranntem Lampenöl, Waffenfett und altem Papier.

Eine Leiter in der Ostwand führte in das nächsthöhere Turmgeschoss. Es gab zudem zwei weitere Türen, durch die man auf den Wehrgang der Mauer gelangte.

Hinter einem kleinen Schreibtisch mit einigen Dokumenten, einer halb vollen Weinkaraffe, einem Erfassungsbuch für Waren und Zölle und zwei einfachen Holzstühlen thronte Wachtmeister Max Gropp, jener Unteroffizier, der vor über zwei Monaten Franz Brogli von einem Blitzableiter herunterschießen lassen wollte. Er schmauchte an einer Holzpfeife, aus deren Kopf sich dicke Ringe kringelten. Zwischendurch nippte er an einem kleinen Zinnbecher. Sein beachtlicher Bauch spannte sich unter der Uniform. Mit der Hand fuhr er sich über sein Doppelkinn, dann fingerte er an einer Warze auf seiner Wange herum, während er die Neuankömmlinge musterte. Er winkte Annette heran und klopfte die Überreste der Pfeifenmischung an der Tischkante aus.

»Tretet näher, Frau Doktor!«, wies Gropp mit seiner markanten Stimme an.

Annette zögerte. Crispin schloss seine Finger um ihren Oberarm und zog sie zum Stuhl auf der Frontseite des Schreibtischs. Der Polizist war nicht grob, aber unerbittlich, während er lächelnd meinte: »Vorwärts, Püppchen, setzt Euch hin. Keine Mätzchen!«

Der Polizist mit der Staubmaske stellte sich hinter die Stuhllehne, offenbar bereit, bei Renitenz einzugreifen.

»Ganz ruhig, Männer. Ich bin sicher, unserer Frau Doktor ist der Ernst der Lage bewusst«, sagte Gropp.

Crispin drückte Annette auf die Sitzfläche, erwiderte gleichzeitig: »Jawohl, Wachtmeister!«

Der Stuhl war unbequem, die Lehne zwang ihren Rücken zu einer steifen Sitzhaltung. *Das tut diejenige von Franz Broglis Sessel auch,* dachte sie eine Sekunde lang mit einem Schaudern.

Crispin trat zurück, der Wachtmeister blickte über Annettes Schulter hinweg und nickte.

Der vermummte dritte Polizist entriss ihr die Büffelledertasche so rasch und unsensibel, dass der Riemen riss und gegen Annettes Wange peitschte. Sie schrie auf.

»Was tut Ihr hier? Seid Ihr verrückt?«, schluchzte sie.

Der Polizist hinter ihr sagte keinen Piep. Stattdessen warf er die Tasche geschickt dem Wachtmeister zu.

»Sei still, Püppchen! Wir wissen von eurer Umtriebigkeit – von der deinen und der deines verlogenen Gatten«, zischte Crispin.

»Crispin, Ruhe! Das ist ein Befehl!«

»Verzeihung, Herr Wachtmeister. Ich …«

»Denk an unser Vorhaben. Geh, lass die Zeugen rein, wenn ich dir das Zeichen dazu gebe.«

»Jawohl, Herr Wachtmeister.« Crispin drehte sich bei Fuß und ging zu einer der Wehrgangstüren.

»Wovon redet Ihr? Welche Zeugen?«, piepste Annette. *Wer …?*

»Verzeiht das Missgeschick mit dem Riemen«, sagte der Wachtmeister im Plauderton, als er die Lasche der Büffelledertasche aufmachte. Dann breitete er den Inhalt auf der Tischplatte aus. Er knetete die Verbandsrolle, fragte grinsend: »Ihr seid doch nicht etwa verletzt, Frau Doktor?«

Anschließend nahm er den Leinensack mit der Gerste an sich, schnürte ihn auf und ließ eine Handvoll Körner zwischen seinen Fingern durchrinnen. Die Wasserflasche stellte er achtlos zur Seite. Er schnupperte am Speck und pfiff anerkennend, dann nahm er ein kleines Messer aus der Schreibtischschublade, schnippelte eine Kostprobe ab, kaute sie mit einem genüsslichen Schmatzen und spülte sie abschließend mit einem Schluck aus dem Zinnbecher hinunter.

»Was habt Ihr mit diesen Vorräten vor?«, fragte er, als er Wein in den Becher nachschenkte.

Annette schwieg und schwitzte.

Der Wachtmeister betrachtete sie einen Moment mit triumphierendem Blick, dann nickte er zu Crispin hinüber.

Der frohlockte: »Nun, da haben wir wohl das Füchslein auf dem Weg zum Hühnerstall ertappt.« Dann zog er die Tür zum Wehrgang auf, ein windiger Luftzug rauschte herein und ließ die Papiere auf dem Tisch flattern. »Ihr beide könnt jetzt reinkommen!«

Annettes Bauch verkrampfte sich. Ihr Kiefer zitterte. August Has kam unter dem Türsturz durch. Die Gestalt hinter ihm war klein und dürr, eingehüllt in einen Kapuzenmantel. Sie hielt sich in Has' Rücken. Der Zimmermann trug seine Arbeitsschürze und buckelte wie vor einem König. Schweißperlen standen auf seiner quadratischen Stirn.

Gropp nickte zufrieden und nahm einen Schluck Wein. Das Scheppern des Zinnbechers hallte im Raum wider, als er ihn auf den Tisch zurückstellte.

»Vielen Dank für Eure Hilfe, Bürger! Die Verdächtige konnte in Gewahrsam genommen werden«, sagte er mit einem Tonfall, der Annette annehmen ließ, dass er diese Art Bürgerhilfe als selbstverständlich voraussetzte.

»Dann bekomme ich meine Belohnung?«, stammelte Has und vermied es, Annette anzusehen.

»Gewiss. Und Ihr, meine Gute?«

Die dünne Gestalt trat vor.

Oh nein …!, dachte Annette und konnte ein Schluchzen nicht mehr unterdrücken, als sie unter der Kapuze das runzelige und grimmverzerrte Gesicht von Schwester Martha erkannte. Die alte Frau sah ihr direkt in die Augen.

Hinter Annette setzte sich der vermummte Polizist in Bewegung, ging zu Martha, dann zu Has, und ließ Münzen in die offenen Handflächen fallen. Sie klimperten dumpf, wie wenn jemand im Nebenraum mit Ketten rasselte.

Martha drehte sich wortlos weg. Gebeugt ging sie durch die Treppentür und verschwand für immer aus Annettes Leben.

Has bedankte sich überschwänglich und musste von Crispin mit einem Klaps auf die Schulter daran erinnert werden, dass seine Anwesenheit nicht mehr länger erforderlich war.

Als er Martha folgte, huschte abermals ein Luftzug durch den Turm – und etwas raschelte in Annettes Schoss. Mit Tränen in den Augen blickte sie hinunter. Ein Zettel lag da. *Wann …?*

»Mein Freund, auch wir sollten unser Geschäft vorantreiben. Hälfte jetzt, Hälfte danach, nicht?«, hörte sie Crispin.

»Ganz meine Meinung«, bestätigte der Wachtmeister und stand mit einem Ruck auf, sodass die Stuhlbeine markerschütternd über die Bohlen schrammten.

Annette rollte den Zettel auf, während neben ihr wieder Münzen tanzten.

Ein Polizist bezahlt den anderen, dachte sie stumpf und wunderte sich nicht, als sie in krakeliger Schrift und sauberem Deutsch las: *Dein Mann hätte mit mir reden sollen!*

Der vermummte Polizist drehte sich um. Er zog sich das Staubtuch vom Gesicht. Pjotr, der Russe, hatte darunter seine ekligen Lippen zu einem schmalen Strich zusammengepresst.

Er streifte seine Handschuhe mithilfe der Zähne ab, während er zu Annette zurückkam. Er packte sie mit seiner daumenlosen Rechten unter der Achsel und zog sie trotz ihres Widerwillens mühelos hoch.

Das Messingblech unter ihrer Kleidung drückte dabei schmerzhaft in ihr Fleisch.

9

Ein frischer Wind zerrte an ihrer Haube und trieb dichte dunkle Wolken über den Himmel.

Annette fröstelte trotz der milden Temperaturen und umschlang ihren Oberkörper.

Wenigstens haben sie mich nicht angekettet.

Dafür spürte sie permanent Fritz Crispins Hand auf der Schulter, deren Finger auch gerne auf Wanderschaft gingen. Mehr als einmal gelangten sie unter Annettes Rockkragen, tasteten dort über ihre nackte Haut, oder sie krochen »versehentlich« über den Stoff die Wirbelsäule hinab zu ihrem Po.

Die Gruppe aus vier Leuten hatte den *Schiffacker*-Hof erreicht. Aus dem Wald nebenan kamen Knack- und Raschelgeräusche, einige Singvögel musizierten. Die Gebäude wirkten auch nach den wochenlangen Aktivitäten immer noch wie verlassen.

Annette roch das Gewitter in der Luft und die aufgeweichte Erde, die Ledergurte ihrer Bewacher … und ihr eigenes Erbrochenes. Als Kontrast roch sie manchmal den Seifengeruch des Russen.

Seifengeruch als Tarnung, durchzuckte sie der Gedanke, und sie musste wegen der Ironie sogar eine Sekunde schmunzeln.

Pjotr hatte sich wieder das Staubtuch umgebunden, bevor sie alle aus der Wachstube aufgebrochen waren.

Der Wachtmeister Gropp schien es auf einmal eilig zu haben. So verhielt er sich angespannt, als unverhofft ein Ranggenosse mit seinem Trupp in den Kupferturm zurückkehrte, in offenbar redseliger Stimmung, und sich neugierig nach Annette erkundigte.

Gropp täuschte eine sorgenvolle Miene vor und tischte seinem Kameraden eine Geschichte auf, in der Annette Kunde von »zwielichtigen Gestalten« auf dem ehelichen Grundstück erhalten habe, deren Machenschaften es zu untersuchen gelte.

Der andere Wachtmeister nickte ohne Überzeugung, warf einen verschmitzten Blick auf den vermummten Pjotr, ging nicht weiter auf das Thema ein und befahl seinen Männern, ihre Patrouillen auf dem Wehrgang zu machen. Einen Moment später waren sie durch eine der Holztüren verschwunden. Der Wachtmeister salutierte und kletterte die Leiter hoch ins Obergeschoss.

Gropp drängte danach alle so entschieden hinaus wie ein Wirt, der mühsame Zecher zur Polizeistunde loswerden musste. Er selbst übernahm die Spitze, dann folgten Pjotr, Annette und zuletzt Crispin.

Annettes Hände waren zwar nicht gefesselt worden, wohl um die Illusion zu wahren, aber der Wachtmeister hatte ihr auf der Turmtreppe leise eingeschärft, »keine Dummheiten zu machen«, ansonsten würde sie im besten Fall Prügel beziehen. Und falls gerade niemand in der Nähe wäre, könne sogar ein tragischer Unfall für eine Hexe wie sie möglich sein.

Annette brach der kalte Schweiß aus, und sie beteuerte, keine Probleme zu machen. Als Erstes schwieg sie zu Crispin, der seinen Bewachungsauftrag freudig damit begann, in Annettes Hinterbacken zu kneifen, während er sie vorwärtsschob.

Wie kannst du mir das nur antun? Es ist deine Schuld, Emil! Wie konntest du diesem Has mit seinem falschen Grinsen trauen? Wie konntest du Gass sterben lassen und Martha zu einer verbitterten Frau machen? Und der letzte Gedanke war ein Vorwurf an sie selbst: *Wieso habe ich diesen verfluchten Zettel des Russen nicht weitergegeben?*

Ein paar magere Tagelöhner, die vollbepackte Handkarren mit Ziegeln vor sich herschoben, ein herumlungernder Bettler sowie zwei Händlergespanne kreuzten sie. Alle diese Leute bedachten die seltsame Gruppe mit neugierigen und stummen Blicken, während der alkoholisierte Polizist, der am Tor Posten gehalten hatte, einen nach dem anderen mit krakeelender Stimme zum Weitergehen aufforderte.

Zuletzt betrachteten zwei Buben, die zuvor um das Privileg gezankt hatten, eine magere Ziege an einem Strick führen zu dürfen, mit großen Augen die kleine Prozession. Daneben standen zwei Mädchen, die Annette mit offenen Mündern anglotzten. Es waren Therese und Emma – wie immer viel zu weit weg von ihrem Heimquartier. Annette erfasste eine Welle des schlechten Gewissens bei ihrem Anblick.

Sie hatte Klara und auch ihre Kinder nicht mehr gesehen, seit sie ihre Magd auf Emils Geheiß entlassen hatte. Er hatte gemeint, sie müssten das Geld sparen, nachdem Brutschin Emil die Rückerstattung der Auslagen verwehrt hatte.

Aber nun würden die Mädchen ihrer Mutter von dieser Beobachtung erzählen, und Klara Studer würde bestimmt in ihren schäbigen Quartiersgassen herumgehen und allen erzählen, dass die Schäfers nicht nur moralisch verdammenswert seien …

»Suchen wir uns erst mal ein ungestörtes Plätzchen. Da rüber!«, wies der Wachtmeister an. Er zeigte auf den Friedhof jenseits des Magdenerbachs. »Wir müssen noch eine Andacht für Reutter halten, nicht?«

Rheinfeldens alter Friedhof lag in einer Steinumfriedung mit einer Kapelle als Mittelpunkt – ein schlichtes Holzhaus mit einem kleinen Türmchen, das bei den Abdankungen und Andachten benutzt wurde.

In einem organisch gewachsenen Chaos ragten die Grabsteine und Patriziergrüfte aus einem Meer von Gras, Blumen und blankem krümligem Erdreich. Als Schattenspender dienten ein paar Ahorn- und Lindenbäume. Keine Menschenseele war zu sehen.

Annette war natürlich schon am Friedhof vorbeigegangen. Sie hatte die pittoreske Stille des Ortes bewundert, vor allem, als er noch unter einer dünnen Schneedecke gelegen hatte. Den Umstand, dass hier im Verlaufe des *Jahrs ohne Sommer* gewiss zahlreiche neue Leiber beerdigt worden waren, hatte sie beiseitegeschoben.

Als Gropp das rostige Gittertor öffnete, gingen ihr die zahlreichen Todesfälle der vergangenen Jahre aber als Erstes durch den Kopf. Eine unerklärliche abergläubische Angst ließ sie zögern, sie versteifte sich, bis Crispin sie heftiger als bisher knuffte. Sie drehte den Kopf, erkannte aus den Augenwinkeln, dass auch er offenbar kein Verlangen verspürte, den Gottesacker zu betreten. Mit zusammengekniffenem Gesicht starrte er auf den Boden vor seinen Füßen.

Gropp öffnete die Kapellentür und verkündete: »Crispin, du bleibst draußen und sorgst dafür, dass wir unter uns bleiben!«

»Was soll ich sagen?«

»Wir zünden eine Kerze für Reutter an, das arme Schwein. Behaupte, dass wir einen Moment für uns benötigen!«

»Wer ist Reutter?«, fragte Annette vorsichtig.

Gropp sah sie an, antwortete dann: »Der letzte Kamerad, der während der langen Kälte krepiert ist. War im Februar.«

»Er hat sich binnen zwei Tagen an der Ruhr totgeschissen, und ich habe ihn gefunden«, ergänzte Crispin mit belegter Stimme.

»Wenigstens ist er nicht verhungert wie andere. Frau Doktor, kommen Sie!«

Das Kapellenschiff war klein und bot Platz für vielleicht zwanzig Personen. Der enge Mittelgang endete an einem Altar mit dem Kruzifix und einigen brennenden Kerzen. Es duftete nach altem Holz, Kerzenqualm und Weihrauch. Gropp bekreuzigte sich, bevor er sich ächzend auf die vorderste Sitzbank hievte, wo er sich hinsetzte und Annette heranwinkte. Sie schob sich auf die Reihe dahinter. Pjotr setzte sich, durch den Mittelgang getrennt, diskret auf Annettes Nachbarbank, verschränkte die verstümmelten Hände ineinander und stützte sie auf der Vorderlehne ab wie beim Gebet, fixierte aber Annette und nicht den hölzernen Erlöser.

»Gut, dann beichten wir mal, Frau Doktor«, eröffnete Gropp mit ernster Stimme.

Annette senkte den Blick und betrachtete die Maserung der Vorderlehne. Sie hatte das Bedürfnis, loszuheulen, wollte dem Russen aber nicht diese Genugtuung schenken. Sie schluckte den Impuls hinunter.

Gropps Stimme hallte dumpf von den Holzwänden: »Euer Gatte und Ihr werdet bald die unangenehmen Seiten des Gesetzes kennenlernen, so steht zu vermuten. August Has hat sein Gewissen erforscht und bringt schwerwiegende Anschuldigungen gegen Euch vor. Entführung, Missachtung der Obrigkeit, gar von Quälerei redet er, aus tiefstem Herzen und mit Abscheu darüber, dass er in eine solche Sache hineingezogen worden ist. Und die hochgeschätzte Schwester Martha Schmid beobachtete unzählige Male, wie Ihr Euch morgens heimlich wie eine Diebin aus dem Spital stahlt. Sie hat auch mitbekommen, wie Ihr übermäßige Mengen Lebensmittel einkauft. Und Euer Gatte schleicht sich jeweils abends weg. Leugnet Ihr das?«

Annette hielt die Lippen zusammengekniffen. *Herr, wie soll das enden?,* fragte sie in einem Stoßgebet.

Gropp ließ ein paar Sekunden verstreichen, wirkte jedoch, als erwarte er nicht ernsthaft eine Antwort. Nahtlos nahm er den Faden wieder auf: »Nun, die Indizien und Zeugenaussagen sind, wie gesagt, schwerwiegend. Und unser Freund Pjotr hier macht sich ernsthafte Sorgen um den Franz Brogli. Er hat Eurem Gatten zu Recht nie getraut. Genauso wenig wie der verehrte Großrat Carl Wilhelm Brutschin, wie man so flüstern hört. Möchte meinen, dessen Klauen spürt Ihr bereits in Eurem Nacken, nicht wahr?«

Annette spürte insbesondere zwei Dinge: die Angst in ihrer Brust, die sie wie eine Klammer einschnürte, und eine Übelkeit, die in ihrem Bauch aufkeimte.

Gropp sah sie interessiert an. »Euch ist warm, nicht? Das sind die Verbrechen, die in Euch brennen. Ihr würdet noch mehr schwitzen, wenn Ihr von Brutschins Bestrebungen wüsstet. Angeblich hat er eine Nachricht mit einigen unbequemen Fragen nach Königsfelden senden lassen. Man tratscht in der Offiziersstube, dass die Hohen Herren den Boten im Verlaufe des morgigen Tages zurückerwarten.«

Annette würgte. Sie roch den alten Weihrauch im Gebälk der Kapelle mit einem Mal so unerträglich stark, dass sie am liebsten hinausgerannt wäre, wenn ihre Beine sich nicht wie weich gekochtes Gemüse angefühlt hätten.

Gropp beugte sich vor, stützte seine verschränkten Arme auf der Banklehne ab, sodass sie ächzte, und säuselte: »Frau Doktor, wir wollen von Euch nur zwei Dinge wissen: Befindet sich Euer Mann jetzt grad auf dem *Schiffacker*-Hof, und zweitens, was ist mit Paul Gass passiert?«

Annette würgte erneut, inhalierte so tief sie konnte, während Gropp sie maliziös musterte. Sie schwitzte, sie kämpfte gegen ihren Magen – und stieß unter dem Einfluss eines plötzlichen Geistesblitzes hervor: »Wieso stellt mir der Schultheiß nicht diese Fragen? Bin ich jetzt verhaftet … oder nicht?«

Sie hatte keine Ahnung von Rechtsabläufen, aber irgendwo in ihrem Kopf keimte die Erkenntnis, dass ein Verhör keinesfalls in einer abgeschirmten Kapelle stattfinden würde. Sie hörte Pjotr anerkennend fauchen und warf ihm einen raschen Seitenblick zu. Er fummelte in seiner Uniformtasche herum, als vergewissere er sich über etwas.

Gropp war derjenige, der die Antwort gab: »Der Schultheiß wird morgen bestimmt durch den Großrat Brutschin ins Spiel gebracht, sobald der die Nachricht des Boten gelesen hat, da bin ich mir so gut wie sicher. Unser Freund Pjotr hier wollte Euch jedoch die Gelegenheit geben, Eure Vergehen vor Gott zu beichten.«

Annettes Magen brodelte über. Sie warf ihren Kopf noch rechtzeitig zur Seite, um nicht über ihren Schoß zu speien. Dann erbrach sie auf die Bodenplanken; die stechende Magensäure verband ihren Geruch auf abstoßende Weise mit dem des alten Holzes. Ein abgehacktes Krächzen irritierte sie zusätzlich.

Pjotr klang unter seinem Staubtuch wie eine Krähe, die gewürgt wurde.

Der Russe lacht mich aus, erkannte sie gedemütigt. Der kratzige, saure Geschmack im Hals stieg ihr bis in die Nase hoch.

Gropp rief angeekelt: »Herrgott noch mals, Weib! Du bist in einem Haus Gottes!« Er stand empört und bleich auf und rauschte in die entferntere Ecke an der Eingangsseite. Sie hörte ihn kehlig husten und flach nach Luft japsen, aber er vermochte seinen eigenen Übelkeitsanfall offenbar zu beherrschen. »Bringen wir sie hinaus, bevor uns jemand bemerkt«, nuschelte er dabei. »Teufel, ist das eklig! Was für eine Gotteslästerung.«

Pjotr hatte die ganze Zeit schadenfroh gekrächzt – Annette war sich nicht sicher, ob er sich auch über Gropp lustig machte –, nun aber unterbrach er sein eigentümliches Lachen wie eine mechanische Drehorgel, deren Kurbel blockierte. Er stand auf, raufte seine Uniform, krächzte unter seinem Staubtuch sogar für Annette verständlich, dass sich Gropp entfernen solle, und machte eine wegweisende Handbewegung Richtung Tür.

»Was soll das, Pjotr? Wir sollten verschwinden!«, reagierte Gropp ungehalten.

Der Russe kramte in seiner Tasche, erhob sich dabei, ging polternd zu seinem Komplizen und drückte ihm etwas in die Hand.

»Zwei Gulden?«, stieß Gropp ungläubig hervor. »Wie prall ist deine Geldbörse eigentlich noch, Russe?«

Pjotr raschelte mit einem Blatt Papier, auf das er etwas mit einem Kohlestift kritzelte, den er geübt aus seiner Hosentasche gefischt hatte.

Gropp las, zuckte dann mit den Schultern. »Na schön, ich lasse Euch ein paar Minuten. Aber beeilt Euch.«

Einen Augenblick später war Annette mit Pjotr allein.

Sie zitterte und konnte ihm nicht in die Augen sehen. Er schlenderte zu ihr mit freudig funkelnden Augen, als erwarte ihn eine Geliebte.

»Ich will dem Schultheißen vorgeführt werden!«, entfuhr es Annette. *Ja klar, das will ich unbedingt, Dummchen …*

Der Russe hielt einen kurzen Moment inne, dann schnatterte er etwas, was ablehnend klang.

Annette fühlte sich verunsichert. Sie hatte in ihrer Panik Dialekt geredet. *Nein, das kann nicht sein! Hochdeutsch kann er verstehen, ja, aber …*

Sie wollte instinktiv zurückweichen, als er sich vor ihr aufbaute, aber der Russe durchschaute ihre Absicht, hielt sie mit seiner verkrüppelten Hand an der Schulter fest, sodass es sie schauderte. Dann beugte er sich vor wie ein Jäger über ein waidwundes Reh.

Er zog die Hand zurück, nahm sein Notizbuch und den Kohlestift hervor, ohne Annette aus den Augen zu lassen, und kritzelte erneut. Er riss die Nachricht umsichtig heraus und hielt sie vor seine Brust. Darauf stand in einem nahezu makellosen Deutsch, wenn auch ungelenk gekrakelt: *Benutzt er Elektrizität? Batterien wie die von Volta? Leydener Birne?*

Annettes Mund wurde trocken. *Woher … das kann nicht sein!*, dachte sie innerhalb kurzer Zeit ein zweites Mal. *Has?*

Pjotr wedelte das Papier ungeduldig hin und her, hob es hoch, drückte es ihr sprichwörtlich fast aufs Auge.

»Bitte, Ihr versteht mich doch … ich weiß nichts!«, haspelte sie.

Sie erntete ein wütendes Zischen, dann bekam sie eine Watsche.

Die Kapellenpforte knarrte in diesem Moment.

Gropp steckte seinen Kopf gerade so weit herein wie nötig und grummelte: »Beeilt Euch, wir müssen gehen! Es kommen immer mehr Leute vorbei. Einige tummeln sich schon vor dem Friedhofsgatter.«

Dahinter konnte man Crispins zustimmendes Murren vernehmen.

»Mein Gott, hier stinkt es wie in einem beschissenen Lazarett«, sagte Gropp zu sich selbst, dann schloss er die Tür wieder.

Pjotr knurrte wölfisch. Er hatte den Zettel zwischen den drei mittleren Fingern seiner linken Hand eingeflochten und hielt ihn unnachgiebig auf Annettes Augenhöhe.

Dann zuckte Annette erschrocken zurück.

Wie aus dem Nichts hatte Pjotr ein altes Skalpell hervorgezaubert, eine spitze, scharf wirkende Eisenklinge, deren Schneide Rostsprenkel aufwies und die er in den Fingern seiner rechten Hand eingeklemmt hielt.

Er ließ sie langsam auf Höhe ihrer Kehle kreisen. Annette japste erschreckt auf, war wie gelähmt.

»Ja, Elektrizität«, stieß sie hervor. In ihrem Kopf hörte sie das Surren und Knistern, das entstand, wenn Emil seine Reibungsmaschine ankurbelte.

Pjotr schnaubte und federte mit seinem Oberkörper zurück. Mit einem Mal schien er sich nicht mehr für Annette zu interessieren.

»Ja, er benutzt bei Franz …«, bekräftigte sie leise.

Die knarrende Kapellenpforte unterbrach sie.

Dieses Mal stänkerte Crispin: »Kommt jetzt, verdammt noch mal! Wir müssen verschwinden! An einem Markttag kommen die Leute aus allen Winkeln her, und einige wollen bestimmt noch dafür beten, ihr kümmerliches Nutzvieh oder ihre mickrigen Rüben zu einem guten Preis absetzen zu können.«

Pjotr ließ das Skalpell flink wie ein Magier in seinem rechten Ärmel verschwinden. Dann tätschelte er Annettes Schulter und zeigte ihr damit an, ihren Hintern zu heben.

Sie gehorchte, fühlte sich elendig, torkelte mehr als sie ging und hätte sich noch vor der Tür beinahe ein weiteres Mal an diesem geweihten Ort übergeben. Sie gluckste und verdrängte das Knistern von Emils Apparatur, das sie in ihren Gedanken hörte. Das Knistern der Elektrizität.

Sie bekam einen Schweißausbruch, als sie sich daran erinnerte, wie Emil dieses Brett mit seinen Komponenten auf dem Tisch neben dem Holzsessel abgestellt hatte. In diesem Loch, in dem es noch bestialischer stank als in der Friedhofskapelle …

Die olfaktorische Mischung in Franz Broglis ehemaligem Keller hatte direkt aus der Hölle gestammt: abgestandene Luft, die mit Urin-, Kerzen-, Schweiß- und Eitergeruch geschwängert war. Und immer mehr stank sie auch säuerlich nach Krankheit und näher kommendem Tod.

Annette hatte gerade wieder getrocknete Salbeiblätter verbrannt, was Emil nicht behagte. Er stemmte ächzend die schwere Apparatur, platzierte sie und reklamierte: »Geldverschwendung, Weib, diese Kräuter sind Geldverschwendung.«

Annette war verstimmt. Er hatte sie schon angewiesen, statt teurem Lampenöl Kerzen zu kaufen. Dann schalt er sie, weil sie Bienenwachs- statt Talgkerzen erstanden hatte. Die muffelten unangenehm, aber waren natürlich billiger. Annette hatte den Eindruck, dass sich der Mief noch verschlimmerte, wenn sie die Dochte entflammte. Sie wünschte sich in diesen Momenten gar Emils Pfeifenrauch herbei. Leider schmauchte ihr Mann in seiner Sparwut erheblich weniger als früher.

Emil wischte sich den Schweiß von der Stirn, zog das Staubtuch von der Apparatur und ordnete an: »Wird Zeit, dass du die Elektrizitätstherapie kennenlernst. Hol ihn mir her!«

Franz Brogli sah eingefallen und todgeweiht aus. Und das war er auch.

Emil hatte ihm vor ein paar Tagen die Diagnose gestellt und vermutet, Franz müsse sich die in ihm tobende Schwindsucht vom schlechten Wasser oder von Erdausdünstungen im Zarenreich geholt haben. Er litt an Fieberschüben und den symptomatischen Keuchhustenanfällen. Meistens spie er dabei schleimige gelbliche Batzen aus, deren Anblick Annette die Eingeweide umkrempelten.

Sie verkraftete es gerade noch, ihn oberflächlich zu waschen, kühlende Umschläge zu machen und sein Lager wieder mit neuem Stroh aufzufrischen, das sie aus einem zusammengebundenen Ballen neben Franz' Verschlag herauszog.

Faszinierend allein war, was der sterbenskranke Veteran in seinem Fieberwahn plapperte.

Es waren wenige unzusammenhängende Brocken, denen die poetische oder rhetorische Note weitgehend fehlte, die seit seiner Erschütterung ein Teil seiner Sprechweise gewesen war. Er brabbelte zunächst wie gewohnt etwas von Elfen und Frostriesen, von »Alaxandr«, von den Weiten des Elfenreichs … und dann, wie blitzblank geputzte Stellen auf einer staubschwarzen Scheibe, erschienen anders tönende Sätze aus seinem Mund. Direkte, einfach gehaltene, schnörkellose Sätze.

Dabei verriet er Namen von – so vermutete Emil – Vorgesetzten des vierten Schweizer Regiments oder Orten, an denen die Einheit wohl stationiert gewesen war oder gekämpft hatte. Plötzlich redete Franz dann wieder von Kobolden und von dem einen Frostriesen, der ihn mit einem Spieß durch die Schulter »geangelt« habe.

Emil klammerte sich an jedes halbwegs vernünftige Wort, das aus Brogli herauskam. Und er wollte offensichtlich mehr davon hören.

Die Behandlung mithilfe der Apparatur begann, nachdem Annette mit angehaltenem Atem Franz' dürren Körper unter den Achseln zum Holzsessel geschleift hatte.

Der Veteran wirkte weggetreten, was vermutlich an dem Baldrian lag, den Emil ihm verabreicht hatte. Das hielt ihr Gatte für nötig; er schilderte Annette, dass Franz Brogli bei der allerersten Sitzung im Sessel irgendwie … gewusst haben musste, dass diese »Kraft kostet«, er habe etwas in einer anderen Zunge gebrabbelt, vermutlich Russisch, und sich körperlich gewehrt.

Emil half ihr, Franz auf die Sitzfläche zu hieven. Der Sessel war so klobig und tief, dass der dürre Mann wie eine Puppe darauf wirkte. Speichel floss zwischen seinen spröden Lippen heraus und tropfte vom Kinn.

Emil bat Annette zur Seite, anschließend band er einen Leinenverband um Franz' Kopf. Er fixierte die Gliedmaßen des Soldaten mit den Lederriemen, die an Lehne, Armstützen und an den Beinen angebracht waren.

Er deutete auf das unheimliche Konstrukt. »Das ist eine Apparateansammlung zur Erzeugung und Speicherung von Elektrizität, die durch die Kupferkabel in den Patienten geleitet wird. Die Speichersäule«, er schwenkte den Finger zu dem Glaszylinder mit den Papierstückchen und den Metallblättchen, »ist erstmals durch den Preußenphysiker Carl Funkelstein nachgebaut worden, der damit die Volta'sche Säule des Alessandro Volta imitiert.«

Er wandte sich wieder Franz zu, brachte den oberen der beiden Ledergurte, die an der Lehne angenagelt waren, auf dem

Leinenverband am Kopf seines Patienten an, danach fädelte er die gedrehten Kupferkabel, die vom Quader ausgingen, durch die Gurtlöcher.

Dabei dozierte er unentwegt weiter: »Die Preußen sind nun mal hartnäckige Kerle und wollten eine so vielversprechende Erfindung nicht den Engländern und den Österreichern allein überlassen. Funkelstein hatte es angeblich nicht verwunden, dass er die Säule nur kopieren sollte, also setzte er seine Bemühungen bei der Gebrauchsdauer an. Mithilfe von Papier, das in Salzlösung getaucht wird, mit Zink- und Silberplatten und einem luftdichten Zylinder hier funktioniert es besser … die genauen Details kenne ich nicht, aber Funkelsteins Kombination arbeitet tadellos und lagert die Energie. Ich habe den Nachbau über … nun, ich habe ihn schneller erhalten, als ich dachte.«

Annette hatte keine Ahnung, wer Volta und Funkelstein waren. Sie wusste nichts über ihre Verdienste und ihre Träume und schon gar nicht, wie man die Energie von Blitzen in einem Glaszylinder lagern konnte. Sie kannte nur Benjamin Franklin, den Amerikaner, der als Erster einen Blitz eingefangen hatte. Dank ihm besaßen herrschaftliche Häuser den Blitzableiter. *An denen man herumturnen kann,* dachte sie sardonisch.

Auf Emils Stirn bildete sich ein schmieriger Schweißfilm. Er sagte aufgeregt: »In den polnischen Gebieten, in Russland, in Preußen selbst, in Frankreich, in Großbritannien, sogar in den Vereinigten Staaten … überall werden nun Heilungsansätze für die moralisch Erschütterten mithilfe von Gegenerschütterungen erforscht. Außer in Königsfelden natürlich!« Er schnaubte verächtlich, während er den Kupferdraht am isolierten Ende packte und die metallene Spitze in die Kontaktvertiefung des Kastens schob. Es gab ein Knacken, nein, vielmehr einen leichten Knall, ein kleiner greller Funken schlug aus der Vertiefung, dann erklang ein monotones leises Summen.

Franz Broglis Oberkörper bäumte sich auf, verkrampft, mit durchgedrücktem Kreuz. Er sah aus, als habe ihm jemand einen Hammerschlag in den Rücken verpasst. Seine abgemagerten

Oberarme zitterten wie vibrierende Saiten, die Nägel seiner verbliebenen Finger bohrten sich ins Handballenfleisch. Sein Kopf wurde zurückgeworfen.

Er öffnete den Mund mit seinen Zahnruinen zu einem abgehackten Schrei: »Schattmann, stell das aaab!« Er brüllte, dass die Holzstützen des Kellers wackelten. Jedes Wort spie er aus wie einen Fluch.

Das kalte Grauen packte Annette. Sie hielt sich die Ohren zu und wandte den Blick ab.

Emil schaute gebannt zu, kritzelte in seinem Notizbuch herum, das er aus seiner Arbeitsmappe gefischt hatte. Danach unterbrach er den Stromkreis, wobei ihm ein kleiner Blitz in den Daumen biss.

»Franz Brogli, wer ist Schattmann?«, fragte er langsam, während er an seiner Daumenbeere nuckelte.

Annette hörte die Anspannung in seiner Stimme, das Lauern.

Franz hing im Sessel wie ein getrockneter Schinken am Haken. Sein knochiges Gesicht glühte von der erlittenen Tortur. Seine Antwort war ein kraftloses Stöhnen. »Riese … halte ein!«, hauchte er.

»Franz, wer ist dieser Schattmann?«

»Emil, lass ihn! Er ist …« Annette hatte den Oberarm ihres Mannes gepackt, aber er schüttelte sie ungehalten ab.

»Weib, medizinische Belange gehen dich nichts an!«

Steif schnellte sein Arm nach oben wie derjenige eines Kasernenoffiziers, der einen Rekruten zurechtwies; sein Zeigefinger wies in die Ecke.

Annette wich zurück, bis ihr Rücken am Harz der Täfelung kleben blieb.

Emil machte unbeirrt weiter: »Franz, du hattest eine Erinnerung … hole sie dir zurück und sag sie mir! Befrei dich von der moralischen Erschütterung.«

»Ihr seid ein bösartiger Frostriese, Eure Heiligkeit«, keuchte Franz abgehackt. Sein Gesicht verzog sich feindselig.

Emil verstummte. Dann drückte er den Kupferdraht in die

Kontaktvertiefung zurück. Wieder wurde Franz von Krämpfen geschüttelt. Die Elektrizität knisterte und knackte, und er jaulte wie ein Straßenköter, dem man das Fell abzog.

Annette roch verschmortes Fleisch – und dann, sehr stechend, Urin.

»Viertes Regiment Schweiz, vorwärts! Die Brücke, verteidigt die Brücke! *Tenez vos positions!* Zeigt es den Russen, haltet sie au…« Dann röchelte und sabberte er nur noch.

»Weiter, Franz! Weiter! Behalte die Erinnerungen …«

»Schattmann, du Huuureeenbock!«, kreischte Franz mit letzter Kraft.

Annette hatte den Schimpfnamen und das Stromknacken noch in den Ohren, als sie fluchtartig den Keller verließ.

Emil hatte nicht mal aufgesehen.

Sie stürzte in den Hof. Als Erstes fühlte sie Erleichterung, als sie die frische Luft atmete … darüber, dass Franz' Schreie nicht bis hierher drangen. Als Zweites kamen wieder die Hassgefühle gegen ihren Mann hoch. Wie in Trance wankte sie zum Brunnen, nicht darauf achtend, was links und was rechts um sie geschah …

Die Erinnerungen an diesen Hass wichen einer Betäubung, als sie von Crispin am Wohnhaus des *Schiffacker*-Hofs vorbeigetrieben wurde. Irgendwie fühlte sich diese gut an, so schicksalsergeben. Einen Moment lang war sie sogar amüsiert über ihre bleiernen Beine.

Ob man sich so nach einer Behandlung von Franz Mesmer gefühlt hat, wenn er seine Patienten mit seiner Glasharmonika magnetisierte? Du lehnst dessen Methoden ab, Emil, aber sie sind wenigstens nicht schmerzhaft. Und man verliert seine Ehre nicht. Du bist wie dieser geheimnisvolle Schattmann, Emil, der …

Annette blieb so abrupt stehen, dass Crispin auf sie auflief.

… mit Elektrizität hantiert.

»Was soll das, Püppchen? Geht weiter! Keine Mätzchen auf den letzten Metern«, grummelte Crispin und rieb sich die Nase, die er sich an ihrem Hinterkopf gestoßen hatte. Er drückte gegen ihren Rücken, aber sie blieb bockig.

»Schattmann, kommt Ihr mal her?«, fragte sie mit so unschuldigem Tonfall wie möglich in keine bestimmte Richtung, aber laut genug, damit es alle hören konnten.

Crispin gab ein genervtes Knurren von sich. Er drückte fester gegen sie, leise fluchend. Annette leistete Gegendruck. Der Stadtpolizist musste sie regelrecht anschieben.

»Schattmann, kommt Ihr mal?«, flötete sie.

»Verrücktes Weib!«, schimpfte Crispin, verstummte aber augenblicklich, als Pjotr sich ruckartig umdrehte und direkt auf sie zukam.

Der Russe warf sie mit dem rechten Arm gegen die Hauswand, drückte ihn dann gegen ihre Kehle und fixierte sie damit.

Er riss sein Staubtuch herunter. Seine Lippen waren zurückgezogen. Er bleckte die krummen Zähne. Seine Augen funkelten wütend – und ungläubig.

Annettes Atem begann zu rasseln. Sie war Pjotr so nahe, dass sie seine stacheligen Haare, die unter dem Polizeitschako hervorlugten, einzeln zählen konnte. Sie wehrte sich nicht – und spürte erstmals keine Furcht mehr vor dem Russen.

Unvermittelt ließ er sie los und eilte auf den Innenhof.

»Was sollte denn die Scheiße?«, wunderte sich Crispin, der neben Annette trat. Er nahm seinen Tschako ab und strich sich durch die dunkelblonden Strähnen. Dann nuschelte er einige ausgewählte Verwünschungen und hängte jedes Mal »dieser wahnsinnige Russe« an, bevor er Annette weiterdrängte.

Wachtmeister Max Gropp hatte die Grobheiten des Russen gegen Annette ignoriert und war vorausgegangen. Im Augenblick hatte offensichtlich die Scheune seine Aufmerksamkeit auf sich gezogen. Gropp hatte die Hand an den Griff seines Holzknüppels gelegt, den er wie Crispin am Gürtel trug, und den rechten Torflügel geöffnet, der dabei markdurchdringend in den bewölkten Morgenhimmel ächzte. Annette sah, wie Gropp nervös reinblickte. Dann schlüpfte er in das baufällige Gebäude.

»Vorwärts, geht dem verdammten Russen nach!«, wies Crispin hinter ihr an.

Sie gehorchte.

Pjotr folgte dem Wachtmeister zur Scheune, der aber kam bereits wieder mit einem triumphierenden Grinsen heraus. In der einen Hand hielt er ein Knäuel Verbandsleinen, das er wie eine Trophäe mit ausgestrecktem Arm vor sich hertrug.

Pjotr krächzte anerkennend, dann kamen beide mit ausholenden Schritten zu Annette und Crispin zurück.

Crispin, dessen Aufmerksamkeit vor allem dem Brunnen galt, den er durstig anschmachtete, reagierte erst, als der Wachtmeister ihn ansprach.

»Kein Gefährt im Stall, aber verstecktes Sanitätsmaterial, neues Tuch und Brennholz«, protokollierte der Wachtmeister. »Der Herr Doktor …«

»Im Wohnhaus, schätze ich«, murmelte Crispin, einen Blick in den Brunnenschacht werfend, dann mit der Hand den kleinen Rest Wasser, der noch in der Pütz schwappte, abschöpfend.

Gropp warf das Verbandsknäuel neben die Brunnenmauer. »Frau Doktor, wo genau steckt Euer Gatte? Wo?«

Crispin umschloss Annettes Oberarm, ignorierte ihre instinktive Renitenz und forderte: »Wachtmeister, wir sollten die Sache endlich erledigen. Der Bursche ist bestimmt im Haus, er ist allein und sitzt in der Falle. Den holen wir raus, tot oder lebendig!«

Gropp zog seinen Schlagstock aus dem Gürtel. »Na schön«, stimmte er zu. »Crispin, du bewachst sie und bildest die Nachhut! Ich gehe voraus, Pjotr, Ihr bleibt hinter mir! Wenn möglich, keine Gewalt. Also los!«

Damit näherten sie sich dem Wohnhaus.

Pjotr ging vor Annette mit einem federnden Schritt, den Oberkörper vorgebeugt; sie fixierte ein münzgroßes Loch in seiner Polizeiuniform, das sich genau auf der Höhe des linken Schulterblatts befand.

Crispin blies ihr seinen ranzigen Atem in den Nacken. Auch

er hatte seinen Schlagknüppel gezückt; Annette sah dessen schwankende Spitze immer wieder in ihrem Augenwinkel.

Wie als makabre Begrüßung schrillte ein abgehackter Schrei aus dem Halbdunkeln, als Gropp behutsam die Haustür aufstieß.

Pjotr schnarrte leise los und klang wie eine nervöse Ente. Sein Rücken wippte hin und her, als versuche er, um jeden Preis einen Blick über und um Gropps breite Gestalt zu erhaschen.

»Wartet!« befahl Gropp leise, angestrengt lauschend. Er verharrte unter dem Türsturz.

Da drückte ihn der Russe zur Seite, sodass der Wachtmeister die Tür mit seinem stolpernden Körper wegrammte. Das Blatt knallte mit voller Wucht gegen die Wand. Der Krach gellte durch das ganze Gebäude.

Pjotr stürmte an dem verdatterten Gropp vorbei, wandte sich nach rechts und stolperte im diffusen Licht über die Überreste der Treppe zum Zwischenboden.

Annette spürte eine regelrechte Schockwelle, die die Holzbohlen erschütterte; sie federten nach, und jeder Balken schien zu ächzen.

Danach herrschte angespannte, nervenaufreibende Stille.

»Dieser wahnsinnige Russe«, flüsterte Crispin verächtlich.

»Weib, bist du das, zum Teufel?«, erklang Emils gedämpfte Stimme aus den Eingeweiden des Hauses.

Gropp, der wieder auf die Beine gekommen war, eilte zum Russen, packte ihn am Kragen und zerrte ihn hoch.

Crispin drängte Annette zum Aufschließen, aber immerhin ließ er ihren Arm los. Sie bemerkte, wie der Holzknüppel in seiner Hand unmerklich zitterte.

»Wer ist da?«, fragte Emil lauernd.

Pjotr ließ sein Skalpell aus dem rechten Ärmel gleiten. Wie zuvor in der Kapelle klemmte er es geschickt zwischen seinen vier verbliebenen Fingern ein. Gropp wich ein Stück von ihm weg, was der Russe sofort ausnutzte, um über die eingefallene Vorratskammerwand zu steigen. Dort deutete er auf die Falltür dahinter.

Crispin schwitzte neben Annette wie ein Sonntagsbraten im Ofen; die verkrampften Handknöchel um den Schlagstock traten weiß hervor.

Gropp balancierte Pjotr über die Trümmer nach, warf nervöse Blicke auf die Kellerluke.

Da knarrte die Tür im Untergeschoss.

Der Russe verharrte am Lukeneinstieg und starrte nach unten.

»Verschwinde, verdammter Russe!«, brüllte Emil.

Pjotr zischte etwas Triumphierendes.

»Zurück, Pjotr!«, kommandierte Gropp. »Crispin, bring sie her!«

Crispin gehorchte. Er bugsierte Annette unsanft vorwärts, sodass sie einen Schmerzenslaut von sich gab.

Schräg unter ihr sah sie ihren Gatten in der Kellertür stehen. Er hatte eine Art Keule als Bewaffnung in seiner rechten Hand. *Woher hat er die?,* dachte sie entsetzt.

Der Prügel war fast einen halben Meter lang und hatte einen verdickten Kopf mit dem Umfang einer Kinderfaust.

Mindestens genauso furchterregend war der französische Gesichtskäfig, den Emil sich übergezogen hatte. Er sah damit aus wie die Perversion eines Titans aus der griechischen Mythologie.

Die Abschreckung schien auf Gropp und Crispin zu wirken, denn beide verharrten an Ort und Stelle. Pjotr allerdings schien das einerlei zu sein. Ansatzlos sprang er durch die Luke auf die unteren Treppenstufen hinunter, landete gewandt auf den Füßen, dann holte er mit dem Skalpell aus. Er zielte auf Emils Bauch.

Emil wirkte überrumpelt, aber Annette kannte seine guten Reflexe. Geschmeidig wehrte er Pjotrs Unterarm mit dem Keulenhals ab, distanzierte den Russen mit einem Tritt gegen den Oberschenkel, dann schwang er die Waffe, als der Russe taumelte.

Der Keulenkopf schrammte über Pjotrs rechte Wange. Der Aufprall knallte dumpf und bereitete Annette Phantomschmerzen. Sie hörte Pjotrs Kiefer knacken und dessen Zähne aufeinanderschlagen.

Der Russe besaß offensichtlich ähnlich gute Reflexe wie ihr Mann, da er im letzten Moment den Kopf hatte wegdrehen können, und nur deshalb endete seine tollkühne Attacke nicht mit einem eingeschlagenen Schädel. Er prallte gegen ein Fass neben der Wand, dann sank er zu Boden, wobei er ein paar seiner Zähne ausspie, begleitet von schaumigem Blut.

»Schäfer, Ihr seid verhaftet! Werft diesen Prügel weg!«, rief Crispin.

Da wurde Annette von Gropp gepackt. Er zog sie vor sich wie eine Geisel. Er schlang seinen feisten Arm um ihre Hüften, drängte noch näher an die Einstiegsluke, wild mit seinem Schlagstock fuchtelnd. »Doktor Schäfer, beendet diese Narretei! Ihr werdet Euch verantworten müssen, ob es Euch gefällt oder nicht. Denkt auch an Eure Gattin, die …«

»Solche Gestalten wie Ihr werden den Fortschritt nicht aufhalten!«, schrie Emil außer sich. Seine blauen Augen blitzten hinter den Käfigstäben. Sie wirkten unheilvoll und unberechenbar, wie die eines moralisch Erschütterten.

»Seid Ihr solch ein Lump?«, stieß Gropp hervor. »Wollt Ihr wirklich Eure Gattin im Stich lassen?«

Ich bin ihm endgültig wurscht!, folgerte Annette. Bitterkeit und Taubheit durchfluteten sie. Ihr Magen schmerzte. Ihr Kopf dröhnte. Ihre Beine … wie Kautschuk …

Das Schwarz vor Augen überkam sie urplötzlich; sie erwischte damit Gropp buchstäblich auf dem falschen Fuß. Sie klappte nach vorne und riss den Wachtmeister einfach in den Kellerschlund mit.

Annette spürte schwach, wie ihr Oberkörper gegen die Stufen und ihre rechte Wange auf die gestampfte Erde der Vorkammer knallten. Das Gewicht des Mannes, der auf ihr landete, presste ihr die Luft aus den Lungen, ihre rechte Hand war zudem schmerzhaft zwischen ihrem eigenen Leib und dem Boden eingeklemmt. Erst nach einigen Augenblicken begriff sie, dass das harte Ding, das unter dem Stoff gegen ihre Handknochen drückte, das versteckte Messingblech war.

Dann trübten sich ihre Sinne.

Wie lange ... was ist mit Emil ...?

Ihr Unterleib schmerzte, dennoch hatte sie absurderweise Hunger.

Sie hörte Kampfgeräusche und wütende Flüche, zunächst weit weg, dann immer deutlicher. Sie hob den Kopf ... er war schwer wie eine Kanonenkugel.

»Ihr bleibt, wo Ihr seid! Nur Gott kann Eure Seele jetzt noch retten«, blaffte eine aufgebrachte Stimme.

Sie blinzelte, sah, wie Gropp sich gerade vor ihr am Türpfosten des Kellereingangs hochzog. An seinem rechten Auge vorbei verlief eine blutende Schramme, die rasch anschwoll und sich um die Ränder bläulich verfärbte. Das Blutrinnsal floss sein Gesicht herunter und teilte sich an seiner Wangenwarze.

Aus dem Kellerraum hinter seinem dicken Körper schallten die Geräusche eines heftigen Gerangels: tierhaftes Grunzen, Hiebwaffen, die durch die Luft zischten, Sachen, die umgestoßen wurden, Flüche, dann Crispins Stimme mit einer Kapitulationsaufforderung, die mit einem Wutgebrüll quittiert wurde.

Und sie hörte Franz, wie er schrie: »Es donnert ... oh ja, mein Elfenfürst, hört, wie der große Donner kommt, von weit weg ... Kämpft, Alaxandr, kämpft!« Dann gackerte er vor Lachen.

Annette stemmte sich hoch, kniete und kroch dann an die Wand wie eine Schiffbrüchige, die sich mit letzter Kraft an den rettenden Strand schleppte. Gleich neben ihr befand sich der leblose Körper des Russen, den sie ignorierte.

Gropp blickte schwankend auf sie nieder, wollte sie wohl gerade wieder anherrschen. Er öffnete den Mund, aber statt eines Satzes stieß er ein glucksendes Geräusch aus, weil Crispin und Emil als raufendes, ineinander verschlungenes Knäuel gegen seinen Rücken krachten. Der Wachtmeister schrie, als er dabei eine Kante von Emils Gesichtskäfig in die Schulter gedrückt bekam.

Alle drei – Crispin zuoberst, Emil in der Mitte und Gropp

zuunterst – klatschten wie ein einziger menschlicher Klumpen auf die Stelle, wo Annette vor ein paar Sekunden noch gelegen hatte. Dabei wurde Emil die Keule aus der Hand geschlagen; ihr Stiel klatschte gegen Crispins Wange.

Emil nutzte die Benommenheit seiner Gegner geistesgegenwärtig. Er drückte den angeschlagenen Crispin von sich weg, kraxelte über Gropp und zischte dabei: »Verschwindet!«

Annette, die ihren Mann betrachtete wie ein Wesen aus einer anderen Welt, kreischte: »Schäfer, bist du verrückt geworden?«

Emil reagierte nicht. Er grapschte nach der Keule, doch der liegende Crispin fuchtelte, wenn auch völlig fahrig, mit seinem Stock nach ihm, traf ihn zufällig sogar an der Hand. Also ließ Emil von seiner Waffe ab und kämpfte sich zu der Treppe vor.

»Lass den Hurenbock nicht entwischen!«, sabberte Crispin und versuchte, sich zu erheben.

Aber Gropp war außerstande zu intervenieren, zumal er durch Emils Gewicht mit dem Gesicht nach unten auf den Erdboden gepresst wurde.

Emil konnte problemlos über ihn auf die Treppenstiege hochklettern.

»Alaxandr … wo seid Ihr, mein großer Koboldkönig?«, röchelte Franz Brogli aus dem Keller.

Es war, als gebe die absurde Frage Crispin wieder neue Kräfte. Er hob den ramponierten Kopf, stemmte sich mithilfe seines Schlagstocks in der einen und Emils Keule in der anderen Hand wieder auf die Beine. Dann stieg er Emil mit geschwollener Wange nach, beide Waffen in den Händen behaltend.

Gropp folgte ihm ächzend, weniger geschmeidig, aber mit offensichtlich wiedererwachtem Jagdfieber.

Kaum waren die beiden durch die Luke verschwunden, flammten die Kampfgeräusche wieder auf.

Annette lauschte dem Getrampel aus dem Erdgeschoss, dann wieder dem Gebrabbel von Franz, das immer wirrer klang.

»Fau Doggtr«, flüsterte Pjotr neben ihr.

Sie fuhr zusammen. Panisch kroch sie auf die andere Seite des

Vorraums.

Pjotr hatte sich leise wie ein Gespenst erhoben. Er starrte sie an. In den vier Fingern seiner Rechten hielt er sein rostbeflecktes Skalpell, mit dem er nonchalant herumfuchtelte. Auf seiner getroffenen Wange blühte ein Hämatom. Die geborgte Uniform war nun staubig und verknittert. Ohne das Skalpell zu senken, drückte er sich an Annette vorbei, spuckte Blut aus, dann warf er einen prüfenden Blick Richtung Deckenbohlen, durch die der Kampflärm immer schwächer drang.

»Mein edler Elfenfürst, wo seid Ihr?«, keuchte Franz.

Pjotr lächelte dünn, dann wandte er sich dem Keller zu und verschwand durch die Türöffnung.

Annette erhob sich zitternd und folgte ihm in das Chaos dahinter.

Die provisorischen Ablageflächen waren größtenteils umgestoßen. Bücher, zerbrochene Phiolen, Geschirr, Decken, alles lag verstreut auf dem Boden. Einzig der Holzsessel und – wie durch ein Wunder – Emils Apparatur auf dem kleinen Abstelltisch daneben hatten die Rauferei unbeschadet überstanden. Im Raum herrschte der Gestank von verbranntem Haar und klebrigem Schweiß vor.

Annette rümpfte die Nase, wurde innert Sekunden von einem weiteren Übelkeitsanfall übermannt, drehte den Kopf zur Seite und erbrach erneut. Sie keuchte, spuckte aus, suchte mit ihrem Blick wieder den Russen.

Pjotr schien sie vergessen zu haben, während er sich Franz näherte.

Der ehemalige Soldat, von seiner Schwindsucht schwerstens gezeichnet, hockte wie schnaufendes Dörrobst auf dem Sessel angegurtet.

Pjotr schleuderte sein Skalpell achtlos in eine Ecke. Systematisch begann er, Franz' Kopf und die Anschlüsse aus Kupfer und Leder zu betatschen, mit denen der an der Maschine verdrahtet war. Brogli flüsterte weiter, schien die Berührungen gar nicht zu bemerken.

Schattmann und die Elektrizität, fuhr es Annette durch den Kopf. Eine Gänsehaut überzog ihre Arme. *Ich sehe es!*

Pjotr strich mit seiner Hand über Franz' Hinterkopf, wie zur Beruhigung, drehte sich zum Tisch mit der Apparatur. Er überprüfte die Drähte des Metallquaders, tastete über dessen Gehäuse, kontrollierte den Glaszylinder mit den Zinkstiften.

Annette beobachtete, wie seine Finger an den Kabelenden der Drähte verharrten. Sein Oberkörper wippte, sein Kopf senkte sich. Mit einem Ruck drückte er die Kabelenden in die Vertiefungen am Kasten.

Sofort knisterte die elektrische Spannung. Es summte immer intensiver im Raum, als ob sich ein Höllenchor auf eine teuflische Oper einstimmte. Annettes Kopfhaut begann zu kribbeln.

Franz schrie auf, sein Körper krümmte sich wie unter Peitschenhieben. Seine Schreie wurden schriller und schriller, bis sie dem Brüllen eines toll gewordenen Tiers glichen. Pjotr stemmt die Hände in die Hüften und wartete.

»Du … tust es wieder und wieder!«, heulte Franz. Dann versagte seine Stimme. Auf seinen Lippen glänzte Speichel, während er keuchte. Seine zerzausten dünnen Barthaare begannen zu rauchen. Es folgte das beschämende Körpergeräusch eines Menschen, dessen Schließmuskel den Stuhl nicht mehr halten konnte. Der Gestank nach verbranntem Haar und Scheiße stach Annette in die Nase. Sie hielt sich den Handrücken vor den Mund, unsicher, schockiert, erstarrt, flach atmend, gebannt zuschauend.

Da zog Pjotr die Kabelenden aus dem Kasten. Franz sank ermattet in sich zusammen.

Der Russe ging zielstrebig zu einer umgestürzten Ablagefläche an der Wand und zerrte einen kleinen Kochkessel unter dem Holz hervor. Er brauchte mehrere Versuche mit seiner verstümmelten Hand, bis er zudem einen in die Erde gestampften Suppenlöffel herausgepult hatte.

Dann fing er an, den Löffel über den Kesselboden zu reiben.

Das kratzige, schabende Geräusch irritierte Annettes Ohren;

sie hielt die eine Hand vor die Nase, die andere presste sie gegen das linke Ohr und wandte das rechte ab. Hinschielen jedoch musste sie, sie konnte nicht anders.

Franz Broglis Augen weiteten sich. Er riss den Mund auf, stieß krächzende Geräusche aus, mit denen er ohne Probleme mit dem Russen hätte konkurrieren können. *Sein Blick!* Zunächst dachte Annette, es wäre eine Folge der elektrischen Spannung. *Oh Gott, oh Gott … er erkennt es wieder.*

Eine Sekunde später brüllte Franz klar und deutlich: »Schattmann, du Hurenbock!«

Der Russe hielt inne, legte Kessel und Löffel ab, drückte die Kontakte wieder in die Kastenvertiefungen, dann nahm er sein seltsames Ritual wieder auf und schabte mit einem hässlichen Grinsen weiter.

»Schattmann, ich werde dich töten!«, brüllte Franz, dann geiferte er, weil sein Kiefer wegen des Stroms unkontrolliert zu zittern begann.

Der Russe rieb, bis ihm der Löffel aus den Fingern glitt. Er krächzte verärgert, ließ den Kessel fallen, der mit einem dumpfen Aufprall auf seinem Seitenrund landete und auf dem unebenen Boden langsam Richtung Annette kullerte. Er gab dabei einen klirrenden Metalllaut von sich, immer wenn der Henkel nach der halben Umdrehung wieder herunterklappte.

Dieses Geräusch holte Annette aus ihrer Erstarrung.

Sie stieß ein Ächzen aus, als habe ihr jemand einen Ster Holz auf die Schultern gepackt. Weil Pjotr in diesem Moment die Drähte wieder aus dem Metallkasten zog, das Knistern damit abbrach und Franz Brogli nicht mehr schrie, vernahm er Annettes Laut.

Er blickte sie unverwandt an und wippte mit dem Schädel.

Was jetzt, Schattmann?

Franz auf seinem Sessel riss die verquollenen Augen auf. Ein Röcheln kam aus seiner Kehle, dann aber hauchte er mit fiebriger Stimme: »Mein Freund Pjotr, Ihr seid es.«

Pjotr nickte langsam, ohne Annette aus den Augen zu lassen.

Dann beugte er sich zu Franz, tätschelte dessen Schulter mit der rechten Hand. Er schob die Hand zum Hals des Fixierten, nahm die linke hinzu und fing an, seine acht Finger gegen Franz' Adamsapfel zu drücken.

Franz stieß Keuch- und Würgegeräusche aus. Sein Gesicht färbte sich rot, seine Augäpfel sahen aus, als platzten sie jeden Moment aus dem Schädel. Der Holzsessel ächzte laut, als er vergeblich an seinen Fesseln zerrte, immer verzweifelter und fester.

Nein! Annette hatte nur diesen Gedanken im Kopf. *Nein! Nicht auf diese Weise!*

Die Geräusche wurden irgendwie leiser: das Knarren des Sessels, das Seufzen des Luftstroms, der durch die offene Kellerluke in ihrem Rücken wehte, ihre eigenen Schritte.

Die Gerüche verblassten; ihre Nase ignorierte den Kot, die Talgkerzen, die brennend auf dem Boden lagen, das versengte Fleisch.

Nein, pochte es in ihrem Kopf.

Die Tränen schossen aus ihren Augen. Sie sah Franz würgend nach Luft ringen. Sein Kopf knallte gegen die Sessellehne und zurück, seine Zunge hing zwischen den farblosen Lippen heraus und zuckte hin und her wie ein Schlangenleib, dessen Kopf man abgeschnitten hatte.

Der Russe drückte weiter.

Als Annette neben ihm stand, hatte sie die Blechklinge so unvermittelt in der Hand, als habe Gott sie ihr persönlich hineingedrückt. Mit aller Kraft stieß sie zu.

Das schlecht gefertigte Messingblechstück war weder scharf noch besonders spitz, aber sie traf damit genau die Halskuhle mit der Aorta. Franz' Klinge durchbohrte Pjotrs Haut allein durch die Stoßwucht wie straff gespannten hauchdünnen Stoff.

Der Russe riss den Mund auf, schlug im Reflex mit seinem linken Arm nach Annette und stieß sie weg. Sie taumelte gegen den aufgebockten Tisch mit der Apparatur und warf alles um.

Die Reibungsmaschine zerfiel durch den Sturz in ihre beiden Drehräder, der Metallquader wurde durch die Tischkante deformiert und der Glaszylinder zerschellte auf dem Boden, aufgeweichtes Papier und Zinkplättchen wie Konfetti verstreuend.

Annette bekam ein paar Spritzer der darin enthaltenen Salzlösung auf die Lippen. Die schmeckte so scheußlich, dass der Ekel den Schmerz im Kreuz, wo sie gegen den Bock geprallt war, vergessen machte.

Das Gurgeln des Russen sollte sie hingegen nie wieder vergessen. Er vollführte einen absurden Abschiedstanz. Das Messingblech ragte aus seiner Halswunde; jeder Pulsschlag pumpte Fontänen von hellem Blut heraus. Es versickerte in seiner blauen Uniform, benetzte den besinnungslosen Franz, den Holzsessel und Annette. Die roten Tropfen wurden von ihrem grünen Rock aufgesogen und bildeten ein makabres Muster.

Pjotr hatte das Metall mit seinen vier verbliebenen Fingern der Linken umschlossen, aber er schien nicht fähig zu sein, es aus seinem Fleisch zu zerren.

In dem Moment, in dem er aufhörte zu wanken, um wie ein gefällter Baum umzukippen, ertönte Gropps Stimme hinter Annette mit nur einem Wort: »Gottverdammt!«

Der Wachtmeister humpelte an ihr vorbei und kauerte sich ächzend nieder. Der Russe gurgelte auf der Erde wie ein Ertrinkender.

»Russe, ich habe dir doch gesagt, dass du keine Verrücktheiten machen sollst. Nun … tja, deine Schuld«, tadelte Gropp mit einem gleichgültigen Unterton. Er packte das Metallstück und drehte es in der Wunde. Annette hörte das Knirschen von zerreißendem Gewebe.

Pjotr riss die Augen auf, dann erloschen sie.

Gropp seufzte theatralisch, hob Pjotrs Uniformrock an, der feucht und schwer vom Blut war, griff in die Hosentasche des Russen und fischte einen ledernen Geldbeutel heraus. Dann wandte er sich um und sagte mit einem zufriedenen Lächeln zu Annette: »Vielen Dank für deine Hilfe, Weib, hast uns Arbeit erspart. Ich brauch dir wohl nicht zu sagen, dass du verhaftet bist …«

10

»Wollt Ihr mit mir beten, Annette? Für die Seele Eures Gatten?«, fragte der Chorherr mitfühlend.

Die Nachricht hatte sie mit erschreckender Gleichgültigkeit aufgenommen. Sie konnte dieses Gefühl noch immer nicht richtig einordnen. Emil hatte vor dem Umzug – *der Reise ins Exil,* verbesserte sie sich in Gedanken – nach Rheinfelden einen Charakter besessen, der ansprechend auf sie gewirkt hatte. Was für ein unverschämtes Glück war das für eine arrangierte Ehe gewesen.

Trotzdem fühlte sich ihr Herz nun an, als sei dieser Hass schon immer da gewesen. Als habe da nie ein Quäntchen Liebe dringesteckt.

»Emil Schäfers Urteil wurde heute Morgen durch den Scharfrichter Mengis vollstreckt«, hatte der Chorherr erzählt, nachdem er vor ihre Zellentür getreten war und an seinem Goldkreuz genestelt hatte, bis Bolz, einer der Kerkermeister, verschwunden war. »Ich betete für seine Seele. Möge ihm unser Herr Jesus Christus seine Sünden vergeben, Amen.«

Ob ich das Schwert spüren werde? Ob ich auf den Block gehen kann, ohne zusammenzubrechen? Und was wird dann aus ihm oder ihr?

Annette kaute an diesem Gedanken jeden einzelnen Tag herum, seit sie vor … ja wann? *Die Zeit verkommt in der Zelle zu einem monotonen Fluss aus Schlafen, Essen, Scheißen, Kratzen und Vegetieren.*

Sofort schämte sich Annette für diesen ungewohnt vulgären Gedanken, den sie auf die widrigen Umstände schob.

Schlafen … nun, das war das größte Problem.

Das Kind unter ihrem Herzen strampelte in diesem Moment, als hätte es ihre Gedanken gehört.

Sie lehnte sich gegen die kühle staubverschmierte Steinwand, die nach feuchtem Moder roch, und hielt ihre Hand auf die Stelle, wo das Ungeborene gegen ihren Bauch trommelte. Der

Schmerz war unbedeutend. Viel grausamer war die Gewissheit, dass sie es nie aufwachsen sehen würde.

Annette befand sich in einer der Rheinfelder Kerkerzellen unter dem Hauptgebäude der Garnison, so wie einst Franz Brogli.

Es waren mittelalterliche Steinzellen mit muffigen Strohlagern als Schlafstätten, einem Holzeimer als Abort und einer Gittertür aus dicken Eisenstäben. Dazu gab es zahlreiche ekelerregende Haustierchen in Form von Flöhen, die Annettes Körper schon nach dem ersten Tag ihrer Haft erobert hatten, und Ratten, die mit tippelnden Schritten durch die Zelle huschten, irgendwo herauskommend und wieder irgendwo in den Wänden verschwindend.

Einzige Lichtquelle war eine Funzel draußen an der Gangwand, gegenüber der Gittertür. Die winzige verdreckte Laterne warf ein kariertes Muster aus Licht und Schatten auf Annettes Zellenwände. Ein Teil der Kammer blieb im ewigen Zwielicht.

Der diensthabende Kerkermeister brachte zweimal am Tag die Mahlzeiten und sah nach ihr.

Meistens war es Willy Bolz, vielleicht fünf, sechs Jahre älter als sie, klein, dürr, mit einer Adlernase und fehlenden Schneidezähnen. Er roch nach Wein und dem undefinierbaren Duft einer Seife, die in den Arbeiterquartieren für einen erschwinglichen Preis angeboten wurde und dort ein begehrtes Luxusgut war. Annette hatte sie auf der Straße, im Spital oder in einer Taverne öfter gewittert.

Bolz schien kein übler Kerl zu sein. Jedenfalls verhielt er sich nicht so wie die Kerkermeister, wie sie in Romanen regelmäßig beschrieben wurden: wortkarg, gehässig, misanthropisch, zuweilen bösartig oder gar sadistisch.

Bolz hingegen redete stets ein paar Sätze mit ihr, erkundigte sich, wie es ihr unter den gegebenen Umständen gehe, sprach zuweilen von aktuellen Ereignissen in Rheinfelden. Sie wusste, dass er daheim ebenfalls eine schwangere Frau hatte.

Und er brachte ihr überraschend gutes Essen, was sie verwunderte, weil Emil und sie sonst in jeder Beziehung gedemütigt worden waren. Ein paar Treppen höher aber hatte eine gute Seele offenbar Mitleid mit einer Schwangeren – das redete sie sich zumindest ein – und servierte statt fauligem Fleisch und dünnen Suppen halbwegs frisches Gemüse und Schweinespeck. Den in Essigwasser ausgekochten Rotkohl mit Zwiebeln von gestern Abend hatte sie sogar bei sich behalten können.

Sie fühlte sich die ganze Zeit kränklich.

Ihre Hüften waren knochiger geworden, ihre Arme und Beine weniger fleischig. Ihr Busen war geschrumpft. Nur ihr Bauchumfang nahm zu. Ihre Haut unter dem einfachen erdbraunen Leinengewand, in das man sie gesteckt hatte und das wie ein Sack über ihren Körper fiel, war von Flohbissen übersät und fühlte sich heiß an, während ihre Füße stets kalt blieben.

Vielleicht wird mich die Schwindsucht auch zerfressen … Ein letztes Geschenk von Franz Brogli.

Sie konnte keine Sekunde ohne schlechtes Gewissen an den einstigen Soldaten denken.

Sein apathisches, eingefallenes, entstelltes Gesicht hatte wie das eines Toten gewirkt, als Annette von dem selbstzufriedenen Gropp zur Kellertür gedrängt worden war. Dieses Mal hatte ihr der Wachtmeister eiserne Handschellen angelegt, die er aus seinem Tornister geangelt hatte.

Draußen auf dem Hof stand Crispin und wusch sich am Brunnen seine blutende Nase. Neben der Trockenmauer lagen die zertrümmerten Überreste des Gesichtskäfigs.

Gropp winkte ihn heran, dann drängte er Annette in den Schneidersitz auf das Gras, zwang sie, sich an die Außenwand des Wohnhauses zu lehnen.

Die Holzfassade knarrte. Die Feuchtigkeit des Grases drang sofort durch ihren Rockstoff, sodass ihr Po unangenehm zu jucken begann.

Emil hockte etwa zwei Meter neben ihr. Er trug sowohl Hand- als auch Fußschellen. Sein Hals war wundgescheuert, wies Würgemale auf. Sein linkes Auge war zugeschwollen, eine dünne verkrustete Blutspur kam aus seiner Nase. Sein Baumwollhemd hatte zerrissene Ärmel, und die Arme darunter waren zerkratzt und voller Hämatome auf. Er schenkte ihr keinen einzigen Blick, starrte stattdessen auf die Grasbüschel vor ihm.

»Der Russe ist hinüber«, meldete der Wachtmeister, als Crispin zu ihm stieß und die Brauen hochzog, als er die Blutspritzer auf Gropps Kleider entdeckte.

»Ich werde seine großen Spendierhosen vermissen«, höhnte Crispin.

Gropp lächelte, klimperte mit dem Geldbeutel des Russen. Crispin klatschte vor Freude in die Hände, wurde dann von seinem Vorgesetzten ganz nah herangezogen. Sie tuschelten eine Weile, wobei Gropp zweimal Richtung Wohnhaus nickte.

Zunächst versuchte Annette, die Worte zu erhaschen, aber das Beißen ihrer gereizten Pobacken lenkte sie zusehends ab. Ein verheerendes Durstgefühl, das immer mehr zunahm, zerstörte ihre Konzentration endgültig. Sie krächzte nach einem Schluck Wasser, während sie ihren Hintern auf dem Gras hin und her rieb. Die beiden Polizisten beachteten sie nicht einmal.

Wie konntest du mir das antun?, dachte Annette. Ihre Gedanken wurden träge. Dann übermannte sie ein Gefühl der Resignation.

Als sie aufbrachen, schlich sie stumm und teilnahmslos, gequält von Durst, den Männern hinterher. Die Ketten ihrer Handschellen klirrten bei jedem Schritt wie die Fesseln eines Schlossgespenstes aus einem ihrer Schauerromane.

Emil und ich rasseln synchron, fuhr es ihr durch den Kopf. *Ob wir nach unserem Tod gemeinsam spuken und mit Ketten klirren werden? Vielleicht irrwandeln wir ja zusammen mit Franz und Pjotr durch das Spital?*

Es sollte eine Woche dauern, bis Annette von Willy Bolz erzählt bekam, dass Franz Brogli zwei Tage nach seiner Auffindung im städtischen Siechenhaus an Schwindsucht und allgemeiner körperlicher Schwäche verstorben war. Bolz schilderte, dass Schwester Martha aus dem Rheinfelder Spital an diesem Tag im

Siechenhaus Dienst getan habe; sie sei Zeugin seines Sterbens gewesen und habe die Leiche pflichtgemäß auf den Friedhof überführen lassen. Bolz wisse zudem von seiner Frau, dass Klara Studer und ihre beiden Töchter die einzigen Gäste bei der Abdankung gewesen seien.

Zuvor war Franz Brogli von der Polizei in die Stadt zurückgebracht und dann durch den Schultheißen begutachtet worden, zunächst noch als Lebender, vierzig Stunden später als Toter. Sowohl Klein- als auch Großrat kamen nach dessen Rapport zum Schluss, dass der erschütternde Körperzustand des Verstorbenen als Folge der Marter eingetreten sei, der er durch Emil ausgesetzt gewesen war.

Noch am gleichen Tag waren Annette und Emil aus den Arrestverschlägen des Kupferturms in getrennte Kerker unter dem Hauptgarnisonsgebäude überführt worden.

Dort in Haft, erfuhr sie zweiundsiebzig Stunden später von der Eröffnung des Prozesses gegen sie. Der Schultheiß erhob auf Drängen des Kleinen Rates Anklage gegen das Ehepaar Schäfer wegen Betrug, Verschleppung, Mord, okkulter Praktiken und Respektlosigkeit gegenüber der Obrigkeit.

Rheinfeldens Ankläger verloren wahrlich keine Zeit, denn schon am nächsten Morgen führte ein Muskelberg von einem Polizisten Annette zu der Verhandlung.

Mit entblößten Waden und in dem schrecklichen sackartigen Leinenkleid wurde sie in eine Kellerkammer des Garnisonsgebäudes gedrängt. Sie stank wie ein Rudel Straßenhunde, jedenfalls empfand sie es so, ihr Gesicht hielt sie für schrumpelig wie ein Herbstapfel, der liegen geblieben war, und die Wellen ihres Haars fühlten sich verwelkt und spröde wie Heu an.

Das dreiköpfige Untersuchungsgremium musterte sie eindringlich.

Der Schultheiß mit seinen Schwabbelwangen und seinem forschen Benehmen führte das Verhör. Daneben thronte Carl Wilhelm Brutschin, Vorsitzender des Großen Rats, mit gepudertem Gesicht und einer schön bestickten dunkelroten Redingote, das

Gesicht mit seiner schlangenhaft-ledrigen Haut hochnäsig verzogen.

Der dritte Ankläger ließ Annettes Herz fast aussetzen: Hans Georg Kalenbach als Vertreter des Kleinen Rates. Seine milchighellblauen Augen schwammen hinter der vergoldeten Brille und wichen jedem Blickkontakt aus.

Sie wurde bei diesem Wiedersehen von so widersprüchlichen Gefühlen gepackt, dass ihre Zunge redete, bevor sie nachdenken konnte. »Herr Kalenbach, habt Ihr von meiner Familie gehört?«

Die Entgegnung bestand in einem groben Stoß ins Kreuz, der sie auf den kalten Steinboden zwang. Ihr wurde schwindelig, dazu bekam sie groteskerweise Appetit auf Fleischfond mit eingekochten Pflaumen und Speck.

»Sei still, Metze! Du redest nur, wenn du angesprochen wirst«, dröhnte der muskulöse Stadtpolizist über ihr.

Und dann *wurde* sie angesprochen, und wie! Das Fragenbombardement glich dem Kartätschenhagel auf die *Grande Armée* in der Schlacht von Waterloo, und der Schultheiß war ein unerbittlicher Kanonier.

»Wann habt Ihr Euch den ketzerischen Praktiken verschrieben, Frau Schäfer?«

»Euer Gatte ist ein Aufrührer gegen die katholische Kirche. Ein arglistiger Betrüger, der das Vertrauen der Stadt missbraucht hat. Seine Monstrosität wird vollumfänglich durch die Akten bezeugt, die wir in seiner Arbeitstasche gefunden haben. Wie lange habt Ihr schon davon gewusst?«

»Ihr habt ihm als Erfüllungsgehilfe gedient, Frau Schäfer. Wieso habt Ihr Eure Sünden nie der Beichte anvertraut? War Euer Glaubensbekenntnis ebenfalls eine Täuschung?«

»Was hat Euer Gatte mit dem unglücklichen Paul Gass angestellt?«

»Gehört Euer Gatte einer bonapartistischen Verschwörung an?«

»Auf welche ketzerische Weise habt Ihr und Euer Gatte den unglücklichen Franz Brogli gemartert? Was war die Funktion dieser Drähte und des Kastens?«

»Was sagt Euch der Begriff ›Batterie‹?«

Sie stammelte, rechtfertigte, schilderte, bekam Knuffe von dem Muskelprotz.

Der Schultheiß drohte ihr zweimal unverhohlen Züchtigung an, als habe es Aufklärung und Helvetische Republik nie gegeben, als hätte der Aargau die Folter nicht prinzipiell abgeschafft. Sie wurde bis zur Erschöpfung verhört. Über Stunden. Dann schleifte der Muskulöse sie in ihre Zelle zurück. Sie fühlte sich leergesogen und vermisste das Tageslicht.

Ihr blieb dennoch ein Quäntchen Geistesgegenwart, um einen Umstand während des Prozesses zu bemerken: Der Russe namens Pjotr wurde mit keiner Silbe erwähnt – in keiner Frage, in keiner Ausführung, in keinem Zusammenhang. Für ihre Ankläger schien es so zu sein, als habe er nie existiert.

Die beiden Galgenvögel haben dichtgehalten, vermutete sie erschlagen. *Wer wird diesen hässlichen, unsympathischen Russen schon vermissen, der vermutlich irgendwo in einem Erdloch verscharrt wurde?*

Wird MICH jemand vermissen? In welchem Loch werde ICH entsorgt?

An diesem Abend nach dem ersten Verhör brach sie in ihrer Zelle zusammen. Sie erbrach den gerade verspeisten Kartoffelbrei wieder, dann schrie sie hysterisch, wand sich in Krämpfen.

Willy Bolz handelte zielstrebig. Er ließ seinen Mitwächter, den Mann, den alle »Glatzen-Martin« nannten und der am Tage von Emils vermeintlicher Abreise der Bewacher von Franz Brogli gewesen war, sofort einen Arzt rufen. Ob Bolz es aus Mitleid oder aus Befehlstreue tat – er habe vom Schultheißen persönlich die Aufgabe gekriegt, die ehemalige Frau Doktor mit allen Mitteln am Leben zu erhalten, wie er später freimütig zugab –, wusste Annette nicht.

Der griesgrämige Martin kam mit einem aufgekratzten blutjungen Spitalarzt zurück. Der erkundigte sich in badischem Dialekt nach Annettes Namen, stockte unangenehm berührt, um dann leise anzumerken, dass er also den Auftrag erhalten habe, die Gattin seines ungnädig gewordenen Vorgängers zu untersuchen.

Annette konnte nicht anders. Sie lachte ob der Ironie heiser auf, dann verzog sie das Gesicht wieder vor Krämpfen.

Der junge Arzt guckte betroffen, erinnerte sich dann aber wohl wieder an seine Professionalität, untersuchte sie, stellte ihr Fragen und verkündete zuletzt feierlich wie ein Volksredner bei einer Weihnachtsansprache, dass sie in anderen Umständen sei.

»Wie meine Gertrud!«, rief Bolz dazwischen.

»Lasst uns Sorge zu Euch tragen, damit Ihr wohlbehalten …« Der junge Arzt brach seinen Satz ab, als Annette zu weinen anfing.

Selbst Glatzen-Martin versank in Schweigen. Sein ewig mürrischer Gesichtsausdruck löste sich ein klein wenig auf, während er auf seine zerfransten Lederschuhe hinuntersah.

Annette brütete vor sich hin, einen Tag, zwei Tage, sie konnte es nicht sagen.

Was wird aus meinem Kind? Wie konntest du mir das antun? Das Reden übernahm in dieser Zeit Bolz, mit offensichtlicher Anteilnahme, aber mit fehlendem Taktgefühl.

»Weißt, was über dich geredet wird? ›Die schwangere Mörderin‹ nennen sie dich … und auch anders, aber das ist ja egal …«, plauderte er, während er einen Napf mit wohlriechendem Kohlbrei unter der Gittertür durchschob. »Bist eine Berühmtheit! Meine Frau bedauert dich, auch wenn du den Brogli erledigt hast.« Er verzog den Mund zu einem Lächeln. Es war bestimmt freundlich gemeint, aber mit den Zahnlücken wirkte es ziemlich gruselig. »Ein Bekannter von mir, der lesen kann, hat sogar gesagt, dass die Schmierblätter über dich erzählen.«

»Ich bin unschuldig«, flüsterte Annette, dann kroch sie über das Stroh und den kalten Stein zum Napf. Der Geruch des Kohlbreis lockte verführerisch. Einmal mehr fragte sie sich, ob die Berichte über das schlechte Essen in den Gefängnissen nicht übertrieben waren.

»Na, das sagen alle hier unten«, entgegnete Bolz und zuckte die Schultern.

Nachdem sie das zweite Mal vor das Gericht gebracht wurde, fällten die drei Vorsitzenden schon das Urteil.

In der Kellerkammer war es kühl, aber Kalenbach und der Schultheiß trugen nur dünne Mäntel, ein Indiz auf einen warmen, sonnigen Tag in der Welt weiter oben.

Was haben wir jetzt? August? Aber sicher war sie sich wahrlich nicht. *Letztes Jahr um diese Zeit feierten wir meinen siebzehnten Geburtstag und meine Verlobung, während draußen der Asphalt mit Frost überzogen war.*

Schweiß klebte ihr auf der Stirn. Ihr Bauch fühlte sich bleiern an. Sie hatte Hunger, aber keinen Appetit.

Ihr Bewacher, niemand anders als jener Korporal Durst, der vor einer gefühlten Ewigkeit an einer Barrikade einer in Schwierigkeiten steckenden Kutsche beigestanden hatte, lenkte sie zu der Wand, in der ein dicker Eisenring verankert war. Er fädelte die Führungskette der Handschellen hindurch.

Sie zitterte am ganzen Leib, die Schellenkette klimperte sanft mit. Als die Richter das Wort ergriffen, rückte sie sich verlegen ihre Lumpen zurecht.

Carl Wilhelm Brutschin in seinem Frack, mit Ornamenten aus goldenem Faden darauf gestickt, erhob sich am Richtertisch. Die anderen Anwesenden – Kalenbach, der Schultheiß, der Protokollar, die beiden wachhabenden Polizisten und ein knochiger Gerichtsdiener – taten es ihm gleich, bis Brutschin abnickte.

Geräuschvoll setzten sich alle wieder hin; Annette musste stehen bleiben.

Brutschin nahm eine Brille aus einem lackierten Holzkästchen vor ihm, setzte sie auf, schob seine linke Handfläche unter ein danebenliegendes Dokument und hob es elegant hoch, wie ein Kellner eines Edelrestaurants das Tablett.

Dann begann er mit monotonem Tonfall vorzulesen: »Nach ausführlicher Beurteilung der Anklage der Stadt Rheinfelden gegen Annette Schäfer, geboren als Annette Lutz am 3. August

1799 in Brugg als zweitältestes Kind von Wilhelm Josef und Marie Lutz, betreffend Beihilfe zur Verschleppung von Franz Brogli, geboren an einem unbekannten Tag im März 1784 als drittgeborenes Kind von Max und Lena Brogli, sowie betreffend Beihilfe zum Betrug, zur Praktizierung okkulter Riten und zur Täuschung der obrigkeitlichen Behörden, verkündet das Gericht nach Einvernahme der Zeugen, der Abwägung der obrigkeitlichen Interessen, der vorliegenden Beweise und Umstände in Einklang mit den Gesetzen des Stands Aargau also folgendes Urteil …«

Sie werden es tun. Annette verkrampfte die Hände ineinander. Die Handschellenkanten drückten tiefe Rillen in ihr Fleisch.

»Annette Schäfer, Sie werde Kraft unseres Amtes der Ihr vorgeworfenen Vergehen für schuldig befunden und gemäß den hoheitlichen Gesetzen zum Enthauptungstode durch das Schwert verurteilt. Das eheliche Vermögen der Angeklagten, wie auch das des Hauptangeklagten Emil Schäfer, wird durch die Stadt konfisziert, um daraus Wiedergutmachungsansprüche für die städtischen Institutionen, die Kirche und die Angehörigen des Verstorbenen zu vergelten.«

Annette begann, hemmungslos zu schluchzen. Ihr Körper zuckte wie Franz Brogli unter den Stromstößen. Ihre Ketten klirrten, als sie ihr Gesicht in den Händen vergrub und weinte. Einen Moment lang herrschte Stille um sie herum.

Dann sagte Brutschin vorwurfsvoll: »Angeklagte, Ihre Tränen hätte Sie lieber für das unglückselige Opfer Ihrer Machenschaften vergießen sollen!«

Annette schniefte, hatte brennende Augen, aber sie zwang sich, die Arme zu senken und gerade zu stehen.

Da räusperte sich Kalenbach verhalten. Er schob sich die verrutschte Brille auf die Nasenwurzel zurück und sah Brutschin fragend an.

Brutschin entgegnete dem Blick, nickte unmerklich. Er ließ das Urteilspapier sinken, legte es auf dem Tisch ab, nahm auf dieselbe affektierte Weise das nächste Blatt hoch, dann verzog er seine Mundwinkel leicht nach unten. »Der Herr Doktor Färber, Arzt unseres hochgeachteten Hospitals, hat die besonderen Umstände der Angeklagten bezeugt und eingegeben. Nach geltendem Gesetz des Aargauer Standes wird die Bestrafung der Angeklagten Annette Schäfer, geborene Lutz, daher bis zu ihrer Niederkunft ausgesetzt. Ihr entbundenes Kind wird nach der Urteilsvollstreckung in die Obhut eines Waisenhauses übergeben.«

Als die drei Richter davongerauscht waren, brachte der Korporal Durst die völlig aufgelöste Annette in die Zelle zurück. Er schien mitleidig und versuchte, ihr am Ende gar etwas Trost zu spenden, trotz der »Verbrechen«, die sie getan hatte. »Immerhin wirst du dein Kind noch im Arm halten können. Das ist mehr, als dein Mann oder andere in deiner Situation können«, seufzte er, während Bolz die Zellentür abschloss.

Der Chorherr, offenbar beunruhigt durch die stumme Melancholie seines Schafes, war ganz nah an die Gittertür herangekommen. »Wir sollten wirklich für die Seele Eures Gatten beten, meine Tochter. Fühlt Ihr Euch dazu in der Lage?«

Sie zögerte, dann ging sie auf die Knie und faltete die Hände auf die katholische Weise zum Gebet. Sie zuckte unwillkürlich zusammen, als die verrunzelten trockenen Hände des alten Geistlichen durch das Gitter nach den ihren griffen.

Schweigend und mit geschlossenen Augen lauschte sie dem geflüsterten Gebet. *Ob Emil in der Hölle gelandet ist? Ob er da von Satan an einen kleinen Kasten mit Drähten angeschlossen wird? Ob ich für den Rest der Ewigkeit mit Vorräten über kalte gefrorene Felder laufen muss? Mit gefesselten Händen und einem Schwangerschaftsbauch?*

Der Chorherr sprach das Vaterunser, als Annette die stampfenden Schritte von Glatzen-Martin irgendwo in den Gängen schallen hörte, offenbar begleitete ihn eine weitere Person. Dann verharrten sie. Stimmengebrabbel flog durch die Luft, die Worte vom Echo bis zur Unkenntlichkeit entstellt. Dennoch durchfuhr Annette ein heißer Blitz. Sie lauschte angestrengt.

Der Chorherr bemerkte die Neuankömmlinge erst, als sich jemand außerhalb von Annettes Sichtbereich direkt an ihn wandte. Der alte Geistliche beendete zuerst in Ruhe das Gebet, indem er mit »… und die Kraft und die Herrlichkeit in Ewigkeit, Amen!« schloss, dann ließ er Annettes Hand los und erhob sich.

»Verzeiht, Vater«, grunzte die tiefe knarrende Stimme Glatzen-Martins, »aber die Gefangene hat außerordentlichen Besuch. Ein Freund der Familie, wurde gesagt.«

Ich wusste gar nicht, dass der Griesgram so viele Wörter aneinanderreihen kann.

Der Chorherr nickte mit einem fragenden Lächeln und sagte: »Ich verstehe. Entschuldigt meine Überraschung über diesen Umstand, aber normalerweise dürfen Verurteilte niemanden außer einem Geistlichen empfangen, Herr …«

»Fernand de Muespach, Euer Hochwürden«, antwortete die wohlklingende tiefe Stimme des Angesprochenen.

»Aha … seid Ihr Franzose, Herr Muspach?«

»Nein, ich bin Protestant«, antwortete de Muespachs mit höflicher Bissigkeit.

Der Körper des Chorherrn versteifte sich augenblicklich, seine Miene verzog sich in einer Mischung aus Verachtung und Abscheu. »Nun, ich verstehe, der Herr. Verzeiht mir, es ist bereits viel Zeit vergangen, andere Pflichten warten noch auf mich. Frau Schäfer, wir werden uns in ein paar Wochen wiedersehen.«

Annette hatte ihm kaum zugehört. Schnell haspelte sie eine Verabschiedung, dann drückte sie sich im Knien gegen das Gitter und äugte wie ein kleines Mädchen, das sich die Nase an einer Fensterscheibe platt drückte, um ja alles im größtmöglichen Sehwinkel zu erkennen, was draußen vor sich ging.

Fernand ist hier! Wie hat er das geschafft? Bringt er gute Nachrichten? Mein Gott, wie ich wohl stinke …?

Der schwache säuerliche Duft des alten Chorherrn wurde durch die kräftige Note eines französischen Parfüms mit einer Lavendel- und Zitronennote ersetzt.

De Muespach trat vor die Gittertür, zwinkerte Annette zu. Sein Haar war vornehm auftoupiert wie immer, wenn auch mit ein paar grauen Strähnen mehr als das letzte Mal. Er trug eine französische *pantalon* aus Baumwolle, einen Veston, einen Zylinder, den er abgenommen hatte, und einen braunen Ölregenmantel, der noch Tropfen aufwies.

Sein Gesicht schien Annette vertrauter als das ihres Vaters.

»Nicht zu lange! Und kein Tabak!«, ermahnte Glatzen-Martin.

De Muespach nickte ihm zu, woraufhin Annette Martins schwere Schritte davongehen hörte. Im gleichen Moment hatte sich de Muespach schon zu ihr heruntergekauert. Das Ganze hatte einen … *irgendwie romantischen* … konspirativen Beigeschmack.

»Wie geht es Euch, Annette?«, fragte er.

Sie schlug die Augen nieder. »Gut.«

»Ihr wisst, dass Emil gerichtet wurde?«

»Ja. Der Chorherr hat es mir soeben erzählt. Woher wusstet Ihr davon, Fernand? Stand die Verurteilung in einem Basler *journal?*«

De Muespach griff in seine Mantelinnentasche und holte einen gefalteten Briefumschlag hervor. »Ich erhielt ihn von einem Kurier. Der Brief ist ein Hilferuf von unserem lieben Kalenbach. Er hatte meine Anschrift wohl irgendwie herausgefunden.«

»Was?«, rief Annette verblüfft und fügte dann leiser an: »Von Kalenbach? Das hätte ich …«

»Ein Zauderer mit einem schlechten Gewissen, immerhin. Er sorgt mit kleineren Zuwendungen dafür, dass Ihr anständiges Essen erhaltet, wie es sich für eine werdende Mutter gehört. Ihr esst besser als die Kerkeraufseher, meine Liebe! Und er schrieb, wie er mir heute Morgen selbst berichtet hat, auch an Eure Eltern, gleich nach der Verhaftung. Allerdings hat Eure Mutter wohl schon davon gewusst. Ich übrigens auch, aber zunächst habe ich keine Handlungsmöglichkeiten gesehen, da ich selbst gerade … nun ja …«

De Muespach legte den Zylinder neben sich auf den Boden

und öffnete den Regenmantel ganz. Darunter trug er einen Gürteltornister aus starrem Leder, dessen Lasche er aufzupfte, dann nahm er ein paar verknitterte Tageszeitungen heraus. Wortlos übergab er sie Annette.

Das Papier und die Druckerschwärze rochen so herrlich, sie atmete tief ein. Dann fiel ihr Blick auf die Schlagzeile. Es handelte sich um ein Tagesblatt aus dem Fricktal, das über den »grausamen *Düüfelsdoktr*« aus Rheinfelden berichtete. Ungläubig überflog sie die anderen Zeitungen, die aus dem restlichen Aargau, aus Basel und sogar aus einem zürcherischen Städtchen namens Uster stammten. Annette bemerkte ganz nebenbei, dass diese Zürcher Gazette, die Emils Hinrichtung für die nächsten Tage ankündigte, anfangs September gedruckt worden war.

Also bin ich sogar schon länger hier drin als angenommen.

Die letzte Zeitung des Portfolios war das *Badener Thagblatt,* darin stand eine etwas andere Geschichte. Ein großes Bild zeigte die abgedruckte Kohlenstiftillustration eines Gerichtssaals, auf dessen Anklagebank ein älterer Herr in der Kleidung eines wohlhabenden Geschäftsmannes saß. Darüber prangte der Titel: *Bonapartist Wilhelm Josef Lutz wegen Kriegsgewinnlerei und Bereicherung angeklagt.*

Annette stockte der Atem, als spanne die Vorsehung sie genau in diesem Moment in einen Schraubstock ein. Sie krächzte: »Mein Vater …?« Dann fing sie an zu schluchzen.

De Muespach kratzte sich verlegen an der Wange, nahm ihr die Zeitungen aus der Hand und antwortete, während er sie wieder im Tornister verstaute: »Der Stand Aargau, besser gesagt seine Obrigkeit, die Patrizier und die Granden, die vergelten nun die Machenschaften von Parvenüs der Franzosenzeit, wie Euer Vater – oder die Familie von Emil, Gott sei seiner Seele gnädig – welche sind. Bonapartismus, staatsfeindliche Einstellungen, Bereicherung, Konterbande, Bestechung, unlautere Geschäftsmethoden, Ausbeutung. Irgendetwas findet sich immer. Euer Vater profitierte bis 1811 enorm von der Kontinentalsperre, das wussten und unterstützten die Franzosen damals. Probleme hat er erst nach der Aufhebung bekommen, als das englische Tuch wieder erhältlich wurde. Und jetzt wollen ihm die restaurativen Kräfte den Garaus machen.«

Annette schwieg. Sie konnte kaum einen klaren Gedanken fassen.

»Eure Mutter ist in ärztlicher Behandlung, zumindest, solange das Vermögen Eurer Familie dafür noch ausreicht. Ihr Gesundheitszustand sei bedenklich und zu gravierend, als dass sie tätig werden könne, so teilte es mir Euer älterer Bruder mit. Er rekurrierte gegen Rheinfeldens Urteil, konnte allerdings nichts ausrichten. ›Wir können den Fricktalern nicht reinreden, das ist zu heikel‹, meinte man im Großen Rat in Aarau. Allgemeine Haltung, fürchte ich. Man weiß ja, wie fragil der Aargau noch immer ist.«

Er seufzte, dann legte er seine Hand durch das Gitter hindurch auf die von Annette. »Natürlich wollte sich in Wahrheit niemand in den Dunstkreis eines Parias gesellen. Ich bedaure, meine Liebe, wirklich! Aber grämt Euch nicht! Noch gibt es Hoffnung.«

»Was für Hoffnung?«, stieß Annette schluchzend hervor. »Wenn ich entbunden habe, werden sie mich köpfen. Und ich habe es verdient, Fernand! Nach all dem, was ich gemacht habe … dieser Betrug, diese schlimmen Dinge mit Franz Brogli … und das mit diesem Russen, nicht mal der hat es verdient, dass …«

»Hat es Euer ungeborenes Kind verdient, ohne Mutter aufzuwachsen?«, fuhr de Muespach scharf wie eine Sense dazwischen.

Annette verstummte.

»Annette«, redete de Muespach in wärmerem Ton weiter, und er wechselte fließend auf die französische Sprache, »ich habe unserem Freund Martin nicht das außergesetzliche Betreten des Kerkers vergolten, damit Ihr mir hier jetzt in Selbstmitleid ersäuft. Und Martin Alois Schattmann, Doktor der Physik und der Medizin, der viele Jahre im Zarenreich gedient hatte und nun, tja, verschwunden ist, ist Eure Trauer schon gar nicht wert.«

»Ich habe ihn getötet«, meinte Annette, nun ebenfalls auf Französisch. *Pjotr der Deutsche, Pjotr der Russe.*

De Muespach schnaubte spöttisch. »Ich habe meinen Kontakten gemeldet, dass Emil es getan habe. So als kleiner Schuss ins Blaue. Denn niemand scheint zu wissen, wo der hässliche und überraschend vermögende Pjotr geblieben ist. Ist das nicht tragisch?«

»Was meint Ihr mit ›Kontakten gemeldet‹?«

»Ich habe über Umwege mit Freundesfreunden im Zarenreich Kontakt aufgenommen, einige Fragen gestellt, und einer von denen hat mich letzte Woche, zusammen mit meinem Freund und Verbindungsmann nach Russland, im Rahmen einer Geschäftsreise besucht. Beide sind Emil – oder vielmehr nun Euch – übrigens dankbar, aber davon später. Ich korrespondierte mit meinem Freund übrigens schon, nachdem ich Euch das erste Mal in Rheinfelden besucht hatte. Ihr erinnert Euch bestimmt an meine Neugier, was Pjotr betraf, und an meine Notiz in der Korrespondenz an Euch. Der Freundesfreund in Russland versorgte mich da mit einigen interessanten Akten über diesen Doktor Martin Alois Schattmann … übersetzte Abschriften von zaristischen Dokumenten, Rekrutierungsunterlagen, Protokolle und dergleichen. Habe dafür eine stattliche Summe …«

»Dann ist es also wahr!«, platzte es aus Annette heraus. »Ihr habt für die Geheime Polizei des Kaisers gearbeitet?«

De Muespach schmunzelte, dann legte er seinen Zeigefinger auf die Lippen und wisperte: »Eure mädchenhafte Begeisterung ist entzückend, meine Liebe. 1809 in Rouffach, als ich den Auftrag hatte, Konterbande mit englischen Waren zu unterbinden, die in diesem elsässischen Dorf zwischengelagert wurden, lernte ich diesen meinen Freund und jetzigen Kontakthersteller, als französischer Kaufmann getarnt, zum ersten Mal kennen. Damals waren wir noch Gegner, in der Zwischenzeit, nach dem verlorenen Krieg … nun ja, da wechseln Leute die Fronten. Aber zurück zu Schattmann, nicht?«

Annette nickte gebannt und ignorierte sogar, dass neben ihr

eine Ratte durch das muffige Stroh krabbelte.

De Muespach flüsterte weiter: »Laut den ... ›gefundenen‹ Unterlagen ergibt sich folgendes Bild: Schattmann alias Pjotr war offenbar der Bastard eines wohlhabenden Geschäftsmannes aus dem thurgauischen Romanshorn, der dank der heimlichen Hilfe seines Vaters und seiner Intelligenz ein Studium der Medizin und der Physik an der Universität Zürich abschließen konnte. Ein wahrhaftig gebildeter Bastard, ohne Zweifel, ein Schweizer und, verblüffend, etwa zur selben Zeit wie ich in Zürich immatrikuliert. Ich bin mir nicht sicher, ob mir auch deshalb sein Gesicht so bekannt vorkam ... Verzeihung, ich schweife ab! Die Papiere erzählen, dass er bald nach Studienende dem Ruf einer bedeutenden ärztlichen Anstellung nach Königsberg folgte, dort danach aber häufig den Arbeitgeber wechselte und offenbar nicht richtig heimisch werden konnte. Bei irgendeiner Gelegenheit aber schloss er mit russischen Gelehrten Freundschaft, die ebenfalls in Preußen Arbeit gefunden hatten. 1804, als Napoleon Kaiser wurde, überredeten sie ihn, mit ihnen ins Zarenreich zurückzukehren, wo er mit ihrer Hilfe eine Anstellung in einem St. Petersburger Spital fand. Aber auch im Russischen Reich, darauf lassen die Dokumente schließen, wurde Schattmann die Tätigkeit eines Arztes wieder schnell eintönig. Sein Charakter schien ...«

»Er hatte etwas Grausames an sich«, vollendete Annette leise. In ihrem Kopf spukten die kalten blauen Augen des Russen herum und sein unbewegtes Gesicht, als er seine daumenlosen Hände gegen Franz Broglis Kehlkopf presste.

De Muespach wackelte zustimmend mit dem Kopf, bevor er fortfuhr: »Schattmann wurde durch den Einfluss seiner russischen Freunde geprägt, er fand eine Heimat im Glauben an den Zarismus, kannte sich aus Interesse bald im russischen Mystizismus aus. Ihr würdet mir nicht glauben, an was für Geister und Kobolde sogar aufgeklärte Menschen in diesem Land noch glauben. Nun denn, Schattmann wurde von den rohen Vorstellungen der Russen inspiriert und begann das aufwändige Unterfangen, den Sitz der Seele im menschlichen Gehirn nachweisen zu wollen … Forscherdrang, Katharsis, Wahn spielen dabei alle ihre Rollen, nehme ich an. Er stibitzte also Leichen, zuweilen direkt von den Petersburger Friedhöfen oder vom Galgen – guckt nicht so entsetzt, Annette, Männer gehen für ihre Pläne oftmals sehr weit, wie Ihr selbst nur zu gut wisst. Dann … ich muss es aussprechen … reichten ihm die Toten nicht mehr aus. Was nützt der Sitz der Seele, wenn diese bereits auf halbem Weg in die Hölle ist? Also lockte er nun lebende Probanden an. Genauer gesagt: Probandinnen. In einer Polizeiakte sind mehrere Bordsteinschwalben erwähnt, die ihn anklagten, teils unter großer Hysterie. Er soll bei deren Besuch eher an ihren Köpfen denn am Rest ihrer Leiber interessiert gewesen sein. Er vollführte seltsame Experimente, wurde wegen okkultistischer Magie und Körperverletzung verhaftet, dann aber wieder freigelassen. Die Verhaftungspapiere und Verhörprotokolle sind diesbezüglich sehr aufschlussreich.«

»Wie ist ihm das gelungen?«

»Dank der Franzosen, Annette! Die Russen kämpften im Dritten Koalitionskrieg gegen Napoleon mit harten Verlusten und brauchten jeden Mediziner für ihre Lazarette … in diesem riesigen Land gab es zu wenige Ärzte. Also wurde Schattmann anstatt ins Gefängnis an die Front geschickt, wo er Lebende anstelle von Verblichenen zersägen durfte. Ein Paradies für ihn!«

»Mir wird grad anders«, stöhnte Annette.

»Verzeiht, ich bin ein wenig abgestumpft. Schattmanns Engagement im Lazarett, seine halb offiziellen ›Sitzungen‹ mit traumatisierten Soldaten, seine Obsession für das menschliche Gehirn und seine Freunde, von denen einige mit dem zaristischen Geheimdienst kollaborierten, brachten ihn wohl endgültig in den Dunstkreis der Geheimpolizei. Die Unterlagen sind dort natürlich lückenhaft, daher können wir nicht sagen, wie genau man auf Schattmann aufmerksam wurde. Ein obskurer Oberst, der Yuri Beria hieß, hatte ihn möglicherweise schon länger im Visier.«

De Muespachs Augen bekamen einen seltsamen Glanz.

»Kennt Ihr diesen Mann?«, drängte Annette energisch, als hinge ihr Leben davon ab.

De Muespach rang kurz mit sich. »Dieser Beria war ein, sagen wir, gründlicher Mann in jeder Beziehung. Eloquent. Skrupellos. Er hatte zudem eine Nase für geeignete Kandidaten. Wie bei Geheimpolizeien üblich, hatte Beria wahrscheinlich dabei den Zeigefinger der einen Hand auf Schattmanns Straftaten, den der anderen auf einem Freibrief, der Straffreiheit oder Verschleierung oder gar Privilegien anbot. In der Zwischenzeit hatten die geistigen Erschütterungen, die Schattmanns während des Krieges bei einigen Soldaten diagnostizierte, Interesse geweckt. Beria bot ihm an, sie zu untersuchen – angeblich mit dem heimlichen Ziel, mittels einer noch zu entdeckenden Methode den Seelensitz des Menschen zu finden und über diesen den Geist zu lenken.«

Annette glaubte sich verhört zu haben. »Ihr scherzt!« *Schattmann, hör auf, du Hurenbock!,* schrie Franz Brogli in ihrer Erinnerung.

De Muespach lächelte, hob den Zylinder vom Boden auf und drehte ihn nachdenklich in den Händen. »Schattmann und Beria wollten den menschlichen Geist derart versklaven, dass die Betroffenen zu treuen und selbstlosen Untertanen des Zaren werden. Der Oberst garantierte dafür großzügige Mittel. Aber den menschlichen Verstand zu unterdrücken und die Gedanken jederzeit zu beherrschen, dieses Unterfangen ist ambitioniert. Bis zum Frieden von Tilsit 1809 hatte Schattmann dann auch nur miserable Resultate vorzuweisen. Doch fielen ihm die Pläne eines Preußen namens Carl Funkelstein in die Hände.«

Annette nickte und spürte Gänsehaut auf ihren Armen. »Emil erwähnte diesen Mann auch.«

»Dieser Physiker baute eine Batterie, ähnlich der von Volta in Italien ein paar Jahre zuvor, aber angeblich länger funktionierend. Schattmann fand darin *die* Stromquelle für eine elektrische Apparatur, die der Manipulation seiner Patienten dienen sollte. Er experimentierte mit Stromschlägen und anderen körperlichen Torturen. Mein Freundesfreund hat in dieser Zeit ebenfalls für Beria gearbeitet und entsprechende Aktennotizen verfasst, die festhalten, wie Schattmann in den Jahren zwischen dem Tilsiter Vertrag und dem Russlandfeldzug des Kaisers von einer zaristischen Strafanstalt zur nächsten reiste. Überall hinterließ er tote oder hoffnungslos gestörte Häftlinge. Meine beiden Kontakte aus dem Zarenreich meinten einhellig, dass man Schattmann in den einschlägigen Kreisen als den ›Aasgeier des Zaren‹ oder ›des Todes Wandervogel‹ bezeichnete. Die Russen haben ein Talent für Poesie, nicht?«

»Fernand, wie konnte der Zar das zulassen? Er soll doch so gläubig und durchaus barmherzig sein. Wie …?«

»Alexander I. wusste nicht Bescheid. Sein eigener Geheimdienst arbeitete hinter seinem Rücken, was derartige Vereinigungen übrigens immer wieder mal tun. Beria träumte von einem großen Geschenk an seinen Zaren: den willfährigen Untertanen, den guten Soldaten, der ohne zu rebellieren in den sicheren Tod marschiert, den plackenden Bauern, der Tag und Nacht Felder mäht und das Korn drischt, bis ihn der Schlag trifft. Da hätte trotz Christenherz vermutlich kein Herrscher widerstehen können, und kein Oberst wäre unbefördert geblieben. Eine dauerhafte geistige Verknechtung wollte jedoch einfach nicht gelingen, so intensiv Schattmann auch an seinen Methoden feilte. Und dann wurde langsam das Eis dünn: Gefängnisleiter beschwerten sich oder verweigerten die Auslieferung der Häftlinge wegen der Zwangsrekrutierungen durch die Armee. Bei anderen Sträflingen fanden sich partout keine Freiwilligen mehr, da dem ›Wandervogel des Todes‹ inzwischen sein Ruf vorauseilte. Nicht zuletzt waren da zudem die einfachen Leute, wie Anstaltswächter, -köche oder -geistliche, oder in einem Fall sogar der Großgrundbesitzer eines Landstrichs selbst, die aufgrund ihrer moralischen Skrupel intervenierten. Es gab also immer mehr Denunziationen bei der zaristischen Bürokratie. Oberst Beria war durch seine Vorgesetzten schließlich gehörig unter Druck geraten. Schattmann aber erbat sich noch eine letzte Versuchsreihe, mit Häftlingen aus Straflagern weit weg vom europäischen Russland, in Sibirien. Laut Unterlagen verband er in dieser letzten Versuchsreihe Elektrizität mit Geräuschen, die ständig wiederholt werden und irgendwie das Denken beeinflussen sollen. Keine Ahnung, wie.«

»Das Kratzen auf einem Kesselboden zum Beispiel?« Annette hörte das Geräusch in ihrem Kopf, wenn sie nachts nicht einschlafen konnte. Es ließ sie schaudern … nein, sogar mehr, es schmerzte beinahe physisch, als bohre jemand eine Messerklinge in ihre Gehörgänge.

Genau in diesem Moment rumpelte irgendwo eine schwere Tür. Glatzen-Martins kratzige Stimme rief: »Die Mittagsstunde rückt näher, Besucher. Beeilt Euch!«

»Ein paar Minuten noch!«, rief de Muespach im alemannischen Dialekt zurück. Dabei setzte er den Zylinder auf den Kopf. Er räusperte sich, bevor er wieder ins Französische wechselte. »Schattmann hatte Beria also irgendwie überzeugen und Unterschlupf in der Eparchie eines vertrauensseligen Bischofs finden können, auf dessen Gebiet eine Arbeitskolonie für Kriegsgefangene lag. Darunter einige Schweizer Überlebende des Russlandfeldzugs, bestimmt auch Brogli, der durch Schattmanns Werk Verstand und Geist einbüßte. Keine Ahnung, wie Schattmann ihn gewinnen konnte oder warum Brogli später in seinem Wahn von abergläubischen Volksweisen schnatterte. Möglicherweise durch die moralische Erschütterung eingepflanzt, möglicherweise eine Art Verteidigung seiner Seele gegen den Schmerz. Der Bischof erfuhr aber bald von Schattmanns Marter und war außer sich. Und sein Schreiben an den Zaren hatte mehr politisches Gewicht als alle anderen zuvor. Das war im April vor einem Jahr …«

»Dann wurde Franz Brogli von Zar Alexander I. persönlich errettet?«, fragte Annette mit einer Mischung aus Verwunderung und heimlicher Hochachtung.

»Ja, in gewisser Weise. Nachdem die Anschuldigungen erwiesen waren, ließ der Zar Beria als Hauptverantwortlichen nach Sibirien deportieren. Schattmann hingegen … man vernichtete sein Labor und seine Unterlagen, verurteilte ihn zu lebenslanger Verbannung aus dem Russischen Reich. Dazu kupierte man ihm die Zunge und die beiden Daumen, auf dass er nie mehr über seine Experimente reden oder sie wiederholen könne. Zuletzt schob man ihn über die Grenze nach Galizien ab. Was danach geschah, darüber können wir nur noch spekulieren. Schattmann hatte angeblich einige Ersparnisse außer Landes bringen können, obwohl das eher unglaubhaft ist. Mein Freundesfreund munkelt vielmehr von dubiosen Geschäften mit Medizin, selbstgebranntem Alkohol und anderen toxischen Substanzen, damit Schattmann sich über Wasser halten konnte. Und von einem geplünderten Geheimdienstlager mit mindestens zwei Todesopfern, einem russischen Agenten und seiner Frau. Die beiden wurden von den österreichischen Behörden im galizischen Brody in einem konspirativen Appartement gefunden. Jemand hatte ihnen die Kehle im Schlaf aufgeschlitzt. Vermutlich mit einem Skalpell. Mein Freundesfreund berichtet, dass diese Wohnung ein wichtiger Ausgangspunkt für Spionagetätigkeiten im Habsburgerreich gewesen und dass dort unter anderem eine stattliche Summe in diversen Münzwährungen aufbewahrt worden sei. Das Geld war natürlich weg.«

De Muespach guckte Annette forschend an. Sie war bei der Erwähnung des Skalpells unwillkürlich zusammengezuckt.

Sie fragte: »Er ist in Galizien geblieben? Und Franz Brogli?«

»Die zaristischen Behörden wollten die noch vorhandenen Kriegsgefangenen – sofern sie nicht entschlossen waren, freiwillig im Reich zu bleiben – ohnehin loswerden. Die Weizenlieferungen boten sich dazu an. Schattmann musste Wind davon bekommen haben. Er war ein gerissener Hund, daher könnte er mit Bestechungen der richtigen Personen herausgefunden haben, mit welchem Konvoi Brogli unterwegs war.«

»Aber Franz konnte ihm doch nicht gefährlich werden.«

De Muespach massierte sich mit Daumen und Zeigefinger

die Augenlider, sodass die Brille skurril auf seiner Nase tanzte. »Vielleicht hatte er Angst, Brogli fände wieder zu sich zurück. Vielleicht hatte er einfach Interesse am weiteren Verlauf der Erschütterung, immerhin war der Mann ein Wissenschaftler, und Brogli war der einzige Patient, der wieder in seine Reichweite kam. Die Hauptsache ist, dass er jetzt in der Hölle schmort! In diesem Zusammenhang …« Er griff abermals in seinen Gürteltornister und zog einen flach gedrückten Stoffbeutel heraus. Annette hörte Münzen klimpern. Schnell drückte de Muespach ihr den Beutel in die Hand. Sie starrte ihn fassungslos an. »Ein Geschenk meiner Freunde aus dem Zarenreich. Für eine Rechnung, die Ihr für sie beglichen habt.«

»Ich versteh ni…«

»Einige *Louis d'or* und sonstige Batzen für Schattmanns Tod. Ich habe denen gegenüber, wie gesagt, behauptet, Emil hätte diesen Schurken erledigt, aber da Ihr es wart … nun, Ihr solltet«, und er kam nun so nahe ans Gitter, dass er Gefahr lief, einige ihrer Flöhe abzubekommen, »ein paar Münzen dazu verwenden, um den lieben Glatzen-Martin zu motivieren, Euch heimlich rauszulassen.«

Annette fühlte sich auf einmal müde und schwach. »Bestechung und Flucht? Wieso sollte er das unterstützen? Wo soll ich hin? Nach Brugg? Das ist vergeblich!«

»Ihr könntet Euch mir und meiner Familie anschließen.« De Muespach hatte diesen Satz wieder auf Deutsch gesagt.

Annette riss die Augen auf. »Ihr wollt auch weg?«, antwortete sie und machte erneut seinen Sprachenwechsel mit.

De Muespach lächelte müde. »Für Kritiker des restaurierten Regimes ist die Situation unangenehm geworden, selbst wenn diese in der Zwischenzeit Zuträger für einen royalen Geheimdienst sind. Seit die Eidgenossenschaft der Heiligen Allianz beigetreten ist, werden die Patrizier zunehmend herrischer. Der *Daig** von Basel macht der Landschaft** und den Franzosenfreunden das Leben schwer. Ich sehe für mich und die Meinen keine Zukunft mehr in diesem Land. Und ich kann es nicht mehr aus-

* Dialektausdruck für das baselstädtische Patriziat.

** gemeint ist hier die »Basler Landschaft«, Dialektausdruck für den heutigen Kanton Baselland.

stehen, auf meine eigene Weise versklavt zu sein! Deswegen habe ich auch keine Skrupel, meine ›Freunde‹ und ›Freundesfreunde‹ zu beschwindeln.«

Annette sah ihn weiterhin fragend an.

»Wir reisen in zwei Nächten über Strasbourg nach Le Havre, mit allem, was wir an Wert mitnehmen können«, präzisierte de Muespach. »Den Rest muss ich wohl zurücklassen, damit der Dienst nicht zu früh Lunte riecht. Nun, jedenfalls, von Le Havre fährt dann eine Passage nach New York. Das verheißungsvolle Amerika dünkt mich eine Reise wert, was meint Ihr?«

Amerika! Annette hatte manchmal von der Neuen Welt geträumt, seit sie die schöne Indianertasche geschenkt bekommen und zwei Reisetagebücher verschlungen hatte. Aber nun?

Sie zögerte, konnte keinen klaren Gedanken fassen.

De Muespach hob seine Hände und appellierte eindringlich: »Euer Kind verdient eine bessere Zukunft, Annette! Meine Frau und ich werden Euch in der Fremde schon unter die Arme greifen; außerdem gibt es da noch meine jüngste Tochter, die Euch eine gute Gesellschaft sein wird. Wir helfen uns gegenseitig, wie es sich für Auswanderer gehört. Glatzen-Martin, der hat hingegen Verwandte im Königreich Württemberg, zu denen er schon länger zurückwill. Er hat seine Frau, derentwegen er einst nach Rheinfelden gekommen war, im letzten Winter verloren. Seine beiden Kinder sind auch verstorben. Ihn bindet also nichts mehr an diese Stadt. Und er wird sich mit Euch absetzen, wenn Ihr ihm die Hälfte Eures Beutels abgebt. Keine Sorge, Euch bleibt noch genügend für die Reise!«

Während sich Annette einen Moment fragte, wie viel denn in ihrem neuen Geldbeutel eigentlich drin sein mochte, konnte sich de Muespach einen Lacher nicht verkneifen.

»Alle wollen abhauen … fast köstlich! Wie auch immer, Ihr bezahlt Martin zunächst mit der Hälfte der Hälfte. Den Rest wird er kriegen, wenn ihr beide auf dem Boot seid, und dann werde ich ihm nochmals eine Prämie geben, wenn er Euch in Basel bei mir abliefert. Da kommt dann ein stattliches Sümmchen für seinen Neubeginn zusammen. Er lässt Euch nach Einbruch der Dunkelheit aus der Zelle und begleitet Euch auf Schleichwegen zu den Schiffstegen unterhalb des Rheintors. Dort wird ein alter Bekannter von mir warten, der euch beide rheinabwärts mitnimmt: der blatternarbige Sepp. Ihr erinnert Euch, der alte Hanfraucher aus dem Gasthaus *Schiff.* Der hat schon ein paarmal mit mir zusammengearbeitet. Dokumente und Personen transportieren und dergleichen. Der Sepp ist ein erfahrener, zuverlässiger Schiffer, Ihr könnt ihm vertrauen.«

»Das … geht mir viel zu schnell. Ich fürchte mich!«

»Denkt an Euer Ungeborenes, Annette! Ich bitte Euch! Der alte Sepp wird warten, er fährt nur ab, wenn Martin Euch dabeihat. Aber ich hab keine Zeit mehr. Und übermorgen ist die Chance vorbei, dann werdet Ihr in ein paar Monaten aufs Schafott geschickt!« Er erhob sich, rückte sich die Kleider zurecht und verneigte sich andeutungsweise, dann verabschiedete er sich: »Macht, dass wir uns nicht zum letzten Mal gesehen haben!«

Er drehte sich um und ging. Annette hörte ihn an die Tür weiter unten im Gang klopfen, dabei stellte sie sich vor, wie die Sonne aus der Welt dahinter den Kerker erhellen würde, wenn die Tür sich öffnete.

Die Angeln knarrten, dann flüsterten de Muespachs und Glatzen-Martins Stimmen geheimnisvolle Dinge.

Annette ließ sich auf das Stroh zurücksinken und betrachtete die Steinquader, aus denen die Decke bestand. Ihre Gedanken schlugen Purzelbäume. Ihre Finger spielten dabei mit dem Stoffbeutel, und die Münzen darin klimperten fröhlich ihr Lied.

Anmerkungen des Autors

Liebe Leserin, lieber Leser,
ursprünglich habe ich diesen Text als Nachwort zu der *Blechklinge* geplant, aber da meine Entscheidung, die ersten beiden Trilogieteile in einem Band zu veröffentlichen, ein »Nachwort« mitten in einem Buch etwas seltsam erscheinen ließe, habe ich ihn rasch in »Anmerkungen« umgetauft. Vielleicht hätte ich auch den Begriff »Mittelwort« oder »Zwischenwort« in die Überschriftenzeile setzen können, welche meines Wissens nach ein literarisches Novum darstellten (ohne hier jetzt einem mir allfällig unbekannten Autor auf die Füße treten zu wollen …).

Der Einfachheit halber verzichte ich aber auf diesen Ruhm und die daraus folgenden zeit- und kräftezehrenden Konsequenzen (auch im Hinblick auf einen allfälligen Rechtsstreit mit einem mir allfällig unbekannten Autor …).

Zunächst folgt ein kleines Geständnis: Anmerkungen, Nachwort oder wie man auch immer sagen will, geplant waren sie alle nicht, bis sie eine meiner geschätzten Betaleserinnen anregte. Sie interessierte sich für die Gegenüberstellung der historischen Tatsachen und der Fiktion in der *Blechklinge*. Nach einer kurzen Konsultation meiner Eitelkeit dachte ich mir, dass eine solche Scheidung – sowie ein paar generelle Informationen aus dem Nähkästchen – auch die Neugier anderer Leser befriedigen könnte.

Einleitend möchte ich ein paar wenige Sätze zur Entstehung dieser Trilogie verlieren. Dazu muss ich jedoch kurz auf die zweite Geschichte, die in diesem Band erst anschließend zu lesen ist, vorgreifen. Keine Sorge, liebe Leserin, lieber Leser, ich werde Ihnen keine Spoiler geben, wie es auf Neudeutsch so schön heißt.

Die falsche Frequenz diente als Ausgangspunkt und Inspiration zu meiner thematischen Trilogie über den freien Willen und die Verhaltensmanipulation. Die Geschichte wurde von mir 2006 in einer ersten Fassung geschrieben und dann lange liegen gelassen; sie spielt in einem anonymisierten und zeitlich stehen gebliebenen Basel. (Hauptgrund dafür: Die Geschichte funktioniert in der schon immer verfremdeten Stadt weiterhin. Man soll sich ja nicht unnötig viel Arbeit machen.)

Grundsätzlich sollten alle Erzählungen einerseits in meiner geliebten Heimatregion spielen, andererseits, sozusagen als literarische Herausforderung, in verschiedenen Epochen angesiedelt sein, inhaltlich Verbindungen über Zeit und Raum aufweisen sowie unterschiedliche Literaturgenres bedienen.

Die Blechklinge siedelt sich da natürlich vor allem im Genre des historischen Romans an. Womit wir wieder zum Anstoß zu diesen Anmerkungen zurückkehren.

Das nötige Hintergrundwissen für *Die Blechklinge* habe ich (natürlich) der geschichtlichen Sachliteratur über das frühere Rheinfelden (die ich jedem Interessierten empfehlen kann), einem Fund in einem Internet-Buchantiquariat über den Alltag und die Ansichten zu Beginn des 19. Jahrhunderts sowie einem faszinierenden Büchlein aus der Basler Universitätsbibliothek entnommen – die *Militärverordnung des Kantons Aargau* von 1817 in Frakturschrift.

Besonders große Freude – in den Widmungen dieses Buchs bereits verdankt – bereiteten mir zudem die digitalisierten alten Stadtpläne, die mir durch das Rheinfelder Stadtbauamt zur Verfügung gestellt wurden.

Ich will Ihnen, liebe Leserin, lieber Leser, zu Beginn nun die politisch-sozialen Hintergründe jener Zeit nach dem Wiener Kongress näherbringen, dessen Verhandlungsergebnisse Europa – und natürlich auch die Schweiz und den Aargau mit dem Fricktal – in der ersten Hälfte des 19. Jahrhunderts prägten. Das tue ich, was ich betone, ohne Gewähr auf Vollständigkeit und ohne dass der kritische Blick eines gelehrten Historikers den Text überprüft hat, der vielleicht noch die eine oder andere Unkorrektheit ausmerzen würde. Ich bitte Sie, mir das nachzusehen.

Die französische Einflussnahme auf die Alte Eidgenossenschaft, die 1798 durch den Einmarsch der Franzosen und durch die dann folgende Gründung der Helvetischen Republik (einer »Tochterrepublik« Frankreichs) endete, war seit dem späten Mittelalter immer beträchtlich gewesen. Und trotz der Demütigungen und Drangsalierungen, die unsere Vorfahren durch die Außenpolitik unseres westlichen Nachbarn bis 1813 erfuhren, blieb Frankreichs kulturell-politische Ausstrahlung auch nach dem Ende der Napoleonischen Kriege erheblich. Es beeinflusste Alltagskultur, Institutionen, Mode und Allüren, vor allem als identitätsstiftende Eigenschaft des liberalen Bürgertums, das während der Franzosenzeit an (sozialem, nicht politischem) Einfluss gewonnen hatte und diesen dank Bildung und wirtschaftlichem Aufstieg oftmals auch behielt.

Die Fricktaler bildeten hier die Ausnahme der Regel. Geschichtlich belegt ist deren Rolle als damalige aargauische »Problemkinder«. Sie wurden von Napoleon, ohne viel Feingefühl für die Gegebenheiten, da das Fricktal innerhalb des eidgenössischen Territoriums als Teil des zerschlagenen habsburgischen Vorderösterreichs jahrhundertelang als politisch-kulturelle Insel südlich des Rheins existiert hatte, dem 1803 gegründeten Kanton angegliedert, natürlich gegen die Mehrheitsmeinung der Betroffenen.

Nun waren sie Katholiken in einem überwiegend protestantischen Kanton, politisch immer noch vorwiegend dem (österreichischen) Royalismus zugeneigt und mit einem ausgeprägten Ständebewusstsein ausgestattet. In Letzterem unterschieden sie sich nicht vom Restaargau. Der Katholizismus und die Habsburgersehnsucht hingegen stießen dort sauer auf.

Während der Restauration (Zeitepoche nach dem Wiener Kongress 1815) verharrten die Bevölkerungsteile des jungen Kantons immerhin »nur« in misstrauischem Nebeneinander, was wohl hauptsächlich an der behutsamen, betont föderalistischen und gleichzeitig autoritären Politik aus Aarau lag. Wenn man jedoch den weiteren, durchaus aggressiveren Verlauf der Aargauer Geschichte ab 1830 mit Klosterschließungen, Jesuitenausweisungen und den bürgerkriegsähnlichen Turbulenzen in Betracht zieht, die sich bis zur Bundesstaatsgründung hinzogen, wundert es nicht, dass die beiden Konfessionen erst im Verlauf des 20. Jahrhunderts ihre Differenzen überwinden konnten.

Wie sieht es mit einem weiteren bedeutenden Puzzleteil der Hintergrundgeschichte aus? Ich spreche damit die damalige Großwetterlage an, die im Roman immer wieder durchschimmert.

Das *Jahr ohne Sommer* existierte tatsächlich. Wer 2016 aufmerksam die Presse sichtete, dem sind vielleicht ein paar Artikel zum zweihundertjährigen »Jubiläum« dieser Klimakatastrophe aufgefallen. Sie nahm ab 1815 ihren Lauf, als der indonesische Supervulkan Tambora mit der Explosionskraft von über hunderttausend (!) Hiroshima-Atombomben zerbarst. Der Ausbruch vernichtete alles Leben im unmittelbaren Radius und blies über Tage hinweg gigantische Aschewolken und Staubmengen in die Stratosphäre.

Der *Jetstream* zirkulierte für West-, Nord- und Mitteleuropa sowie für Nordamerika ungünstig. Diese Gebiete lagen nun unter einer düsteren Wolkendecke, die das Sonnenlicht in das Weltall reflektierte (wie es in der Erd- und auch in der Menschheitsgeschichte schon mehrere Male vorgekommen war). Das Resultat: ein vulkanischer Winter, dessen direkte Auswirkungen in einigen Gebieten bis 1819 andauerten.

In unserem Land verlängerte sich die kalte Jahreszeit auf das ganze Jahr 1816. Der berüchtigte Sommer brachte kaum Temperaturen über ein paar Grad Celsius und war so verregnet, dass die Feldfrüchte verfaulten. Laut einigen Quellen schneite es jeden Monat dieses Jahres bis auf achthundert Meter Meereshöhe.

Das *Jahr ohne Sommer* bescherte unseren Vorfahren somit die bis dato letzte große Hungersnot, wenn auch regional unterschiedlich schwer. Historisch gesehen waren davon vor allem die Gebiete der Zentral- und der Ostschweiz betroffen, wo ganze Weiler und Dörfer verhungerten – oder in einer ersten Auswanderungswelle nach Amerika emigrierten. Wie schwer dagegen

Rheinfelden in Mitleidenschaft gezogen wurde, konnte ich nicht eruieren, also gönnte ich mir die dramaturgische Freiheit, die Stadt ordentlich leiden zu lassen …

Und ja, Zar Alexander I. hatte der Schweiz tatsächlich Entwicklungshilfe zukommen lassen. Das Russische Reich blieb von den Auswirkungen der Vulkanasche praktisch komplett verschont, verfügte somit über normale Ernteerträge.

Unbekannt ist mir, ob auch noch Kriegsgefangene mit der langen Weizenkarawane gen Mitteleuropa mitzogen. Aber diese Gelegenheit, meinen verrückten ehemaligen Soldaten Franz Brogli auf die Bühne des Geschehens zu bringen, die konnte ich einfach nicht ungenutzt lassen.

Im letzten Teil dieser Anmerkungen kommt Rheinfelden selbst zum Zug. Was die zur Zeit der Geschichte lebenden Figuren betrifft, so kann ich sogar eine kleine Faustregel anwenden: Persönlichkeiten, die in der *Blechklinge* erwähnt werden, aber keinen persönlichen Auftritt haben, lebten und wirkten fast alle wirklich, wobei ich hier aus erzählerischen Gründen bewusst den Fokus auf ihre Stellung und nicht auf ihre Biografie oder ihren Charakter gerichtet habe. Beispiele dafür sind die diversen Lokal- und Kantonalpolitiker, Zeitungsverleger wie der erwähnte Verleger, Schriftsteller und spätere Großrat Heinrich Zschokke oder natürlich Philippe Pinel, Emils großem Vorbild auf dem Tätigkeitsfeld der frühen Psychiatrie.

Keine Regeln ohne Ausnahme, wie gehabt, daher fallen die Familien von Emil und Annette, ebenso ihre Unternehmen und ihre angeblichen Taten (wobei Kriegsgewinnler angeblich von der konservativen Aargauer Regierung in den Jahren nach dem Wiener Kongress tatsächlich abgestraft wurden) aus dieser ersten Kategorie.

In der zweiten Kategorie, die der rein fiktiven Figuren, *au contraire* zu den historischen Charakteren, landen also logischerweise fast alle diejenigen, die aktiv in der Geschichte auftauchen und handeln. Historisch korrekt sind nur einige Ämter (beispielsweise der Chorherr oder die diversen Räte). Diese Figuren entsprechen aber aus dramaturgischen Gründen nicht ihren historischen Pendants.

Die architektonische Struktur der Stadt Rheinfelden sollte im Roman hingegen weitgehend mit der Realität des frühen 19. Jahrhunderts übereinstimmen, auch wenn ich kleinere Fehler nicht ausschließen kann. Dank der erhaltenen Stadtpläne weiß ich, dass die meisten Straßen, Plätze sowie Flurnamen damals schon gleich geheißen haben müssten wie heute (mit Ausnahme der Bahnhofstraße natürlich). Selbiges betrifft auch die Standorte der beschriebenen Lokalitäten, die heute nicht mehr existieren, wie das alte Spital selbst, auf das ich nochmals zurückkomme.

Der älteste vorhandene Lageplan der Altstadt stammt von 1877, also lange Zeit nach dem Wiener Kongress. Rheinfelden hatte sich in diesen sechzig Jahren seit dem Zeitpunkt meiner Handlung natürlich enorm weiterentwickelt: Die landesweit bekannte Brauerei *Feldschlösschen* war errichtet worden, Bahntrasse und Bahnhof erbaut, Hotels außerhalb der ehemaligen Stadtmauern und Landhäuser für Begüterte waren aus dem Boden geschossen.

Auch innerhalb der Stadtmauern hatte ein bemerkenswerter Strukturwandel während der ersten Hälfte des 19. Jahrhunderts stattgefunden. Ein wahres Juwel diesbezüglich fand sich in einem der Rheinfelder Geschichtsbücher, und hier kommt's, wie angekündigt: Fotografien von um die 1850 herum, die das alte Spital zeigten, in dem *Die Blechklinge* zum großen Teil spielt. Der Fotograf muss auf der Höhe des ehemaligen Restaurants *Salmen* gestanden haben, mit Blickrichtung die Marktgasse entlang auf die Kupfergasse zu (also in etwa nach Südosten). In seinem Fokus befand sich links die Fassade des Spitals (allerdings ohne das von mir beschriebene Kapellenrund, das nur schriftlich erwähnt wird), zentriert der Spitalbrunnen, der damals tatsächlich weiter westlich stand als der heutige Albrechtsbrunnen. Direkt daneben, rechts angeschnitten, sah man die Brodlaube, eine Straße, an der heute einige Bars, Restaurants und kleine Spezialitätenläden liegen. Damals allerdings musste sie wegen ihrer Angrenzung an den Gewerbekanal, der hinter ihrer westlichen Häuserzeile durchfloss, wohl Kleingewerbe, Arbeiter und Unterschichtsbewohner beheimatet haben.

Das Spital ist seit 1869 weg. Sein Nachfolger befindet sich weit außerhalb der Altstadt, am Rande der Siedlungszone Richtung Möhlin. Die Marktgasse weitet sich seitdem zum neu entstandenen Albrechtsplatz, über den jeder Besucher Rheinfeldens einmal geschlendert sein sollte (und wohl auch schlendern wird).

Ich könnte jetzt noch seitenlang so weitermachen und alle kleinen Details aufzählen, die mir während meiner Recherche auf so liebevolle Weise ins Auge gesprungen sind. Da meine Eitelkeit aber langsam befriedigt ist und ich Sie, liebe Leserin, lieber Leser, nicht unnötig langweilen möchte, werde ich etwas geraffter fortfahren. Was nun folgt, ist eine rasche Aufzählung aller noch relevanten Aspekte in meinem Buch, die ich nicht historisch verifiziert, sondern der Logik oder der Fantasie überlassen habe.

Die soziale Zusammensetzung der Stadtquartiere habe ich (wie im Falle der Brodlaube oben schon erwähnt) auf einer wenig ausrecherchierten Basis beschrieben. Meine Verteilung von Arm und Reich sowie der diversen Gewerbe in Rheinfelden entspricht vor allem Vermutungen, Wahrscheinlichkeit und Schlussfolgerungen.

Natürlich fallen auch die Innenbeschreibungen von historischen Gebäuden ins Fiktive, ausgenommen diejenige des Rheinfelder Rathaussaals mit seinen Habsburgerkönigsporträts. Ich weiß nicht, ob dort drin die Plenarsitzungen des Großen Rats stattfanden, aber als Amtszimmer bei Zivilheiraten bietet der Raum eine großartige Kulisse, was ich persönlich schon zweimal miterleben durfte (und bevor Sie sich fragen: Nein, bei beiden Hochzeiten war ich lediglich Gast …).

Eine weitere Erfindung meinerseits ist – um mal von etwas anderem zu reden – die Uniform der Stadtpolizei, wobei ich eine Mischung aus der polizeilichen »Standardfarbe« (nämlich Dunkelblau) und dem Rheinfelder Stadtwappen absolut passend fand.

Zum Schluss muss noch eine letzte Lokalität Erwähnung finden: Franz Broglis Bauernhof. Der hat wohl ebenfalls nie existiert. Laut dem Gemarkungsplan von 1878 bestand der *Schiffacker* aus Wiese und – nun ja – Ackerland. Daher muss er wohl schon von jeher ein Stück Kulturland gewesen sein, das entweder von einem Bauernhof außerhalb der Flur bewirtschaftet wurde oder von einem aufgegebenen Hof aus, der 1878 schon wieder wortwörtlich von der Karte getilgt war. Stattdessen befindet sich dort aktuell eine moderne Tennishalle.

Damit möchte ich mit diesen Anmerkungen endgültig abschließen.

Ich hoffe, Sie werden auch den zweiten Trilogieteil genießen, liebe Leserin, lieber Leser. Ich wünsche Ihnen viel Spaß dabei.

Und ich freue mich, mit Ihnen zu gegebener Zeit in den dritten und abschließenden Teil einzutauchen, der in einem dystopischen Baselbieter Leimental spielen wird und in dem der *Große Donner* nachhallt, den Franz Brogli in seinem Wahn bereits prophetisch angekündigt hat.

Olivier Mantel
Basel, im September 2019

II.

Die falsche Frequenz

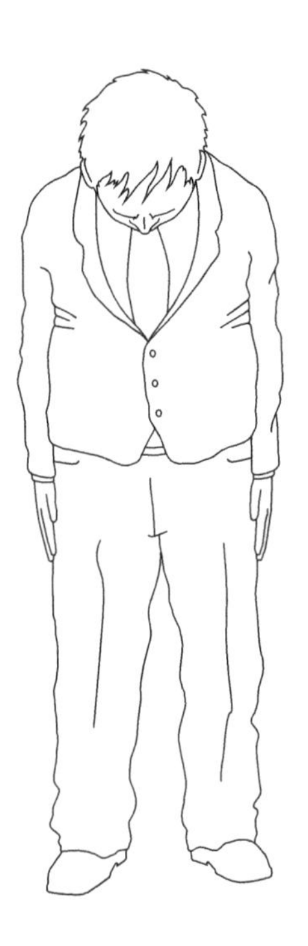

1

Riccardo Bumanns Nasenflügel beginnen unwillkürlich zu zucken, wie immer, wenn seine Anspannung überhandnimmt. Er kratzt an seinem Bäuchlein, dann bemüht er sich um einen stoischen Gesichtsausdruck.

Er steht mit dem Rücken zur Fensterfront, durch die der Straßenlärm des städtischen Industriequartiers dringt. Vor ihm, auf dem Schreibtisch seines Direktors Olaf Werren, liegt dieser schwarze schuhkartongroße Plastikquader mit seinen Anschlüssen wie ein Ausstellungsstück auf einer Technologiemesse.

Werren sitzt auf seinem Sessel. Er mustert den Quader skeptisch und zwirbelt dabei eine angebrochene Packung Zigaretten in der linken Hand. Dann lässt er diese in einen unbenutzten Keramik-Aschenbecher neben seinem Computer fallen und beugt sich über die Tischkante.

»Ich hoffe, Sie verschwenden nicht meine Zeit«, brummt er.

Sein Blick schätzt dabei die beiden Gestalten ab, die auf der anderen Seite des Schreibtischs in den Besuchersesseln sitzen.

Der erste Gast, ein pummeliger bebrillter Mann mit Schnauzer und dünnem Haar, Anfang dreißig wie Bumann, in einem ausgebeulten Anzug, hebt das schwarze Gerät vorsichtig von der Tischplatte hoch. Er räuspert sich zweimal, wischt sich mit der Hand über die schweißglänzende Stirn, dann sagt er mit einer tiefen Stimme, die viel zu wuchtig für seine Erscheinung wirkt: »Zunächst möchte ich Ihnen im Namen unseres Projektteams danken …«

Werren würgt den Satz mit einer Handbewegung ab.

Der aus dem Konzept gebrachte Pummelige schnappt nach Luft und schaut den Direktor unschlüssig an. Sein Gesicht wird feuerrot, während er den Kasten wie ein Neugeborenes an seinen Oberkörper presst.

»Keine Ansagen bitte!«, fordert Werren. »Dieses schwarze Ding soll angeblich helfen, unsere verlorenen Marktanteile zurückzugewinnen? Amüsieren Sie mich!« Dabei wirft er Bumann einen vielsagenden Seitenblick zu.

Der zweite Besucher, ein hagerer Mann mit einem knochigen, kahlen Schädel, aus dessen Gesicht eine Römernase herausragt, etwas älter als sein Kompagnon, springt für diesen ein und entgegnet ruhig: »Ich verstehe Ihre Skepsis, Herr Werren. Okay, also sehen Sie, dieser Prototyp hier ist das Endresultat unserer mehrjährigen Forschung und vermag Menschen auf neurologischem Weg zu stimulieren. Entsprechend angewendet, kann er ein von Ihnen gewünschtes Verhalten in einer Person hervorrufen.«

Werren zieht die Augenbrauen hoch.

Bumann fühlt, wie sein Herz heftiger klopft. Unter seinen Achseln bildet sich ein schmieriger Schweißfilm.

Der Hagere hingegen scheint unbeirrt. Er lächelt mild, als er sagt: »Wir nannten unseren Prototyp zunächst einen *Neurologischen Sender,* abgekürzt ›NS-1‹, aber das kam nicht so gut an, wie Sie sich denken können.«

Der Pummelige daneben kichert daraufhin demonstrativ, hält aber sofort inne, als er den vorwurfsvollen Blick seines Begleiters aufschnappt, und haspelt: »Wir nennen ihn jetzt *Sender mit neurostimulierender Wirkung,* oder einfach kurz ›Neurosender‹.«

Werren, als schweizerisch-deutscher Doppelbürger, hat den Scherzversuch mit einer verächtlichen Grimasse quittiert.

Bumanns Nasenflügel zucken erneut. Er kennt diese Fratze seines Vorgesetzten; sie galt ihm während der Krisensitzungen, die einberufen wurden, wenn seine Marketingmaßnahmen als Misserfolg gewertet worden waren, was in den letzten zwölf Monaten bereits zweimal geschah.

Bumann erinnert der latente Jähzorn, der dann im Bauch des Direktors brodelt, an die Urgewalten in den Tiefen jener Vulkane, über die er zu Hause ein Sachbuch herumliegen hat. Gerade gestern schloss er vor dem Einschlafen das Kapitel über den Tambora ab, den indonesischen Supervulkan, der Anfang des 19. Jahrhunderts ausgebrochen war.

Auf dem Foto hat der Berg Werrens Profil geglichen, fantasieren seine Gedanken ungünstigerweise jetzt zusammen, *die Felsnase, die Form, die Wuchtigkeit, die tiefen Spalten, wie Falten, und die dunklen Verfärbungen, wie Äderchen, in denen das Blut wie Lava zu fließen scheint …*

»›Neurosender‹«, murmelt Werren in diesem Moment ungläubig.

Damit holt er Bumann wieder in die Gegenwart zurück.

Der beobachtet, wie sich Werrens linke Hand zu der obersten Schublade des Schreibtischs vortastet, dann aber verharrt.

»Herr Vetsch wird Ihnen die Grundlagen erläutern. Bitte, Nicolas«, sagt der Hagere an.

Der pummelige Nicolas Vetsch nickt, wischt sich über die Stirn, dann sprudeln die Sätze aus ihm heraus wie Wasser aus einer gebrochenen Leitung. »Sehen Sie, ich bin Neurobiologe und Verhaltensforscher. Herr Calotti hier ist Elektroingenieur, außerdem haben wir weitere Spezialisten in unserem Forschungsteam. Akustikphysiker, Mediziner und dergleichen. Kurz zusammengefasst: Nach jahrelanger Forschung haben wir die Möglichkeit entwickelt, das akustische Spektrum der menschlichen Wahrnehmung feiner als zuvor zu diversifizieren. Ich meine damit, sehr viel feiner, die neuen Zwischenabstufungen sind bisher schlicht unbekannt gewesen; absolut unhörbar. Vielleicht sogar für die Tierwelt, aber das ist Spekulation. Interdisziplinär entwickelten wir technische Gerätschaften, um diese neuen akustischen Spektren zu erkennen, zu isolieren und ihre zerebralen Auswirkungen zu erforschen. Im Sinne unserer Investoren wollten wir einen medizinischen Nutzen finden. Also beschallten wir zuerst einmal Versuchsratten.«

»Und nun wollen Sie diese ›spannende‹ Entdeckung für die Wirtschaft nutzen?«, unterbricht Werren.

»Nun, unsere finanziellen Mittel sind praktisch erschöpft. Das ist der eine Aspekt«, murmelt Vetsch verlegen.

Calotti wirft ein: »Wir haben, ohne zu übertreiben, Erkenntnisse erlangt, die die Neuropsychologie, die Gehirnforschung und andere medizinische Disziplinen nachhaltig beeinflussen werden. Als wir bei den Tierversuchen einige neospektrale Signale in einer gewissen Kombination bündelten und zu einer bestimmten Frequenz einten, da stellten wir fest, dass sie die Gehirnwellen der Ratten in einer noch nie beobachteten Weise veränderten. Ich erspare Ihnen die wissenschaftlichen Details, aber diese Veränderung wirkte noch über Minuten nach dem Abbruch der Frequenzbeschallung nach. Die Ratten verhielten sich antriebslos, wie sediert.« Calotti rutscht mit seinem Stuhl an den Schreibtisch heran und sagt eindringlich: »Im Internet finden sich ernst zu nehmende Theorien, Grundlagenforschung und medizinische Schriften zur Verhaltensänderung mithilfe von akustischer Beeinflussung. Die Wurzeln liegen in der Psychiatrie des achtzehnten und neunzehnten Jahrhunderts; irgendein Russe habe da in der praktischen Anwendung Pionierarbeit geleistet, war aber offenbar gescheitert. Damals gab es eine Philosophie über den perfekten Untertanen, weit verbreitet in den elitären Kreisen des Zarenreichs. Wie man das Volk zu einem solchen erziehen oder umformen kann. Ethisch eine Schweinerei, ohne Frage, und die Intentionen unserer Geldgeber sind natürlich andere, darauf haben wir Wert gelegt. Die Ruhigstellung von Gewalttätern oder psychisch Erkrankten zum Beispiel. Oder die Bekämpfung von Hyperaktivität, Epilepsie und Ähnlichem. Wie auch immer: Als wir bei unserem Versuch die gesendete Frequenz mit dem Duft von Kürbiskernen kombinierten, flippten die Ratten aus. Obschon sie aus mehreren verschiedenen Futtermitteln eine Auswahl hätten treffen können, bissen sie sich im Kampf um diese Kürbiskerne buchstäblich gegenseitig tot. Das andere Futter rührten sie nicht an!«

»Und dann?«, fragt Bumann mit trockenem Mund, immer wieder gespannt zu Werren schielend.

»Die veränderten Gehirnwellen in Kombination mit einem suggerierten Bedürfnis erzeugten ein Körpergefühl wie bei einem Schwerstabhängigen, der seine Drogen braucht. Und so funktioniert es auch bei menschlichen Probanden. Jemand, der unter dem Einfluss der Frequenz steht, tut praktisch alles, um das gekoppelte Produkt – den Ausdruck haben wir für das Objekt der Begierde gewählt – zu erhalten. Ein Verzicht, theoretisch natürlich machbar, löst Entzugserscheinungen aus. Das Raffinierte an der Sache ist, dass es keinen erkennbaren externen Grund für dieses plötzliche Bedürfnis gibt. Unser Gehirn interpretiert das eingepflanzte Begehren also automatisch so, als entstamme es ihm selbst.«

Vetsch, der auf seinem Sessel aufgeregt hin und her rutscht, wirft ein: »Nun sind wir bereit für einen streng eingeschränkten Feldversuch, um die Massentauglichkeit des Neurosenders zu erforschen, bevor …«

»Bevor was?«, platzt Werren dazwischen. Er atmet tief ein und langsam aus, als müsse er sich mit aller Macht beherrschen.

»Bevor wir an die Öffentlichkeit gehen können. Wir müssen wissen, was unser Neurosender wirklich leisten kann. Stellen Sie sich diesen Meilenstein in der Verhaltens-, in der Gehirnforschung, in der Physik vor! Den Nobelpreis werden wir holen!« Vetschs Augen strahlen.

Calotti tätschelt seinem Kompagnon die Schulter und schließt ab: »Und Sie werden ebenfalls Ihren Nutzen haben. Bei den ersten Probanden hielt die Wirkung bis zu zwei Stunden nach Implantierung der Suggestion an. Die Testpersonen werden sich also um Ihre Produkte reißen. Alles, was Sie – selbstverständlich nach einer schriftlichen Vereinbarung mit uns – zu machen brauchen: Sie müssen einen Werbeträger produzieren. In dessen Vertonung wird die besagte Frequenz des Neurosenders eingespeist. Das wird ein Spitzenjahr für Sie! Zudem helfen Sie der Wissenschaft. Und alles, was wir dafür verlangen, sind zehn Prozent des Umsatzes.« Er verschränkt abwartend seine Hände auf den Oberschenkeln.

Vetsch neben ihm streicht über den Kasten, als kraule er eine Katze. Seine verschwitzten Hände hinterlassen dunkle Schlieren, die in der Wärme des Frühsommers rasch verblassen.

In dem stickigen Direktorenbüro herrscht nach dem Vortrag der beiden Männer eine erschlagende Stille.

Bumann, eben noch einer gewissen Faszination erlegen, zupft nun beunruhigt den Anzugstoff über seinem Bauchansatz, fährt sich durch sein kunstvoll verstrubbeltes Haar. *Jetzt einfach keinen Supervulkan ausbrechen lassen,* lenkt er sein Stoßgebet gen Himmel.

Werren bleckt die Zähne; er bläst deutlich hörbar seine Atemluft aus. Seine Linke tastet erneut zu der obersten Schreibtischschublade, schwenkt aber vorher ab und nimmt stattdessen das Zigarettenpäckchen wieder auf, aus dem sie eine Kippe herausfischt. Mit unmerklich zitternden Händen steckt Werren diese an.

Bumann weiß, dass Werren bei großer Anspannung immer mal wieder das Rauchverbot im Unternehmen ignoriert. Aufgrund seiner Position und seines abseitigen Büros hat der Verwaltungsrat das bisher immer durchgehen lassen, auch wenn Bumann sich heimlich eine strengere Handhabung wünscht.

Der Rauchgeruch breitet sich im Raum aus wie zuvor die Stille.

Die beiden Besucher sehen sich irritiert an, scheinen irgendwie auf ihren Plätzen zu schrumpfen, als ob jemand die Luft aus ihnen herausließe.

Calotti kommt schließlich aus der Deckung. »Sie trauen uns nicht?«, fragt er direkt.

Werren inhaliert einen tiefen Zug und antwortet dann: »Selbst wenn diese hanebüchene Geschichte wahr wäre, sehe ich nur Probleme.«

Bumann fühlt sich nun endgültig genötigt, in das Gespräch einzugreifen. Er stellt sich geschwind hinter die beiden Besuchersessel und beschwichtigt: »Olaf, bitte …«

Werren schnellt wie ein Springteufel aus seinem Sessel hoch; seine drei Gegenüber zucken allesamt zusammen. Er schwankt einen kurzen Augenblick, als ob er auf einem Schiffsdeck stünde, dann drückt er mit übertriebenem Kraftaufwand die Zigarette aus. An seinem Kinn zerstäuben die letzten Rauchschwaden, als er zischt: »Wir reden später, Riccardo! Zunächst zu Ihnen, meine Herren. Was glauben Sie, was der Verwaltungsrat zu Ihrem Vorschlag sagen wird, vorausgesetzt, er lässt mich nicht gleich in eine Gummizelle stecken?«

»Olaf, falls du rechtliche Bedenken hast, die habe ich auch, aber da kann man bestimmt …«

»Verzeihen Sie, Herr Bumann«, fährt Calotti dazwischen, »und bei allem Respekt, Herr Werren, aber wir können Ihnen mit dem Verwaltungsrat helfen. Für eine rechtliche Absicherung bieten wir Ihnen gerne die Hand, schauen Sie sich bitte unsere Unterlagen an. Darin steht, dass wir einen offiziellen Forschungsauftrag einer Universität besorgen werden, der den Feldversuch legitimiert und …«

»Verzeihen *Sie,* Herr Calotti!«, knurrt Werren. »Ich frage mich immer noch, wo der Nutzen für das Unternehmen ist. Wenn Sie die Resultate nach Ihrem Feldversuch publik machen, sind wir nicht nur moralisch am Ende, die Kunden werden ihr Geld zurückverlangen, womöglich gar Schmerzensgeldforderungen oder was weiß ich erheben. Oder sehen Sie das anders?«

»Wir werden frühestens ein Jahr nach Ende des Versuchs an die Öffentlichkeit gehen, so lange benötigen wir ohnehin für die Auswertung. Da sind irgendwelche Hamsterkäufe doch längst Schnee von gestern. Außerdem garantieren wir in unserer Studie Ihre Anonymität.«

»Wie denn? Die Presse wird uns dennoch auf die Pelle rücken.«

»Ich habe gedacht, dieses Unternehmen kann etwas Hilfe gebrauchen, oder kolportiert da jemand etwas Unwahres?«, fragt Vetsch eingeschnappt.

Werrens Hals schwillt an, dann bricht der Supervulkan aus. »Jetzt ist's genug! Packen Sie Ihren Plastikschrott ein und verlassen Sie das Firmengelände! Leben Sie wohl!« Er weist herrisch zur Tür.

»Sehr bedauerlich«, brummelt Calotti und steht so rasch auf, dass Bumann hinter ihm reflexartig zurückhopst.

Vetsch verstaut den schwarzen Kasten mit einem verkniffenen

Gesichtsausdruck in einer Styroporschachtel, die er unter dem Sessel aufbewahrt hat, dann meint er zu Bumann: »Auf Wiedersehen, Riccardo. Bedauerlich, dass ein anderes Unternehmen nun profitieren wird. Grüß Alessio von mir!«

Bumann reibt sich den schweißnassen Handteller an seiner Anzughose trocken, dann schüttelt er mit einem gequälten Lächeln die Hand des Mannes, den er vor über fünfzehn Jahren als Gymnasiast kennengelernt hat. »Auf Wiedersehen, Herr Calotti«, fügt er in Richtung Tür an, wo Calotti schon mit den Fingern an der Klinke wartet.

Bumann schaut noch dann auf das Türblatt, nachdem sich dieses wieder geschlossen hat. Hinter sich hört er Werren leise fluchen, dann das Rumpeln der Schublade.

Nicht die dümmste Idee, denkt er bitter.

Das vertraute Schaben ertönt, als Werren den Deckel seines firmenweit berüchtigten Aluminiumflachmanns aufschraubt, dann das Gluckern des Schnapses, zuletzt das scheppernde Geräusch, als der Flachmann auf den Tisch geworfen wird. Er hört, wie Werrens Feuerzeug klickt und das Knistern der Zigarette, als sie Feuer fängt.

Erst dann dreht Bumann sich mit hängenden Schultern um.

Direktor Werren pafft und sieht ihn kopfschüttelnd an. »Ich weiß, du bist verzweifelt, Riccardo, und wir sind in einer schwierigen Lage, aber mir einen solchen Mist verkaufen zu wollen, das grenzt schon fast an eine Bankrotterklärung.« Er saugt an seiner Zigarette, dann konsultiert er den Flachmann erneut.

Bumann schluckt einen Halskloß hinunter. Er sammelt seinen Mut, dann antwortet er so sachlich, wie es ihm möglich ist: »Du hättest dir die Sache näher anschauen sollen, Olaf. Wir haben eine vielleicht einmalige Chance verpasst.«

»Vermutlich hätten wir schon bald eine Anzahlung leisten müssen und dann nie mehr von diesen Herren gehört. Gehirnwellen verändern, Massenhypnose durch Schall – das ist Science-Fiction und unmoralisch obendrein. Tut mir leid, Riccardo, aber diese beiden Idioten sollte man verklagen.«

»Das sind keine Idioten!«, widerspricht Bumann, nun ehrlich düpiert. »Ich kenne Nicolas Vetsch schon seit den Teenagerjahren. Er ist ein hochintelligenter Kopf, so viel ist sicher, ein wissenschaftlicher Geist und eine aufstrebende Kapazität in der Neurobiologie. Das kann man auf jeder Fachseite im Netz nachlesen. Und was die juristischen Probleme angeht, können wir uns sicher rechtlich irgendwie absichern …«

»Schluss jetzt!«, hebt Werren die Stimme. Er beißt sich im Filter der fast abgebrannten Zigarette fest. Seine Wangen sind gerötet, seine Halsschlagader tritt abermals hervor.

Bumann verstummt sofort. Der Kloß wandert wieder in den Hals hinauf und drückt ihm schier die Luft ab. Einen kurzen Augenblick lang tanzen schwarze Flecken vor seinen Augen. Er hat das Gefühl, jeden Moment einzuknicken und der Länge nach auf Werrens Spannteppich zu klatschen.

Zwischen den Schlucken aus seinem Flachmann doziert Werren eindringlich: »Der Verwaltungsrat, selbst Stamm, dieser Risikomensch, würde einem solch grenzwertigen Projekt niemals zustimmen. Deine Situation rettest du mit einer klassischen sauberen Marketingkampagne, nicht mit …« Er wedelt wortesuchend mit dem Flachmann, aber es scheint ihm nichts Adäquates einzufallen. Schließlich gibt er auf und sagt: »Entwirf eine saubere Kampagne und vergiss diese Bande!«

Nachdenklich nimmt er zwei letzte Schlucke aus dem Flachmann, saugt vergeblich am Flaschenhals. Er hebt ihn auf Augenhöhe, schüttelt, stellt fest, dass er unwiderruflich ausgetrunken ist, und legt ihn mit einem enttäuschten Grunzen in die Schublade zurück.

Bumanns Beine zittern unmerklich. Schweißperlen laufen seine Stirn herunter. Seine Augen brennen, sein Magen schmerzt.

Entwirf eine Kampagne, denkt er resigniert, *einfach mal so. Hätt ich schon längst getan, wenn ich ein innovatives Produkt oder wenigstens eine zündende Idee hätte … wie Alessio, das Arschloch.*

Er beschließt, alles auf eine Karte zu setzen.

Darauf bedacht, dass seine Stimme nicht weinerlich klingt,

beschwört er: »Olaf, jetzt ruhig und sachlich von meiner Seite. Wir beide wissen, dass sich unsere Produkte immer schleppender verkaufen und dass wir kurz vor dem Aus stehen. Und daran bin ich nicht allein schuld, das ist unfair!«

»Das behauptet doch niemand.«

»Nein, bitte warte! Wir sind für achtzig Mitarbeiter verantwortlich und haben hier eine – ja, ich geb's zu – unorthodoxe Chance, wieder Boden unter den Füßen zu gewinnen. Wenn es juristisch abgesichert ist, wenn es funktioniert, dann haben wir nicht nur die Firma gerettet. Nein, noch mehr: Wenn wir es richtig machen, bekommen wir eine beträchtliche PR. Selbst bei schlechter Presse – wenn wir's richtig drehen, dann haben wir uns in den Dienst der Wissenschaft gestellt. Wir sind in aller Munde, und das ist heutzutage alles. Sehen wir uns diesen Neurosender und seine Fähigkeiten doch genauer an, ja? Unverbindlich.«

Bumann kennt Werrens konservative Ansichten seit Jahren. Der Direktor ist ein Mann, der selten Experimente wagt, aber die folgende Reaktion lässt selbst Bumann erbleichen.

Werren schlägt die Faust auf die Tischplatte; der Keramik-Aschenbecher darauf macht einen Hüpfer. Sein Hals schwillt an, die Äderchen auf seinen Wangen scheinen vor Zorn zu glühen. Er brüllt: »Riccardo, bist du so einfältig?« Dann schlägt er nochmals auf den Tisch. Der Computerbildschirm wackelt hin und her. Werren zischt laut, er schließt die Augen, ballt die Fäuste, scheint sich wieder zu sammeln. Er öffnet die Lider, fixiert Bumann und fährt beherrschter fort: »Die Öffentlichkeit wird uns auffressen.«

»Wir könnten notfalls Entschädigungszahlungen anbieten, sofern jemand …«

»Die werden höher ausfallen als unser potenzieller Gewinn. Und die Firma wird am Ende sein.«

»Nicht, wenn wir uns juristisch absich…«

Werren funkelt Bumann an, was diesen zum Schweigen bringt. Da fragt er bissig: »Wie gut kennst du diesen Vetsch wirklich, wie lange hast du ihn nicht mehr gesehen? Wer sagt, abgesehen von allen anderen Bedenken, dass die beiden Typen nicht die Lockvögel für einen großen Betrug sind? Hast du je an Wundergeräte geglaubt, die Menschen derart beeinflussen können? Unsere wirtschaftliche Situation scheinen die ja zu kennen, da könnte man doch unsere Probleme ausnutzen, nicht?«

Bumann antwortet nicht, weil er spürt, dass seine Stimme versagen würde. Vor seinem inneren Auge sieht er sich selbst, wie er aus seiner Wohnung ausziehen und beim Arbeitsamt eine Wartenummer ziehen muss. Wie er in billigen Kleidern herumlaufen muss, wie er sein Auto verramschen muss, wie seine Kumpels ihm unangenehme Fragen stellen. Wie Vater und Alessio Sprüche machen werden …

Vielleicht gibt mir Werren von der nächsten Buddel einen Schluck ab, denkt er voller Selbstmitleid und den Tränen nahe.

Werrens Hand zittert, als er sich über die Stirn fährt und sagt: »Wir vertreiben Keramikwaren. Das sind keine kurzlebigen Produkte, und so richtig trendy sind sie erst recht nicht. Wir haben harte Konkurrenz – Kunststoffnippes, die Glasindustrie, irgendwelche verschrobenen Designer, die gerade hip sind. Wir sind in einer Branche, in der man permanent gegen die Bedeutungslosigkeit ankämpft. Also bitte, Riccardo, mach deinen Job und kreiere eine Marketingkampagne, die uns endlich neue Kundensegmente erschließt. Und kein Wort mehr von diesem unsäglichen Quatsch, verstanden? Zurück an die Arbeit!«

Bumann schleicht zur Tür wie ein Mann, der zum Richtblock geführt wird. Er hört, wie Werren den alten Ablageschrank in der Ecke öffnet. Als er das Büro verlässt, ertönt das symptomatische Gluckern eines Flachmanns, der aus versteckten Vorräten wieder neu aufgefüllt wird.

2

Alessio hätte Werren problemlos überreden können! Für seine eloquente Schnauze ist er berüchtigt.

Bumanns Nasenflügel zucken. Seine Finger haben sich in die Baumwolldecke gekrallt. Er liegt in seinem japanischen Doppelbett und starrt an die kalkweiße Zimmerwand, an der da und dort hauchdünne Spinnfäden kleben. Von draußen erklingt das monotone Rattern eines nächtlichen Güterzuges, der auf der Bahnstrecke hundert Meter von seinem Wohnhaus entfernt vorbeifährt. Die fluoreszierenden Zeiger des alten Weckers auf dem Nachttisch stehen auf zwei Uhr morgens.

Bumann hasst es, an seinen älteren Halbbruder denken zu müssen. Soweit er sich zurückbesinnen kann, hat er ihn in jeder Beziehung als Rivalen wahrgenommen.

Als Kind ging es um die elterliche Gunst oder ums Kräftemessen; als Erwachsener betrifft es nun ausschließlich den beruflichen Bereich, nachdem Riccardo bereits im Teenager-Alter gegen Alessios Mundwerk hat kapitulieren müssen, wenn es um den Erfolg bei Mädchen ging.

Und ausgerechnet im Berufsleben, wo er sich immer noch Chancen auf einen Triumph ausgerechnet hat, wird er seit über einem Jahr vom Pech verfolgt. Seit mehr als einem Jahr hat er nicht mehr entspannt durchschlafen können.

Für einen Moment sieht er Werrens Gesicht an der Decke, das ihn vorwurfsvoll betrachtet. In seiner Fantasie, durch das Schlafmanko wie verselbstständigt, verwandelt es sich fließend in die Gestalt seines Vaters, neben ihm Alessio, dem er anerkennend auf die Schulter klopft. Schließlich schrumpft dieses grauenhafte Bild zu einem kleinen schwarzen Kasten in Vetschs schweißnassen Händen.

»Die Öffentlichkeit wird uns auffressen«, brummelt Werrens Stimme aus dem Plastikquader.

Bumann flucht. Er klatscht mit der rechten Hand Richtung Nachttischlampenschalter, erwischt aber den Wecker und das

Sachbuch über Vulkanologie; beides fällt mit einem dumpfen Poltern auf das Parkett herunter.

Erst beim dritten Versuch findet er den Schalter. Das Licht brennt in seinen Augen. Er kneift sie zusammen, steigt aus den Federn, legt Sachbuch sowie Wecker wieder an ihren Platz zurück und trottet dann in die Küche. Im Schein der Leuchtröhre schenkt er sich ein Glas Mineralwasser ein und kippt es in einem Zug hinunter.

Sein Schädel pocht. Es fällt ihm ungewohnt schwer, sich an Einzelheiten der nachmittäglichen Konversation zu erinnern – sich Wortlaute und Abmachungen genau einprägen zu können, ist normalerweise eine seiner Stärken.

»Alessio hätte das gepackt, dieser ›Held‹«, murmelt Bumann missmutig und füllt sein Glas nochmals auf. Er trinkt und stellt es dann auf die Küchenablage. Unruhig fängt er an, zwischen dem kleinen Küchentisch und der Zugangstür herumzutigern.

Seine Zeit als Marketing- und Verkaufsleiter bei diesem regional einst bedeutenden Keramikunternehmen, der ersten wichtigeren Stelle seit seinem Studiumende, geht auf ihr unrühmlichen Ende zu, darauf verweisen alle Indizien. Und den Todesstoß für seine Laufbahn versetzt ihm wohl diese Schnapsidee mit dem schwarzen Kasten!

Was hätte Alessio da wohl getan? Der würde selbst solche schwarzen Kästen anbieten, dieser große Mann des Verkaufs, und dieser … dieser Herkules der klingelnden Kassen, diese Granate vor dem Herrn hätte Werren bestimmt um den Finger gewickelt.

Dabei hat er nicht mal BWL studiert wie Bumann, sondern eine gewöhnliche KV-Lehre und dann Fachhochschule …

Bumann schlägt sich mit den Handflächen gegen die Schläfen. Irgendwie hilft dieser Knall, um seine Gedankenwogen wieder etwas zu glätten.

Sein Halbbruder sitzt seit einem Jahr im obersten Management einer Elektronikwaren-Großkette, nachdem er zwei Jahre lang äußerst erfolgreich eine deren Verkaufsregionen geführt hat. Alles in allem halb so lang, wie Bumann schon in seinem

KMU arbeitet.

Und er kommt einfach nicht weiter, während sich Alessio eine Blitzkarriere bastelt und dafür von ihrem alten Herrn über den Klee gelobt wird.

Bumann bleibt vor dem Küchenfenster kleben und betrachtet sein kräftiges Gesicht mit dem beginnenden Doppelkinn, das sich vor dem nächtlichen Hintergrund im Glas spiegelt.

»Aus«, sieht er die Lippen seines Spiegelbilds formen. Bitteres Bedauern flammt in seiner Brust auf; schließlich kann er die Tränen nicht mehr zurückhalten.

Nach ein paar Minuten des herzhaften Schluchzens trollt er sich zerschlagen ins Bett zurück. Er wickelt seine Beine in die Baumwolldecke ein, reibt sich die beißenden Augen.

Wir müssen die Auswirkungen des Neurosenders juristisch absichern, wenn uns das gelänge … Er, Bumann, würde als Wegbereiter einer wissenschaftlichen – und natürlich ökonomischen – Sensation in die Firmengeschichte eingehen. Dann könnte sein Vater nicht mehr wegblicken, müsste ihm die gleiche Hochachtung erweisen wie Alessio, dem Manager …

Das andere Hindernis besteht aus Direktor Werren, obschon Bumann dessen moralisches Dilemma nachvollziehen kann. Er selbst fühlt sich auch nicht wohl dabei, aber noch schlimmer erscheint ihm das Versinken in der Bedeutungslosigkeit. Werren dagegen geht offenbar lieber unter, als seine Verantwortung für das Überleben der Firma wahrzunehmen.

Juristischer Fallschirm, denkt Bumann zum wiederholten Mal wie ein Mantra. *Wir müssten uns irgendwie aus der Sache winden* können, wenn es schiefläuft. *Dann muss Werren einfach zustimmen. Wenn er noch nicht so viel getrunken hat, ist er zugänglicher, beeinflussbarer …*

Er beschließt, am nächsten Morgen, so früh als möglich, den Stier bei den Hörnern zu packen – *wie Alessio, der Herkules,* denkt er, bevor er tatsächlich doch noch einnickt.

Als der Wecker kreischt, dröhnt sein Kopf; Bumann fühlt sich zerschlagen wie nach einem versoffenen Abend. Er zwingt sich aus den Federn und macht sich fertig.

Gegen halb acht steht Bumann mit kleinen Augen vor Werrens Bürotür, die gigantischer wirkt als normal und in ihm einen kaum bezähmbaren Harndrang auslöst. Er klopft an, hält gebannt den Atem an und lauscht, doch Werrens Aufforderung zum Eintreten bleibt aus.

Bumann ist irritiert. Er leckt sich die spröden Lippen, schaut auf das Ziffernblatt seiner Armbanduhr. Werren müsste längst an seinem Platz sitzen, er ist ein absoluter Frühaufsteher. Sitzung? Seines Wissens ist keine für heute Morgen veranschlagt. Holt er sich einen Kaffee?

»Blödsinn«, schilt er sich halblaut.

Werren konsumiert keinen Kaffee! Nur Wasser für den Körperhaushalt und Feuerwasser für die geschundene Seele.

Unschlüssig wippt er auf seinen Füßen, klopft nochmals vorsichtig an. Stille. Er atmet tief ein und drückt die Klinke herunter.

Das Büro ist abgedunkelt und still wie eine Gruft. Die Fensterrollläden sind heruntergelassen, durch die Lamellenritzen zwängen sich dünne Sonnenstrahlen. Der Raum riecht säuerlich, die übliche Melange aus abgestandener Klimaanlagenluft mit einem Schuss Zigarettenrauch, Schweiß sowie Alkohol.

Bumann rümpft die Nase.

Normalerweise sorgt Werren für eine veritable Frischluftzirkulation, was das Geruchsklima erträglich macht. Jetzt ist es geradezu ekelerregend.

Flach atmend kippt Bumann alle vier Panoramafenster an, zieht danach die Rollläden hoch. Der Luftstrom heult leise und scheucht den Gestank hinaus. Gierig saugt Bumann die frische Luft ein, während seine ursprüngliche Beklemmung einem diffusen Gefühl der Besorgnis weicht.

Seit Werrens Frau vor ein paar Jahren mit dessen einstmals besten Freund durchgebrannt ist – ein offenes Geheimnis in der Firma –, mag der Direktor zwar ein hemmungsloser Säufer geworden sein, aber er ist dennoch, oder vielleicht sogar deswegen, mit einer vorbildlichen Arbeitsdisziplin beseelt.

Philipp Borer, Bumanns Verkaufsfachmann, und Verwaltungsrat Helfenberg, der Jurist der Firma, den Bumann heute auch noch aufsuchen will, nennen es beide lakonisch das »Jelzin-Syndrom«, nach dem verstorbenen ersten postsowjetisch-russischen Präsidenten. Der Legende nach soll der Alkoholiker Jelzin für gewöhnlich morgens um fünf im Kreml aufgetaucht sein, ackerte dann wie ein Besessener durch, um möglichst alle Tagesgeschäfte bis Mittag erledigt zu haben, bevor seine Lust auf Alkohol übermächtig wurde. Dann gab er sich dem Suff hin und wurde gelinde gesagt unproduktiv. Manchmal tanzte er sogar für den US-Präsidenten … nun ja.

Ob erfunden oder nicht, Werren arbeitet nach diesem Prinzip. Meistens ist der Direktor ab drei Uhr nachmittags abkömmlich. Sitzungen wie die gestrige mit Vetsch und Calotti bilden die Ausnahme.

Bumann hat seinen Respekt vor Werren nie verloren. Der Direktor mag ein Trinker und zuweilen störrisch wie ein Esel sein, aber seine Verdienste für die Firma sind unbestritten. Er führte sie über fünfzehn Jahre lang umsichtig und mit einem annehmbaren Erfolg. Gewiss, die Souveränität hat nachgelassen, aber Bumann hat Werrens starke Zeiten noch erlebt, als er als Marketingleiter eingestiegen ist. Und für die Flaute, die vor etwas mehr als einem Jahr begonnen hat, kann er so wenig wie Bumann.

»Herr Bumann, ich habe Sie gesucht.«

Die Stimme ertönt so unvermittelt, dass Bumann vor Schreck zusammenzuckt und sich wie ein in flagranti ertappter Ladendieb fühlt.

Michel Stamm, Verwaltungsratspräsident des Unternehmens, steht gegen den Türrahmen gelehnt. Er steckt in einem dunkelgrauen Maßanzug, das Jackett aufgeknöpft, sodass das weiße Hemd unter der anthrazitfarbenen Krawatte wie eine Blendgranate hervorleuchtet. Seine Hände ruhen in den Taschen, seine dunklen Augen mustern Bumann. Dann stößt er sich mit dem

Ellbogen von der Zarge ab und federt sich – sehr sportlich wirkend – in eine aufrechte Position. Die Hände noch immer in den Taschen, kommt er auf Bumann zu und bedeutet ihm per Nicken, auf einem von Werrens Besuchersesseln Platz zu nehmen.

Bumann tut wie geheißen. Er räuspert sich verlegen. Während er in Gedanken bereits an einer Erklärung für sein Eindringen in Werrens Büro feilt, setzt sich Stamm vor ihm auf die Tischplatte, schiebt den gefüllten Keramik-Aschenbecher etwas von sich weg und sieht danach mit nachdenklichem Gesicht auf ihn herab.

»Herr Bumann, gestern kurz vor dreiundzwanzig Uhr teilte man mir am Telefon mit, dass Olaf Werren notfallmäßig ins Spital eingeliefert wurde. Alkoholische Intoxikation der übelsten Sorte. Zu meinem Bedauern! Ich fürchte, Olaf hat sich gestern zu sehr seinem Laster hingegeben.«

»Das ist ja furchtbar!«, entgegnet Bumann betroffen und ergänzt in Gedanken: *Wundert mich, dass es erst jetzt passiert ist.*

»Ja, nicht wahr?«, stimmt Stamm nachdenklich zu. »Nur dem Umstand, dass Olaf in seiner Trunkenheit einen derartigen Krach veranstaltete, sodass die Nachbarn die Polizei riefen, verdanken wir, dass er überhaupt noch unter uns weilt. Im Spital pumpten sie ihm den Magen aus.« Nun nimmt Stamms Stimme einen belegten Klang an, sehr ungewohnt bei dem sonst so klar und eloquent redenden Mitvierziger: »Leider war die ganze Sache zu viel für Olafs Herz. Die Ärzte mussten reanimieren. Sein Gesundheitszustand ist immer noch äußerst labil. *Alea iacta est!*«

»Was meinen Sie damit?«

»Wir müssen davon ausgehen, dass er nicht mehr in der Lage sein wird, an seinen Arbeitsplatz zurückzukehren, selbst wenn er sich wieder einigermaßen erholt.«

»Ich verstehe.«

»Er hat trotz seiner Krankheit veritable Arbeit geleistet, aber seine Fähigkeiten verkümmern und seine Handlungen diktiert zunehmend der Alkohol. Das können wir uns nicht mehr länger leisten. Ich bedauere die Umstände, aber der Zeitpunkt ist ideal, um Maßnahmen zu treffen. In jeder Beziehung.«

Bumann runzelt die Stirn.

Stamm reibt sich mit dem Zeigefinger über die linke Augenbraue, dann beugt er sich vor und legt die rechte Hand auf Bumanns Schulter. »Ich habe von der Diskussion in der kleinen Sitzung gestern Nachmittag gehört«, raunt er. Ein fast unmerkliches Schmunzeln bildet sich auf seinen Lippen.

Bumann keucht: »Woher …? Was wissen Sie?«

Stamm lockert den zu straff anliegenden Hosenstoff an seinen Oberschenkeln, indem er daran herumzupft. »Bedauerlicherweise keine Details. Grundlegendes habe ich durch einen Bekannten aus dem Rotary-Club gestern Abend erfahren.« Bumann glaubt, einen leicht gekränkten Tonfall herauszuhören. Er will zu einer Erklärung ansetzen, aber Stamm beschwichtigt ihn mit einer Handbewegung und fährt fort: »Dieser Bekannte ist ein vermögender Mann, der sich zum Mäzenatentum hingezogen fühlt. Er unterstützt sowohl kulturelle Darbietungen als auch wissenschaftliche Forschung. Und er ist ein Verwandter dieses Herrn Calotti und gehört ergo zu dessen Investoren. Er hat mir geschildert, dass Sie, Herr Bumann, offenbar von Calottis Partner kontaktiert wurden, weil sie den kennen, und dass Sie ihm einen Vorsprechtermin bei Olaf verschafften. Dabei ging es um irgendeinen Vorschlag für einen wissenschaftlichen Feldversuch.«

Bumann wiegt bejahend den Kopf. Seine Nasenflügel zucken, als er flüstert: »Lief nicht optimal.«

Stamm stößt einen kurzen Lacher aus. »Nun, Olaf ist sehr vorsichtig bei Neuerungen, um es mal so zu sagen. Aber ich möchte wissen, Herr Bumann, worum es bei diesem Feldversuch geht. Darüber schwieg sich mein Bekannter geradezu hartnäckig aus. Er meinte, er sei an eine vertragliche Schweigepflicht gebunden, ich solle mich doch an Sie oder Olaf wenden. Nun?«

Bumann fängt an, die Ereignisse zu schildern, und legt seine Verhaltenheit nach kurzer Zeit ab, sodass Stamm bis zuletzt hochinteressiert zuhört. Dessen Gesicht zeigt keine Regung, nur sein Zeigefinger streicht über die linke Augenbraue, wie häufig, wenn er sich konzentriert.

Bumann beendet seinen Bericht mit der Befürwortung der Wiederaufnahme von Verhandlungen und einer näheren Begutachtung des Neurosenders in diesem Feldversuch. Fairerweise erwähnt er auch die Skrupel, die Werren und – in kleinerem Maße – er selbst gehabt haben.

Stamms ausdruckslose Miene löst sich, und er schenkt Bumann ein leichtes Nicken. »*Sender mit neurostimulierender Wirkung?* Veränderung der Gehirnströme? Tönt interessant und gefährlich. Für die Kunden und für unsere Integrität.«

Bumanns Nasenflügel zucken wieder. *Jetzt nur nicht Boden preisgeben!* Gestenreich beschwört er: »Zuerst muss dieser Neurosender überhaupt mal wie versprochen funktionieren. Weitere Probleme können wir danach angehen. Herr Vetsch hat mir versichert, dass wir nicht nur bei einer Live-Demonstration des Prototyps dabei sein könnten, sondern auch umfassendes wissenschaftliches Material mit Daten und Testauswertungen zur Verfügung gestellt bekommen. Dazu kommen Garantieerklärungen und eine vertraglich festgelegte Testphase. Lassen Sie mich die Sache in Augenschein nehmen, und ich werde mein Bestes geben, sie objektiv zu bewerten! Und ich werde Herrn Helfenberg wegen der juristischen Absicherung kontaktieren.« Er schaut Stamm erwartungsvoll an.

Dieser wiegt den Kopf, dann sagt er schließlich: »Na gut, Herr Bumann, hoffen wir, dass wir uns nicht lächerlich machen. Vereinbaren Sie ein Meeting mit den Entwicklern und evaluieren Sie diese … interessante Innovation sobald wie möglich! Und bestehen Sie darauf, dass wir den Probanden stellen. Am besten jemanden aus der Firma, den Sie natürlich entsprechend entschädigen.«

Dann werden seine Züge einen Hauch eisiger, fast unmerklich. Er erhebt sich steif und steht nun unmittelbar vor Bumann, sodass dieser Stamms Körperwärme durch den Hosenstoff spüren kann.

Kerzengerade, mit Blick nach unten gerichtet, setzt Stamm nach: »Ich verlasse mich darauf, dass Sie die Sache ausgewogen beurteilen. Sollten Sie das Konzept dieses Senders als betrügerisch erachten, sollte es rechtlich ein zu großes Risiko werden, dann brechen wir ab. In dem Fall garantiere ich Ihnen eine Schonfrist von einem Jahr, um doch noch die an Sie gerichteten Erwartungen zu erfüllen. Versuchen Sie aber nicht …«

Stamm kommt noch näher, stützt sich gar auf den Lehnen von Bumanns Sessel ab und sieht ihm direkt in die Augen.

»Versuchen Sie aber nicht, uns mit falschen Tatsachen einzuseifen. Die Sache würde garantiert rauskommen und Sie augenblicklich Ihre Stelle kosten. Vielleicht sogar strafrechtliche Relevanz erhalten.«

Bumann schluckt schwer, dann meint er halb trotzig, halb verärgert: »Herr Stamm, derartige Verdächtigungen, meine Ehrlichkeit betreffend, sind absolut unnötig! Ich werde im Interesse der Firma handeln.«

Stamm schaut ihn forschend an. »Schön, dann haben wir eine Übereinkunft. Reden Sie nur mit dem potenziellen Probanden und mit Helfenberg darüber, ansonsten bewahren Sie bis auf Weiteres Stillschweigen!« Er nickt Bumann zu, dann verlässt er das Büro.

Bumann atmet aus, wischt sich mit dem Handballen den Schweiß von der Stirn und fühlt eine plötzliche Woge des Unbehagens.

»Es ist nur ein Feldversuch«, sagt er zu sich selbst.

Er kramt sein Smartphone aus der Tasche und wählt Vetschs Nummer. Während die Verbindung hergestellt wird, gibt er das Unterfangen auf, in einer von Werrens Pultschubladen einen gefüllten Flachmann zu finden.

3

Im frisch gereinigten Anzug betritt Bumann eine Woche später einen baufälligen Innenhof in einem ehemaligen Industrieviertel der Stadt. Er trägt einen schwarzen Aktenkoffer, in dem er Laptop, Notizmaterial sowie einen unterzeichneten Vorvertrag mitführt.

Im Kern verpflichtet das Schriftstück die Keramikwarenfabrik, im Falle des Zustandekommens der Zusammenarbeit den Feldeinsatz des Neurosenders für die Dauer von zwei Monaten durchzuführen; die entscheidende Voraussetzung dafür ist ein offizieller wissenschaftlicher Auftrag der ETH Zürich, um den sich die als GmbH konstituierte Forschergruppe bemühen muss. Bumann, Stamm und Helfenberg, der Firmenjurist, sind sich einig gewesen, dass sie den Feldversuch ohne einen solchen nicht angehen werden.

Bumann ist es rasch gelungen, seinen zunächst verstimmten Bekannten Nicolas Vetsch zu beschwichtigen. Er hat das getan, was er gut kann: »Taktische Lobeshymne«, ein selbsterfundener Euphemismus für Arschkriecherei, die nicht zu offensichtlich nach Arschkriecherei tönt.

Bei Vetsch hat die »Lobeshymne« gewirkt, ein Treffen ist schnell vereinbart gewesen. Die letzten Nächte schlief Bumann seit Langem mal wieder prächtig.

Das Viertel, in dem er sich nun befindet, ist ihm noch aus seiner Jugend bekannt, weil er dannzumal öfter auf halb legalen Partys mitfeierte, die auf einem stillgelegten Fabrikgelände gleich jenseits der Innenhofmauern stattfanden.

Der Innenhof ist verwahrlost. Er gehörte einmal zu einer Druckerei, deren verrostetes Firmenschild abmontiert neben der Einfahrt steht.

Vetschs Beschreibung nach befinden sich die Erfinderwerkstatt und die Labore seiner GmbH diskret im Untergeschoss eines barackenähnlichen Hauses, das gegenüber der Einfahrt auf einer erhöhten Plattform steht und mutmaßlich einst die Verwaltungsräumlichkeiten der Druckerei beheimatete.

Bumann grinst kopfschüttelnd. *Was für eine hässliche Hütte. Passt in die schäbige Umgebung,* denkt er.

Der schmutzig graue Verputz bröselt ab, die Fensterscheiben sind blind vor Staub, die Holzblätter der Fensterläden sind gesplittert und von der Witterung verzogen. In der Rampe, die zu der Plattform hochführt, fehlen faustgroße Betonstücke; Unkraut wuchert aus diesen Wunden. Nirgends gibt es Indizien, dass hier noch jemand haust, geschweige denn eine Firma ansässig ist.

Bumann erinnert sich an einen alten Zeitungsartikel von vor ein paar Jahren, in dem stand, dass eines der angrenzenden Häuser von Besetzern okkupiert worden wäre. Irgendetwas mit Zwischennutzung und Kunst und alternativem Wohnen. Der übliche Quatsch halt, um sich gegenüber der Öffentlichkeit für den Raub zu rechtfertigen. Sogar diese Clowns scheinen sich in der Zwischenzeit verdünnisiert zu haben.

Bumann geht die Rampe hoch und bleibt vor der vernarbten Eingangstür stehen. Das Türblatt wirkt, als wenn ein Messerwerfer daran trainiert hätte. Er fährt mit der flachen Hand über die gesplitterten Einschläge und dann weiter zu der Türklingel, einem altmodisch wirkenden Ding, dessen Kabel sichtbar an der Außenwand verläuft und dann durch einen Durchschlupf im Gebäude verschwindet. Als er drückt, krächzt der Klingelton wie ein Hahn, der erwürgt wird.

Keine Reaktion.

Bumann drückt nochmals. Nach gefühlt minutenlangem Warten hört er endlich Schritte.

Zeitgleich mit Vetsch, der die Tür aufsperrt, braust ein dunkelblauer Saab in den Innenhof, verlangsamt und bleibt unten vor der Rampe stehen.

Bumann nickt Tobias Regenmann, seinem Marketingassistenten, der am Steuer sitzt, wohlwollend zu.

Der steigt so rasch aus, dass er sich seinen Blondschopf an der Autodachkante stößt. Er hält sich fluchend den Kopf, legt ihn dabei in den Nacken, sodass sein borstiges Geißbärtchen wie ein abstehender Pinsel aussieht.

Vetsch strahlt übers ganze Gesicht, als er Bumann mit ausgestreckter Hand begrüßt: »Hallo Riccardo. Freut mich, dich zu sehen. Wie es scheint, sind wir vollzählig.« Während sie sich die Hände schütteln, schielt Vetsch durch die fleckigen Gläser seiner Brille an Bumann vorbei und mustert den dünnen Regenmann in seinem schlottrigen Geschäftsanzug.

Der läuft die Rampe hoch, lächelnd, immer noch den Hinterkopf reibend. Demonstrativ aufgekratzt schüttelt er Bumann die Hand. Der quittiert den laschen Händedruck seines Untergebenen wie immer mit einem falschen Grinsen, um den verächtlichen Anflug zu kaschieren, den er dabei stets verspürt.

»Guten Tag zusammen«, plappert Regenmann. »Ist mir eine Freude, das Versuchskaninchen zu spielen. Sofern ich natürlich keine Nadel durchs Auge bekomme oder so.«

»Sie sind also Tobias Regenmann, der Proband aus Riccardos Reihen«, erwidert Vetsch.

Für ein Honorar in Höhe eines zusätzlichen Monatsgehalts, dieser gierige Hund, ergänzt Bumann in Gedanken.

Der pummelige Forscher sagt: »Meine Herren, darf ich Sie bitten, einzutreten?« Er ähnelt in seiner Körpersprache einem Possenreißer, der an einem Zirkuseingang zum Eintritt animiert.

Bumann zwängt sich vor Regenmann durch und folgt Vetsch in den muffigen, abgedunkelten Flur. Dessen Anblick, und diejenigen von zwei offen stehenden Räumen bestätigen den trostlosen Zustand des Hauses. Die altmodischen Tapeten aus den Sechzigerjahren sind angeschimmelt oder lösen sich von den Wänden. Die Dielen ächzen bei jedem Schritt unter den Spannteppichüberresten, leere Kartons, Holzkisten und Getränkeharassen stehen im Weg herum, Schmutz rieselt aus Ritzen und hängt wie Nebel im kargen Sonnenlicht, das durch die verschmierten Fenster dringt.

Regenmann beginnt zu husten, als er gegen einige aufgestapelte Kisten stößt und dabei einen Schwall grauen feinen Staubs aufwirbelt. Würgend, die linke Hand auf Nase und Mund gepresst, schlingert er hinter Vetsch und Bumann her, der die Wolke mit heftigem Handwedeln zu verwehen versucht.

»Himmel, Nicolas!«, murrt Bumann. »Wo in dieser Staubwüste ist euer Labor vergraben?«

Der Neurobiologe kichert und bleibt an einer gemauerten Wendeltreppe stehen, die sich hinunter in die Kellerebene schraubt. Eine Kolonne von verschmutzten Glühbirnen, die in regelmäßigen Abständen in Wandfassungen angebracht sind, bestrahlt schummrig den Weg nach unten.

»Im Kellergeschoss befinden sich unsere Arbeits- und Forschungsräumlichkeiten. Folgen Sie mir!«, verkündet Vetsch.

Bumann wirft einen skeptischen Blick auf die Steinstufen, zuckt mit den Achseln und beginnt den Abstieg. Regenmann, immer noch mit rasselndem Atem, klebt ihm an den Fersen.

Die Treppenflucht ist länger, als Bumann vermutet hat. Die Wände, zu Beginn des Abstiegs aus grobem Beton bestehend, sind nach ein paar Tiefenmetern sauber verputzt, noch weiter unten gar gekachelt.

Fast eine Minute lang folgen sie der spiralförmigen Flucht, dann verläuft diese plötzlich gerade, macht anschließend einen scharfen Rechtsknick und mündet in einen Korridor von beachtlichen Dimensionen, sicher drei Meter breit, der im Gegensatz zu der Treppenbeleuchtung von Leuchtröhren illuminiert wird. Dieser unerwartet imposante Flur endet nach ungefähr dreißig Metern an einem großen zweiflügeligen Metalltor. Alles wirkt pedantisch sauber wie in einem Spitalgebäude.

Bumann schnuppert. *Es riecht ähnlich abstoßend,* denkt er. Dennoch pfeift er anerkennend und verharrt am Treppenabsatz. Neben ihm bleibt Regenmann mit weit aufgerissenen Augen stehen.

Vetsch schiebt sich zwischen sie und klopft ihnen freundschaftlich auf den Rücken. »Willkommen in den Räumlichkeiten von Projekt ›Einhelligkeit‹, meine Herren.«

»Was für ein Name! Könnte von Scientology sein«, prustet Regenmann.

»Anfänglich ein kleiner Scherz eines Mitarbeiters, der eine Schwäche für Sinologie hat. Er hat den Begriff aus einem chinesischen Gedicht, das den geistigen Zusammenhalt verdeutlicht. Oder so ähnlich. Jedenfalls haben wir ihn als Projektname übernommen. Nun denn …«

Vetsch watschelt in den Korridor hinein.

Nach ein paar Schritten dreht er sich um und doziert mit ausschweifenden Armbewegungen: »Wie Sie bemerkt haben, meine Herren, ist die Kelleretage weitaus geräumiger, als das Häuschen über unseren Köpfen vermuten lässt. Die Räumlichkeiten hier stammen noch von einer Staatseinrichtung, die bis zum Ende des Kalten Kriegs genutzt wurde. Fragen Sie mich bitte nicht, was die hier getrieben haben, irgendetwas streng Geheimes jedenfalls. Die verlassenen Gebäude, die Sie an der Oberfläche gesehen haben, waren fast alle mit einem Durchgang hierher verbunden. Abgeschlossene Lagerräume, aber auch Zivilschutzanlagen für die Anwohner. Und hinter dem Metalltor befindet sich eine kleine Tiefgarage. Aufgrund der benötigten Diskretion für unsere Entwicklung haben wir natürlich die meisten Zugänge hier runter versiegelt. Und einige ungebetene Gäste in einem der Häuser mussten wir auch loswerden, aber das war kein Problem.«

»Ach, Sie haben die Besetzer rauswerfen lassen«, sagt Regenmann verblüfft.

»Wie ist es euch gelungen, eine Versiegelung der Schutzanlagen zu erwirken?«, fragte Bumann. »Und überhaupt eine Bewilligung für die private Nutzung dieses Komplexes zu bekommen?«

»Gewisse Mäzene mit politischem Einfluss haben uns geholfen«, erklärt Vetsch postwendend. »Aldo Calottis Onkel ist Nationalrat, wusstest du das? Es war dank seiner Vermittlung gar nicht so schwer, diese Anlagen zu kaufen. Das Hauptproblem bestand vielmehr in der Vermeidung eines großen Medienechos. Wir benötigten … Privatsphäre.«

Bumann und Regenmann sehen sich vielsagend an.

Bumann spürt, wie seine Nasenflügel zu zucken anfangen. »Was ist das Problem mit dem Medienecho? PR kann nie schlecht sein«, erkundigt er sich zögerlich.

»Wir warten damit, bis wir den Feldversuch hinter uns haben«, antwortet Vetsch. Sein Grinsen friert ein wenig ein. »Unsere Geldgeber haben ihre Beiträge, wie schon gesagt, aus humanitären und medizinischen Gründen gespendet. Sie wollen nicht, dass eine unorthodoxe Chance schon im Vornherein durch konkurrierende Lobbyisten versenkt wird. Wir müssen aber auch wissen, was das neue Akustikspektrum für Gefahren für die Menschen birgt, was man nur in einer isolierten Umgebung testen kann.«

»Was für Gefahren?«, fragt Regenmann mit einer Mischung aus Sorge und Faszination.

»Bis jetzt gibt es keine mit bleibenden Konsequenzen, das kann ich dank unserer eigenen Probanden garantieren, Herr Regenmann. Aber vorweg: Wie alle Entdeckungen kann auch unsere missbraucht werden. In welchem Umfang, auch das will die ›Einhelligkeit‹ mit dem Feldversuch herausfinden. Bitte, nun mir nach!«

Damit dreht Vetsch sich um und geht den Gang hinunter. Bumann und Regenmann folgen ihm. Ihre Schritte klatschen auf dem weißen Kachelboden.

Das leise Summen der Belüftungsanlagen hallt von den Wänden wider. In unregelmäßigen Abständen befinden sich Türen mit aufgeschraubten Metallschildern in den Seitenwänden. Als die Gruppe eine Tür mit der Aufschrift »Lagerraum I« passiert, ergreift Vetsch wieder das Wort.

»›Lagerraum I‹ ist die Domäne von Aldo Calotti. Er bewahrt darin die elektronischen Bestand- beziehungsweise Ersatzteile auf, die für die Entwicklung und den Bau des Neurosenders anfallen. Wir verzichten auf eine Besichtigung, wenn's recht ist, da

Aldo heute abwesend ist. Mein Kollege hat eine tiefe Abneigung dagegen, wenn jemand ohne sein Wissen seine Domäne ›entweiht‹. Ist der sicherste Weg, um mit ihm Streit anzufangen. Ah und da …«

Vetsch beschleunigt und eilt auf eine Tür mit der Aufschrift »Kontrollraum II« zu.

»Hier, meine Herren, der Tatort!«, verkündet er mit stolzgeschwellter Brust. »In diesem Raum wird der Neurosender aufbewahrt. Hier wird die stimulierende Frequenz in das gewünschte Medium eingespeist. Kommen Sie!« Mit einem überlauten »Traaraaa!« stößt er die Tür auf. Dann winkt er die Besucher so eifrig herein, dass sein ganzer Körper schwabbelt.

Regenmann betritt den Raum mit den glänzenden Augen eines Kindes, das endlich die Spielwarenabteilung im Warenhaus erreicht hat.

Bumanns Magengegend pocht unerklärlich schmerzhaft, ein Stechen wie von einer Nadel, die sich durch seine Dünndarmwand bohrt – wie angeworfen. Er massiert kurz mit der Rechten sein Bäuchlein und lindert das Leiden damit. Hinter ihm macht Vetsch die Tür mit einem freudigen Glucksen zu.

Der Raum hat die Ästhetik einer Abstellkammer, in der die Belüftung rasselt wie kurz vor dem Infarkt. Die zwei Männer in Laborkitteln, die darin offensichtlich gewartet haben und ihnen nun zur Begrüßung entgegenkommen, würden an jedem Ort der Welt – außer in einer Freakshow – auffallen. Von beiden geht eine Geruchsnote aus Schweiß, Kaffee und billigem Deodorant aus. Der erste, mindestens zehn Jahre älter als Bumann, hat eine derart käsige Haut, als sei er seit Jahren hier unter der Erde eingesperrt. Bumann fallen insbesondere seine langen, ungeschnittenen Fingernägel und die Brille mit Linsen so dick wie Biergläserböden auf, die seine Augen bizarr vergrößern; dadurch wirkt er irgendwie schwachsinnig.

Wie ein verrückter Wissenschaftler aus einem Horrorstreifen, denkt Bumann. Er muss sich ziemlich überwinden, um dessen Klaue zu schütteln. Der Mann verzieht seine Miene kaum. Seine verzerrten Glupschaugen sehen Bumann durchdringend an.

»Das ist Doktor Stumpf, einer unserer zwei Mediziner, die wir zur Testreihe hinzugezogen haben«, hört er Vetsch hinter seinem Rücken erklären.

Der zweite Mitarbeiter hält augenscheinlich nicht sehr viel von Hygiene. Sein untersetzter Körper riecht ungewaschen; Schuppen hängen in den halblangen Haaren. Als er Bumann anlächelt, entblößt er gelbliche Zähne. Sein rundliches Gesicht wirkt ansonsten nicht unsympathisch, dennoch muss Bumann auch in diesem Fall seinen Ekel unterdrücken, als er die ausgestreckte Hand des Mannes ergreift.

»Doktor Uzwiler, als Vertreter der Physiker«, stellt Vetsch den Mann vor, der Bumanns Hand so ausgiebig schüttelt, dass er sie abzureißen droht. Vetsch erlöst Bumann, indem er sich an Uzwiler vorbeidrängt und diesen damit zum Loslassen zwingt. Der Neurobiologe macht eine den Raum umfassende Armbewegung. Er deutet auf die dicht gedrängten Instrumente – Überwachungsmonitore, Kontrollkonsole mit Computer, eine abgedunkelte Glasscheibe, durch die man in eine Kammer auf einer unteren Ebene sehen kann, sowie die kleine schwarze Box, die Bumann schon kennt– und schwadroniert: »Dies hier ist die Schaltzentrale, das Gehirn unserer Experimente. Durch die Scheibe sehen Sie das Testlabor. Dort sitzt der Proband und sieht sich an einem Smart-TV Werbefilme an, die wir hier aufschalten.«

Er schreitet zum schwarzen Kasten hin, der durch einige Kabel mit dem Computer verbunden ist, und streichelt sanft darüber.

»Hier geschieht das Entscheidende, meine Herren. Über den Computer schleusen wir die richtige Frequenz in einen Spot unserer Wahl und koppeln damit das Produkt.«

Vetsch grinst Bumann an, der fasziniert auf den schwarzen Kasten starrt, dann fügt er an: »Selbstverständlich wird der Test aufgezeichnet und medizinisch überwacht. Doktor Stumpf und sein Kollege kontrollieren von der unteren Ebene aus die Messwerte des Kandidaten. Elektroenzephalografische Überwachung, zusätzlich ein Eingreifteam und notfalls Sedativa. Zudem brechen wir auf deinen Wunsch hin den Versuch ab, Riccardo.«

»Es gibt also die Möglichkeit, eine Person unter Einfluss vorzeitig zu … normalisieren?«, fragt Bumann.

Vetsch schnalzt mit der Zunge, dann schüttelt er den Kopf. »Nun, Riccardo, ähm … um es kurz zu machen: nein. Zwar dauert die Wirkung unterschiedlich lange an, je nach Probandenpersönlichkeit und Beschallungsintensität zwischen circa zwanzig Minuten bis maximal zwei Stunden nach der Einflussnahme, aber die durch die Frequenz verursachte Gehirnwellenveränderung kann natürlich nicht einfach mit einem Fingerschnippen unterbrochen werden.«

»Im Fall der Fälle greifen wir ein, verabreichen das Beruhigungsmittel oder fixieren schlimmstenfalls die Versuchsperson. Dann nüchtert sie gewissermaßen aus«, mischt sich Stumpf mit krächzender Stimme ein.

Bumann starrt auf dessen Lippen, die genauso käsig und blutleer wie der Rest des Gesichts sind. »Tönt rabiat«, stößt er zwischen den Zähnen hervor.

Stumpf lässt seine Augenlider flattern, Bumann vermutet, um Erhabenheit oder Tadel zu demonstrieren. Durch die optische Verzerrung der Brille aber wirkt das Verhalten grotesk, geradezu gruselig. Dann sagt er: »Mag sein. Aber es ist nicht halb so brutal, wie es sich anhört. Ist wie eine Ausnüchterung nach einer Zechtour, also …« Er deutet Richtung verdunkelte Scheibe. »Können wir dann? Sie sind der Proband, junger Mann?«

Bumann wendet sich zögerlich Regenmann zu.

Sein Untergebener betrachtet schweigend den schwarzen Kasten; seine Miene zeigt jene Mischung aus Hoffnung, Nervosität und Furcht wie bei jemandem, der gerade ein entscheidendes Spiel seines Fußballklubs verfolgt.

»Tobias, kann's losgehen?«, fragt Bumann vorsichtig.

»Also, ich weiß nicht … ist ja irgendwie interessant, aber derart beeinflusst und dann betäubt zu werden. Das gefällt mir nicht.«

Bumann flucht innerlich.

Du blöder Kerl springst an Seilen von Brücken, mit Fallschirmen aus Flugzeugen und mit Gleitern von Bergen. Sei einfach genauso verrückt wie in deiner Freizeit. Er zwingt sich aber zur Nonchalance und setzt auf »Taktische Lobeshymnen«.

»Tobias, so kenne ich dich gar nicht! Du liebst doch die Herausforderung. Und vergiss nicht das Honorar, das du dafür kriegst. Das reicht für mehr als ein verlängertes Extremsport-Wochenende. Denk auch an die Arbeitsplätze, die gesichert werden können. Denk an deine soziale Verantwortung.«

Uzwiler drängt seine massige Gestalt neben Regenmann und kommt Bumann zu Hilfe. Regenmann weicht vor der penetranten Schweißnote des Physikers zurück, bis er gegen Bumann stößt.

Uzwiler meint gelassen: »Ich kann Sie beruhigen, wirklich. Betäubung ist bis jetzt nie notwendig gewesen. Ich habe mich dem Sender selbst ausgesetzt. Mehrere Male schon. Eine Zeit lang fühlen Sie sich etwas seltsam, aber dann lässt die Wirkung nach. Und selbst ich bin geistig normal geblieben – zumindest verhältnismäßig.« Er bricht in wieherndes Gelächter aus. Der arme Regenmann wird dabei mit Speicheltropfen benetzt, die zwischen Uzwilers gelben Zähnen in alle Richtungen herausschießen. Regenmann wischt sich angeekelt, aber so diskret wie möglich über die Wangen und durch seinen Geißbart.

»Okay, gehen wir!«, sagt er rasch und sieht Bumann mit einem mitleidserregenden Blick an.

»Folgen Sie mir!« fordert Stumpf hinter Bumanns Rücken.

Fünf Minuten später befinden sich nur noch Vetsch und Bumann im Kontrollraum.

Stumpf ist in den medizinischen Überwachungsraum geeilt, den Bumann an der gegenüberliegenden Wand des Versuchslabors ausmachen kann, als er durch die Einwegscheibe nach schräg unten blickt. Hinter Sicherheitsglas sieht Bumann den Mediziner und einen weiteren Mann stehen.

In der Laborkammer selbst geben Uzwiler und ein Assistent

Erläuterungen an Regenmann, während sie ihn an die Überwachungsgerätschaften anschließen.

Bumann öffnet seinen Aktenkoffer. Er holt den Laptop heraus, platziert ihn auf einen kleinen Tisch vor der Einwegscheibe, startet ihn und öffnet ein vorbereitetes Ereignisprotokoll. Danach legt er den Koffer behutsam auf eine kleine Ablagefläche neben dem Kontrollpult. Er räuspert sich und fragt schelmisch: »Ist es dir recht, wenn ich zwei, drei Fotos schieße?«

Bevor er eine Antwort bekommt, nimmt er schon das Smartphone aus seiner Hosentasche und entsperrt es; dabei entdeckt er eine neue Mail von Helfenberg aus der Rechtsabteilung, der an ihn und Stamm mit dem Betreff »Unter Vorbehalt Ja« geschrieben hat.

Vetsch, der vor der Konsole sitzt und den Neurosender justiert, antwortet auf Bumanns Frage, ohne den Kopf zu heben: »Bedaure, das ist verboten. Steht im Vorvertrag, wie du wissen solltest. Bei der Gelegenheit: Kannst du mir den noch geben?«

Bumann, der eine solche Antwort erwartet hat, lächelt, steckt das Smartphone weg, holt das Vertragsexemplar aus dem Koffer heraus und legt es auf das Kontrollpult. Dann geht er zur Einwegscheibe hinüber.

In dem Moment knackt die Gegensprechanlage auf dem Kontrollpult. Die Stimme des Assistenten im Labor schnarrt: »Doktor Vetsch, Herr Regenmann ist verdrahtet.«

Sofort rapportiert Stumpf aus der Anlage: »Hier Stumpf. Die medizinische Überwachung ist bereit.«

Vetsch drückt auf den Knopf und bestätigt die Meldungen. Dann zwinkert er Bumann zu.

Bumann hat interessiert gelauscht und schaut nun nach unten in das Testlabor.

Regenmann sitzt mit nacktem Oberkörper, an den Elektroden angeklebt sind, sowie einer aufgesetzten EEG-Haube in einem alten Sessel vor dem Flachbildschirm.

Vetsch rät vom Kontrollpult aus: »An deiner Stelle würde ich an der Scheibe bleiben, du wirst Zeuge eines unglaublichen Vorgangs werden. Es ist übrigens nicht möglich, dass wir der Frequenz erliegen. Der Raum ist schalldicht, und Regenmann muss aufstehen, um mit uns über die Gegensprechanlage zu kommunizieren, wenn ich die Freisprech-Funktion abgeschaltet habe.«

Bumanns Hände sind vor Aufregung feucht, als er seinen ersten Eintrag in das Ereignisprotokoll eintippt.

Die Gegensprechanlage rauscht; Uzwiler verkündet: »Wir sind so weit und räumen das Labor.«

Vetsch drückt auf einen Knopf am Gehäuse und startet damit die Freisprech-Funktion. Bumann kann jedes Geräusch aus der unteren Ebene hören, von den Schritten über das Geflüster bis hin zu den Atemzügen.

»Herr Regenmann, ich möchte, dass Sie sich entspannen«, hallt Vetschs Stimme auf der unteren Ebene wider. »Sie können jetzt frei sprechen, nach Beginn des Experiments aber nur noch über die Anlage neben der Tür. Wie fühlen Sie sich?«

»Nervös«, krächzt Regenmann aus der Leitung.

»Verständlich. Wir werden jetzt beginnen, Werbefilme auf dem Flachbildschirm vor Ihnen abzuspielen. Es sind gewöhnliche Spots, wie Sie sie aus dem alltäglichen Fernsehprogramm kennen. Entspannen Sie sich und versuchen Sie, an nichts zu denken, wenn Sie die Werbungen betrachten. Irgendwann werden wir den Neurosender einschalten. Achtung … fertig … los!«

Dann ist die Leitung tot.

Vetsch hantiert an den Konsolenknöpfen herum. Der Bildschirm vor Regenmann beginnt zu flimmern. Bumann hört das Klicken der Computermaus, dann läuft der erste Spot.

Eine Waschmittelwerbung.

Bumann trommelt mit den Fingern leise gegen seinen Laptop und äugt zu dem schwarzen Kasten hinüber. Ein kleines rotes Licht hat an dessen Frontseite zu brennen angefangen. Bumann glaubt, ein leises Summen zu vernehmen, aber das kann genauso gut von einem der anderen elektronischen Apparate stammen.

Der zweite Spot läuft durch, dann ein dritter für Schokoriegel. Reklame für Konservenravioli. Bumann hält alles im Protokoll fest. Er knetet sich erwartungsfreudig das Kinn, starrt auf Regenmann. Der rührt sich keinen Millimeter.

Reklame für Kartoffelchips.

Reklame für Kaffee.

Werbung für Thurgauer Äpfel.

Werbung für Schwarztee.

Bumann kneift die Augen zusammen.

Einen Augenblick hat es den Anschein, als ob sich Regenmann wie unter einem Stromschlag versteift. Tatsächlich, Regenmann regt sich in seinem Fernsehsessel, wirft den Kopf hin und her.

Hinter Bumanns Rücken beginnt ein Signalton zu fiepen.

Er wendet sich zu Vetsch um, der auf den Bildschirm tippt, während er mit der anderen Hand die Siegerfaust schwingt. Neben dem Neurobiologen summt der Sender. Eine weitere rote Lampe ist angegangen.

»Es ist so weit«, stellt Bumann lakonisch fest. Irgendwie hat er sich den Moment aufregender vorgestellt.

Vetsch deutet auf Regenmanns EEG-Skala. Die Werte auf dem Bildschirm schlagen aus. Dann pendeln sie sich auf einem bestimmten Niveau ein. Bumann versucht vergeblich, sich zu erinnern, wie sie vorher ausgesehen haben.

Vetsch scheint seine Gedanken zu erraten. »Die Ströme sind anders als zuvor. Sieh!« Er drückt eine Tastenkombination. Der Bildschirm wird geteilt; eine Hälfte bildet die vorherige Skala ab, als Vergleich befindet sich die aktuelle gleich daneben. Tatsächlich pulsieren die jetzigen Aufzeichnungen anders. Langsamer, gleichmäßiger. Ein einzelner grafischer Impuls schlägt jedoch massiv aus.

Das Begehren.

Bumann eilt zur Scheibe zurück, tippt hastig einen Satz ins Protokoll. Dann beobachtet er.

Regenmann zittert am ganzen Körper wie bei einem Schüttelfrostanfall, gewinnt dann aber anscheinend die Selbstkontrolle zurück. Er erhebt sich aus dem Sessel, etwas wackelig, als sei er angetrunken. Dabei reißt er die an ihm haftenden Elektroden und die EEG-Haube einfach ab.

»Scheiße!«, ruft Bumann entsetzt. Als er zu Vetschs Bildschirm schaut, sind Regenmanns Skalenanzeigen natürlich verschwunden.

Regenmann blickt sich suchend um, eilt dann zu einer Reihe von Metallspinden, die an einer Wand stehen und aus denen Uzwiler zuvor die EEG-Überwachungsausrüstung herausgeholt hat.

Bumann beobachtet, wie sein Untergebener einen geräuschlosen Kampf mit den offensichtlich verschlossenen Türen führt.

»Verdammt, was macht er?«, blafft Bumann, während er sich den Nacken verrenkt, um Regenmann im Sichtfeld zu behalten.

Vetsch erklärt unbekümmert: »Er ist auf der Suche nach Schwarztee, Riccardo. Er wird in jedem Winkel des Labors nach dem *Ceylon finest taste* suchen, den er in der Werbung gesehen hat. Und nur nach diesem. Das ist übrigens der Tee, den wir in der Pausenecke haben. Sehr anregend!«

»Nicolas, er hat sich von der Verkabelung losgerissen, und jetzt«, berichtet Bumann ungläubig, »kriecht er im Staub, um unter die Spinde zu sehen. Das gibt's doch nicht …«

»Das war vorauszusehen. Es gibt keinen Grund zur Beunruhigung. Er wird nicht gewalttätig werden oder sich Schaden zufügen. Er verhält sich so wie vor ihm schon ein halbes Dutzend anderer Probanden. Wir geben ihm jetzt, was er braucht.«

Regenmann ist gerade dabei, sich an dem ersten Spind hochzuziehen, der nur deshalb nicht umkippt, weil er an der Wand festgeschraubt ist, als Vetsch die Gegensprechanlage wieder einschaltet.

Im Hintergrund hört man leise eine Orangensaftwerbung und das hohle Rumpeln der Spinde, an denen Regenmann herumturnt. Bumann hört ihn enttäuscht grunzen.

»Herr Regenmann?«, fragt Vetsch.

»Verzeihung, Herr Dingsda, haben Sie zufällig Schwarztee? Den *Ceylon finest taste?* Ich hätte irgendwie Lust auf eine Tasse oder zwei.« Regenmann lächelt dabei, springt vom Spind herunter, blickt in Richtung Bumann und Vetsch hoch.

Bumann sieht die verkrampften Gesichtszüge, sieht die kaum verhohlene Gier. Und in diesem Moment wird ihm klar, dass seine persönliche Rettung – und die der Firma – kein Hirngespinst, sondern zum Greifen nah ist.

Wenn sie diese Schallwellen zusätzlich noch für die Medizin gebrauchen können, schön, aber unser Unternehmen wird damit einen Spitzenumsatz machen, wenn wir es richtig anstellen.

Da Vetsch keine Antwort gegeben hat, wendet sich Regenmann wieder dem Fernsehsessel zu. Er hebt das Sitzkissen, dann fuhrwerkt er an der Sitzfläche herum. Schließlich geht er auf die Knie und schaut unter das Möbelstück. Als er nichts darunter findet, seufzt er enttäuscht auf.

»Verzeihung, aber ich br… möchte Schwarztee, ja? *Ceylon finest taste,* ja? Bitte, gibt's hier welchen?«, scheppert es aus der Gegensprechanlage.

Regenmanns Bettelei ist höflich geblieben, der Unterton klingt jedoch deutlich gereizter.

Vetsch antwortet: »Herr Regenmann, Doktor Uzwiler wird Ihnen gleich helfen.«

Er genießt es, fährt es Bumann durch den Kopf.

»Jetzt pass gut auf, Riccardo!«, sagt Vetsch. »Jetzt siehst du die besondere Nuance.« Mit einem Mausklick schaltet er den Fernsehbildschirm im Versuchslabor ab. Regenmann, der begonnen hat, diesen zu verschieben, zuckt zurück.

Da geht die Tür auf, und Uzwiler kehrt in den Raum zurück. In seinen Händen balanciert er mehrere aufeinandergestapelte Packungen, die alle neutral grau gehalten sind.

»Sie sind ein Engel!«, ruft Regenmann begeistert aus und eilt ihm entgegen. Speichel tropft aus seinem Mund. Seine Bewegungen, auch das fällt Bumann nun auf, wirken nochmals einen Tick hölzerner als vorher. So als würden sich Regenmanns Muskeln stetig verkrampfen.

»Der Regenmann hat wirklich eine bemerkenswerte Selbstbeherrschung«, konstatiert Vetsch. »Das körperliche Bedürfnis nach Tee müsste eigentlich schon die Schmerzgrenze erreicht haben. Die meisten der vorherigen Probanden haben zu diesem Zeitpunkt längst geheult oder gedroht.«

Regenmann hat Uzwiler erreicht und greift sich sofort die oberste Packung. Speichelflocken laufen über die Verpackungsfolie, als er diese mit den Zähnen wegreißt.

Der Kartondeckel fliegt auf, die Teebeutel plumpsen auf den Boden.

Regenmann kauert nieder, greift sie sich und schnuppert daran. Er lässt einen angeekelten Laut vernehmen und schnellt wieder auf die Beine.

Uzwiler hat das höchstwahrscheinlich vorausgesehen, denn er ist schon zuvor einen Meter zurückgetreten.

»Wo ist der Schwarztee?« Dieses Mal brüllt Regenmann.

Spuckefäden hängen von seinen Lippen, während er Uzwiler, der nun retour im Kreis geht, zu verfolgen beginnt.

Vetsch rückt sich die Brille zurecht und flüstert: »Natürlich sind das alles Teepackungen, aber nur eine beinhaltet Schwarztee. Er wird nur – und wirklich nur – diesen Tee akzeptieren.«

»Er weiß trotz der Manipulation noch, wie der Schwarztee riecht?«

»Erinnerungen an früheren Schwarzteekonsum verbinden sich mit dem unbezähmbaren Verlangen. Zugegeben, wir könnten ihm irgendeinen Schwarztee in der richtigen Packung übergeben. Das würde nur einem Connaisseur auffallen.«

Bumann wendet sich an Vetsch. »Er trinkt häufig Schwarztee, aber angenommen, er hätte ihn noch nie im Leben gekostet?«

»Dann würde er natürlich nur auf die Verpackung und den Namen reagieren, aber … oh mein Gott, guck! Uzwiler, dieser Spaßvogel!«

Uzwiler, aufgrund seiner Körperfülle aus der Puste geraten, hat angefangen, den Inhalt der Teepackungen, einen Beutel nach dem anderen, auf den Boden zu streuen wie eine Brotkrumenspur. Schwer atmend betrachtet er Regenmann, wie dieser auf allen vieren herumkriecht, die weggeworfenen Teebeutel zerreißt und die Blätterpartikel an seine Nase drückt.

Nach etwa zwei Metern vergeblicher Kriecherei fängt er an zu schluchzen. »*Ceylon finest taste!*«, keucht er immer wieder. »Bitte!«

»Okay, beenden wir das, Doktor Uzwiler, ja?«, fordert Bumann mit lauter Stimme. Er hat angefangen, sich für seinen Untergebenen fremdzuschämen.

Wir müssen sicherstellen, dass sich unsere Kunden nicht so demütigend benehmen, denkt er, *sonst haben wir die Presse schneller am Arsch als gewollt.*

Uzwiler sieht kurz zu ihm und Vetsch hoch. Er nickt, sodass die Schuppen von seinem Haar schneien, und zieht eine Packung *Ceylon finest taste* aus seiner Kitteltasche. Mit dem Ärmel wischt er sich den Schweiß von der Stirn.

Regenmann stößt einen gequälten Schrei aus. Er streckt seine zitternden Arme aus wie ein Gläubiger, der seinem Messias huldigt.

Uzwiler meint: »Ich habe Ihren Schwarztee, Herr Regenmann. Aber der kostet was. Ich bekomme zweihundert Franken für diesen Karton!«

»Zweihundert?«, flüstert Bumann.

Vetsch verschränkt die Hände hinter dem Rücken. »Natürlich. Kein Preis wird unserem Herrn Regenmann zu hoch sein.«

Regenmann fingert sein Portemonnaie so rücksichtslos aus der Innentasche seines Jacketts, dass er diese zerschleißt. Er nimmt, ohne genauer hinzugucken, einige Scheine aus dem abgeschabten Leder, schnellt auf die Beine, stopft sie Uzwiler in die Brusttasche des Laborkittels und reißt ihm dafür den Tee aus der Hand.

»Wasser und Tassen finden Sie im Raum nebenan«, sagt Uzwiler, wobei er mit dem Kopf Richtung Tür deutet.

Mit einem fröhlichen Grunzen stürmt Regenmann davon.

Uzwiler dreht sich wieder zur Einwegscheibe, bleckt seine gelben Zähne und wedelt mit den Scheinen wie mit einem Taschentuch, mit dem man jemandem zum Abschied nachwinkt.

Dabei knackt seine Stimme in der Gegensprechanlage: »Hundertdreißig Franken für eine Packung Tee im Wert von drei Franken fünfzig. Nicht schlecht, was?«

Vetsch legt seine Hand auf Bumanns Schulter.

»Hast du sonst noch Fragen, Riccardo?«

4

»Und wie ist es Herrn Regenmann seit vorgestern ergangen?«, fragt Michel Stamm, das ausgezogene Jackett an einem Kleiderbügel an die Bürogarderobe hängend. Kleine Schweißringe zeichnen sich an den Achselstellen seines Hemds ab, eine Folge des außergewöhnlich warmen Maitages. Geschwind setzt er sich auf seinen Sitzplatz zurück und mustert Bumann gespannt.

Bumann gelingt es, den nötigen Ernst zu wahren, obschon er die Erinnerung daran sehr amüsant findet. »Nun, nach unserem Besuch verbrachte Herr Regenmann einen großen Teil des restlichen Tages auf der Toilette. Er verbrauchte etwa ein Drittel der Schwarzteebeutel im Labor, braute mehrere Tassen gleichzeitig. Er trank, bis er wortwörtlich einen Wasserbauch hatte. Und wissen Sie was? Er ging bereits in den knapp siebzig Minuten seiner Beeinflussungsdauer dreimal auf die Toilette, aber es hielt ihn nicht davon ab, weiterzumachen.« Bumann räusperte sich ausführlich, um den aufkeimenden Lachanfall zu ersticken. *Das war ein Anblick, zu absurd,* denkt er. Sie mussten auf dem Heimweg sogar überfallartig bei einer Beiz anhalten, wo Regenmann mit Schweißperlen auf der Stirn die Toilette stürmte.

In Stamms gerötetem Gesicht leuchten die Augen wie Onyx. Er macht mit beiden Händen eine entschuldigende Geste, kann sich aber ein kleines Grinsen nicht verkneifen. Dann hakt er in betont ernstem Tonfall nach: »Zum Glück war das gekoppelte Produkt kein Arzneimittel. Wie sieht er heute aus? Irgendwelche Nachwirkungen, Auffälligkeiten?«

»Nein, soweit ich das beurteilen kann. Von ihm selbst kommen keine Klagen über Katersymptome oder sonstige körperliche Veränderungen. Höchstens über Schlafmangel, weil er mitten in der Nacht aufs Klo rennen musste und danach bis zum Morgen wach lag. Außerdem wird ihm wohl die Lust auf Tee für eine Weile vergangen sein. Zurzeit wird er von unserem Vertrauensarzt untersucht, ein Generalcheck, wie sich das gehört. Sobald das Ergebnis vorliegt, werde ich es Ihnen zukommen lassen.«

»Wie lange wird die Auswertung der wissenschaftlichen Unterlagen dauern?«

»Nicolas Vetsch hat mir umfangreiche Protokolle, Forschungsunterlagen und Berichte mitgegeben. Da müssen Sie sich bis schätzungsweise Ende der nächsten Woche gedulden. Ich habe die Unterlagen Herrn Helfenberg anvertraut, der seinerseits jemand Fachkompetentes auftreiben wird. Rechtlich sind wir seiner Meinung nach aber gut abgesichert. Vetsch hat mich zudem vor einer Stunde angerufen und gemeint, dass sie von der ETH den Auftrag für eine umfassende Studie samt Feldversuch erhalten haben. Diesbezüglich werden wir noch etwas Schriftliches per Post erhalten.«

»Das ging ja flott«, bemerkt Stamm. »Dauert das normalerweise nicht länger?«

»Kann sein. Die haben wirklich gute Verbindungen. Die ETH hat laut Vetsch allerdings vorausgesetzt, dass die Versuche mit dem Neurosender nur bei gesundheitlich unbedenklichen Produkten getestet werden darf.«

»Nun, das ist bei unseren Erzeugnissen ja der Fall.«

Bumann schmunzelt. »Genau. Wir sind perfekt dafür. Außerdem können wir uns laut Helfenberg im Notfall immer noch darauf berufen, nicht alles gewusst zu haben. Er hat sogar angedeutet, dass auch ein paar der uns überlassenen Dokumente uns dann … nun ja, doch nie erreicht haben könnten, sofern nötig. Ich denke, ich muss nicht deutlicher werden. Aber am liebsten wäre natürlich allen eine Studie, die bei den Konsumenten und allen anderen Akteuren so wenig wie möglich nachhallt. Ist der Sinn der Sache und im Sinne des Projekts ›Einhelligkeit‹.« Innerlich amüsiert sich Bumann über diese dämliche esoterische Bezeichnung, aber vor allem freut er sich über seine eigene Pfiffigkeit.

»Eine vielversprechende Sache, Herr Bumann, könnte sein, dass Sie in nächster Zeit viel Arbeit bekommen. Möglicherweise eine Werbekampagne lancieren?«

Bumann strahlt übers ganze Gesicht. Nichts auf der Welt hätte ihm jetzt die Laune verderben können. Seine linke Hand, die in der Hosentasche steckt, kneift durch den Stoff kurz ins Oberschenkelfleisch, damit er sich der Realität sicher sein kann.

Stamm lehnt sich im Sessel zurück. Er fixiert einen Punkt auf seinem Schreibtisch; sein Blick wirkt irgendwie abwesend, beinahe sehnsüchtig. »Könnte es tatsächlich sein, dass die Firma meines Großonkels diese Zeiten übersteht?«, murmelt er mehr zu sich als zu Bumann. Einen so verträumten Tonfall hat dieser noch nie aus dem Mund des Verwaltungsratspräsidenten vernommen.

In dem Moment klingelt Bumanns Smartphone. Auf dem Display leuchtet die Nummer des Vertrauensarztes. Als Bumann rangeht und den positiven Untersuchungsbefund von Regenmann vernimmt, kneift er sich gleich nochmals ins Fleisch.

Solch erbauliche Wochen, wie sie Bumann nun erlebt, hat er seit Jahren nicht mehr gehabt. Wahrlich wie ein Leben im Paradies, scheint ihm.

Durch den Tag hindurch ist er euphorisiert, in der Nacht schläft er ausgezeichnet. Zu beiden Tageszeiten träumt er bereits von Ruhm, von abgesichertem Wohlstand, von Anerkennung und Beifall, von exponentiell steigenden Aktienkursen, von reißendem Absatz und von der Beteiligung an einer epochalen Zäsur.

Am schönsten sind die Tagträume über Alessio und seinen Vater. Alessio wirkt in seiner Vorstellung immer bleich vor Neid; mit zusammengekniffenen Lippen, Schweiß auf der Stirn und trotzigem Blick wie ein bockiger Kindergartenjunge steht er da und muss seine endgültige Niederlage eingestehen. Sein Vater umarmt seinen neuen Lieblingssohn, klopft ihm auf die Schultern, die unter einem neuen Maßanzug von Gucci, Versace – welchem Designer auch immer – verborgen sind. *Hauptsache, das Ding hat zehntausend Franken gekostet.*

»Gut hast du das gemacht, Sohn, gut! Dein Bruder könnte

sich eine Scheibe abschneiden«, ruft dann sein Vater.

Alessio hält stumm ein leeres Kelchglas in seiner Hand, während der Vater eine neue Sektflasche köpft und ihm, Riccardo, dem Zweitgeborenen, zuerst nachschenkt …

Bevor Bumann diesen wiederkehrenden Tagtraum aber in Realität erleben kann, muss er die Werbekampagne mit einigen Überstunden organisieren.

Kern des Ganzen ist ein Werbefilm, der mit einem minimalen Budget verwirklicht werden soll. Bumann hat Stamm bewusst zu einer schlichten Qualität überredet, zu einem Spot, in dem ein ungeübter Sprecher – niemand anders als Bumann selbst – in einfachen Bildeinstellungen einige der Keramikprodukte vorstellt. Die Absicht dahinter, und das ist mit der Forschergruppe »Einhelligkeit« so abgesprochen, besteht in der Demonstration, dass die Qualität eines Mediums keine Rolle spielt, solange die Produkte zusammen mit der einschlägigen Frequenz des Neurosenders vorgeführt werden.

»Der Spot ist beschissen. Zum Einschlafen«, hat Regenmann bei der ersten Sichtung gerügt, eine Tasse kalten Kakao in der Hand, den er neuerdings dem Tee vorzieht.

»Ja«, stimmt Bumann zu, »erinnert mich an den Unterhaltungswert von Onkel Stefans Urlaubsdiavorführungen in meiner Kindheit. Wir taten alles, um nicht dabei sein zu müssen. Einmal wollte mir Alessio sogar absichtlich eine Knöchelprellung beibringen, damit wir nicht in dieses Wohnzimmer reinmüssen. Er überredete mich. Ich hielt hin – und der Trampel schlug dann so fest mit einem flachen Stein darauf, dass er mir den Knöchel brach.«

»Traurige Geschichte«, antwortet Regenmann mechanisch. »Dieser Clip soll tatsächlich auf YouTube, Vimeo, sämtliche Social-Media-Kanäle und ins Lokalfernsehen? Ich mein, die Frequenz ist ja wirkungsvoll, aber das ist peinlich, weit unter dem beruflichen Anspruch …«

»Absicht. Sobald das Produkt gekoppelt ist, spielt alles andere keine Rolle mehr. Bestandteil der Studie.« Bumanns Stimme tönt schnippischer als gewollt; er ist wegen Regenmanns Ignoranz seinem Kindheitserlebnis gegenüber düpiert.

»Was ist denn mit unseren Mitarbeitern? Wollen wir sie nicht ... nun ja ... warnen?«, fragt da Philipp Borer, der stellvertretende Verkaufsleiter, der die ganze Zeit schweigend vor sich hin gebrütet hat.

Bumann hat rasch gespürt, dass Borer von Beginn an stille Zweifel gegen die neue Kampagne hegt. Möglicherweise liegt das an seiner streng protestantischen Erziehung und an der christlichen Ethik, die bei ihm trotz seines Eifers und seines Ehrgeizes immer wieder mal durchschimmern – insbesondere wohl, wenn der von Gott gegebene freie Wille bedroht wird. Bumann schätzt, dass er die von Stamm verordnete Verschwiegenheitsvereinbarung für die involvierten Mitarbeiter hauptsächlich unterschrieben hat, weil er ein Cousin zweiten Grades des Verwaltungsratspräsidenten ist. *Immerhin,* gesteht Bumann ihm zu, *er hat mich danach dennoch zu hundert Prozent unterstützt.*

Bumann zögert, dann zuckt er die Schultern und entgegnet: »Nun, das gehört zum Feldversuch – keine spezielle interne Information an unsere Leute. Mitarbeitern werden die Verkäufe natürlich zurückerstattet, wenn sie nach Ende der Beeinflussung darauf bestehen. Für alle anderen müssen wir noch ein rentables Konzept finden, was deine Aufgabe ist, Philipp. Und das bitte bis morgen!«

Borer brummelt etwas, schiebt seine Hornbrille auf der Nase zurecht und setzt sich an seinen Schreibtisch.

»Nun denn«, sagt Bumann, »starten wir den Feldversuch.«

Zwei Tage später, an jenem Morgen, an dem der *Sender mit neurostimulierender Wirkung* seine heimliche Premiere auf dem Weltmarkt feiert, sitzt Bumann an seinem Schreibtisch, schlürft eine Tasse Kaffee nach der anderen, unterdrückt den hartnäckigen Drang, alle zehn Minuten aufs Klo zu rennen, und verflucht sich insgeheim dafür, dass er nach dem Studium mit dem Rauchen aufgehört hat.

Seine Augen wandern immer und immer wieder zur Plastikwanduhr, die oberhalb der Bürotür angebracht ist.

Jetzt! Jetzt müsste der Spot zum ersten Mal im Lokalfernsehen zu sehen sein. Genau jetzt lädt Regenmann ihn auch im Internet hoch. In Bumanns Vorstellung springen Pop-up-Fenster auf, und Bannerwerbungen erscheinen auf Nachrichtenportalen, die die Leute auf die Videoseiten locken sollen.

Wie hypnotisiert beobachtet Bumann den Sekundenzeiger der Uhr. Seine Nasenflügel zucken. Der Tassenhenkel zwischen Daumen und Zeigefinger entgleitet ihm. Schnell stellt er die Tasse ab, als er realisiert, dass seine verschwitzte Hand sie in den nächsten Sekunden fallen lassen würde.

Nach endlosen dreißig Sekunden ist das Zeitfenster für die Ausstrahlung vorbei. *Wie viele Leute haben sie wohl gesehen?*

Bumann lehnt sich ermattet zurück. Er fühlt sich geschlaucht wie nach dem Absolvieren eines Marathons. Trotz der Anspannung, die in ihm scharrt, zwingt er sich schließlich, seine Unterlagen aufzuschlagen und sich wieder seiner Arbeit zu widmen.

Das erste Telefonat kommt kurz vor Mittag.

Borer stürmt aus seinem Büro und platzt bei Bumann ohne anzuklopfen herein. Der hat Borers Silhouette schon durch die Milchglasscheibe seiner Bürotür näher kommen sehen und richtet sich erwartungsvoll auf, als sein Untergebener keuchend in der Tür steht. Seine Hornbrille hat Borer in der Hand. Er fuchtelt mit ihr herum, während er redet. »Riccardo, Zeliko Drmić von der Distribution … er meldet, dass die Detailhändler schier den Verstand verlieren! In der ganzen Region gehen Leute zu Dutzenden in die Läden und kaufen unsere Produkte. Aschenbecher, Vasen, Geschirr, Lampen, Windlichter, Kerzenhalter, sogar Hausnummern. In mehrfacher Ausführung!«

All die Produkte, die im Spot gezeigt wurden, denkt Bumann zufrieden.

»Drmić und seine Jungs sind am Limit! Sie kommen kaum noch mit der Auslieferung nach, Drmić beantragt erhöhte Produktion. Unsere Lagerbestände werden heute Abend schon zur

Hälfte erschöpft sein, wenn das so weitergeht … So früh hätte ich das nicht erwartet.« Borer schüttelt seinen Kopf und setzt die Brille wieder auf.

Bumann wippt in betont lässiger Haltung auf seinem Stuhl und entgegnet: »Ich werde Vetsch Bescheid geben. Was für eine überwältigende Nachricht! Sag Drmić unterdessen, dass er ausliefern soll, solange die Bestände reichen. Wenn sie aufgebraucht sind, soll er die Detailhändler vertrösten. Ich werde Berchtold drüben in der Werkhalle Dampf machen. Drmić hat recht, die Produktion muss angekurbelt werden.«

Borer nickt mit einem undurchsichtigen Gesichtsausdruck. »Wer macht eigentlich die Auswertung dieses Feldversuchs?«

»Nicht wir«, antwortet Bumann. »Das ist der Job der ›Einhelligkeit‹. Wir liefern nur die Verkaufszahlen.«

»Möge Gott uns beistehen. Ich hoffe, das kommt gut.«

Bumann verdreht die Augen und will gerade etwas Sarkastisches erwidern, da fängt sein Telefon zu läuten an. Fast zeitgleich schrillen hinter Borers Rücken weitere Apparate durch die Korridore. Borer wirbelt herum und eilt davon.

Bumann nimmt den Anruf eines entgeisterten, ihm persönlich bekannten Filialleiters eines städtischen Warenhauses entgegen, beschwichtigt ihn, lässt dann die restlichen Telefonate des Tages zu der Dame am Empfang umleiten. Danach schreibt er wie im Rausch eine euphorische E-Mail an Stamm.

Bumanns Werktage entpuppen sich auch in den kommenden Wochen als eine Anhäufung von endlosen Telefongesprächen, deren Stimmen am anderen Ende lauthals nach Nachschub krächzen, von Überstunden in der Produktionsabteilung, die immer größere Mühe hat, die Nachfrage zu befriedigen, von Umsätzen, die durch die Decke schießen, wie es seit Jahrzehnten nicht mehr vorgekommen ist.

Der Verwaltungsrat redet gegenüber den Medien jetzt schon vom erfolgreichsten Quartal in der fast siebzigjährigen Unternehmensgeschichte. Die Presse kolportiert sogar einen Börsengang und eine damit verbundene Expansion.

Einige Journalisten hinterfragen natürlich die offiziellen Erklärungen und rätseln an der Ursache des Erfolgs herum. Aber selbst sie springen nach und nach auf die von Bumann verbreitete These auf, dass Keramikwaren halt nun mal einem momentanen Retro-Hype entsprechen, die nicht zuletzt dadurch befeuert worden ist, da auch einige Persönlichkeiten der Stadt und des Umlandes dem Kaufrausch erlegen sind. Geschickt gelingt es Bumann, diesen Umstand für seine Zwecke zu nutzen, als die Presse darüber berichtet.

Jeden Tag trifft er daher auf Leute, die ihm auf die Schulter klopfen und ihn zu seinem guten Näschen beglückwünschen. Er hat sogar bei jeder der bisher vier Afterwork-Partys seit Kampagnenstart eine Frau abschleppen können – zuletzt zweimal Stefanie Münger, eine überaus attraktive Juristin der Rechtsabteilung, vor einem halben Jahr frisch von der Uni hereingeflattert. Diese bemerkenswerten Erfolge beim anderen Geschlecht sind für Bumann, der seit dem Laufpass seiner letzten Freundin vor anderthalb Jahren keinen Sex und keine Beziehung mehr gehabt hat, ein unfassbares Novum.

Noch mehr Hormonschübe als die Orgasmen bringt ihm aber die Ende Juni eingehende E-Mail von Alessio, der sich von einem Kongress in Chicago meldet.

In Chicago, und der Kerl denkt daran, seinem jüngeren Halbbruder zu gratulieren. Er spürt meinen Hauch in seinem Nacken, denkt Bumann triumphierend, als er die Nachricht liest. Besonders schadenfroh ist er, als Alessio in seiner Mail darüber sinniert, warum er sich nach Begutachtung des Werbeclips unbedingt mit Keramikwaren eindecken wollte. Nur eine störungsanfällige Internetverbindung in Chicago habe verhindert, dass er mehrere hundert Franken im Onlineshop der Keramikwarenfabrik ausgegeben hätte, eine Tatsache, die ihn jedoch ungewohnt jähzornig gemacht habe. Er schreibt in seinen Ausführungen weiter, dass seine große Wut möglicherweise einem tiefen und stillen Bedürfnis nach mehr nachhaltigen Waren aus Keramik entsprungen sei, das durch Bumanns Spot irgendwie aktiviert wurde, anders könne er sich diese Umstände nicht erklären.

Alessio scheint tatsächlich das Paradebeispiel für Vetschs und Calottis Erkenntnis zu sein, dass sich das menschliche Gehirn die Herkunft des implantierten Bedürfnisses zurechtbiegt.

Bumann bestätigt ihn in seiner Spekulation, als er die Antwortmail tippt. *Du dämlicher Scheißkerl,* denkt er, *mach mich erfolgreich.*

Da bekommt er unvermittelt einen Steifen. Hastig tippt er die Mail fertig, während seine Gedanken immer mehr zu einem sexuellen Tagtraum abwandern, in dem die geile Münger unter seinem Schreibtisch kauert und dabei ist, ihm einen zu blasen.

Alessios Mail erinnert ihn nach dem Abflauen seines hormonellen Höhenflugs aber auch wieder an die Nachteile der Werbekampagne.

Der TV-Spot flimmert tagtäglich morgens und nachmittags um dieselbe Zeit über die Bildschirme, und im Internet ist er natürlich beliebig abrufbar. Dass gewisse Mitarbeiter ihn ebenfalls betrachten und danach – trotz eigentlich vorhandenem Mitarbeiterrabatt – reguläre Preise zahlen, ist verkraftbar. Bumann hat Kulanz angeordnet, sodass für solche Einkäufe ein uneingeschränktes Rückgaberecht gilt.

»Die Waren werden wir ohnehin wieder los«, hat er lapidar zu Borer gesagt.

Bei normalen Kunden gelten allerdings andere Regeln.

Sobald die Leute wieder nüchtern sind und dann feststellen, dass sie mehrere Aschenbecher, ein komplettes Tellerservice und zwei verschiedene Lampen erstanden haben, rennen viele von ihnen in die Läden und Warenhäuser zurück, schwenken Quittungen und verlangen die Rücknahme, was aber natürlich von den Geschäftsbedingungen der einzelnen Läden abhängig ist. In den direkten Partnerläden der Firma werden Produkte nur zurückgenommen, sofern sie eine Beschädigung aufweisen.

Das schlucken die meisten Kunden widerwillig, aber die verbalen Übergriffe haben rapide zugenommen. Ein paar besonders hartnäckige und freche Querulanten mussten sogar von der Polizei abgeführt werden.

Besonders häufig werden jedoch der firmeneigene Internetshop und die Werbeseiten in den sozialen Medien mit Drohungen bombardiert.

Borer hat sein Bestes gegeben, um dieser geballten Frust entgegenzutreten, indem er als Unterstützung eine Kundenhotline aus dem Boden gestampft hat, dafür mit einem Multimedia-Betreiber zusammenarbeitet, der in derselben Kirchengemeinde wie er verkehrt und der nebenbei auch noch ein Team stellt, das im Internet die Wogen glätten soll. Sie alle konfrontieren die Reklamierenden vor allem mit dem zugkräftigen Argument, sie hätten den Kauf ja freiwillig getätigt und man könne die Schuld für einen Kaufrausch kaum bei der Firma suchen, zumal die Ware einwandfrei sei.

Dennoch hat Borers Glaubensbruder schon zweimal angerufen und bei Bumann gejammert, wie lange dieser Hype wohl noch anhalten würde, seine Mitarbeiter hätten schon viele Beleidigungen erdulden müssen, aber diese seien der Gipfel der Primitivität.

Die Feldforschung dauert noch an, mein Freund, denkt Bumann, während er den Mann vertröstet. *Von mir aus noch hundert Jahre.*

Eine erhöhte Gefahr geht vor allem von Leuten aus, die dem Kaufrausch mehr als einmal verfallen. Diese Problematik und mögliche folgende Kurzschlussreaktionen bespricht er sogar mit Stamm persönlich. Der Verwaltungsratspräsident gibt ihm grünes Licht für das Engagieren eines Sicherheitsdienstes, nachdem ein aufgebrachter Kunde mit einem Baseballschläger vor dem Unternehmen auftauchte, um das Rückgaberecht auf seine eigene Weise durchzusetzen und nur mit Mühe von der Polizei gestoppt werden konnte. Seither ziehen zu jeder Zeit vier Mann ihre Runden auf dem Firmengelände.

Nach knapp zwei Monaten, das stellt der akribisch beobachtende Bumann fest, hören auch die Spekulationen in der Presse auf. Irgendwie scheint das Interesse nachzulassen, die enorme

Kauflust der Leute wird einfach akzeptiert.

Vetsch und Calotti haben recht, denkt Bumann, *der Mensch akzeptiert scheinbar unabänderliche Dinge früher oder später als Realität.*

Die beiden Forscher hat Bumann kein einziges Mal um Hilfe bitten müssen. Abgesehen von zwei Mails, in denen diese ihn über die Rekrutierung von Auswertern informiert haben, findet ein Kontakt nur bei der wöchentlichen Rapportierung der Kundenaktivitäten statt. Ansonsten ist es, als sei die »Einhelligkeit« unsichtbar geworden, ein Spieler, der seine Schuldigkeit getan hat.

Und irgendwie hängt das Spielglück so unverbrüchlich über Bumanns Aktivitäten, dass er bald kaum noch an die beiden Forscher oder das Labor unter jenem schäbigen Innenhof denkt. Besonders, als Stamm Anfang August verkündet, dass, wenn die Sache bis Jahresende weiterhin so gut liefe, Bumann bei der nächsten Aktionärsgeneralversammlung mit der Aufnahme in die Geschäftsleitung rechnen könne. Er sähe Bumann durchaus als Nachfolger von Olaf Werren, der nach seiner Frühpensionierung mit – bedauerlicherweise – ernsten gesundheitlichen Problemen in eine Bergklinik zur Kur und zum Entzug umgezogen sei.

Dann aber endet Bumanns Traum an jenem Tag in der zweiten Augusthälfte.

5

Bumann hat sich früher als sonst in den Feierabend gestohlen. Es ist unmöglich gewesen, sich weiter auf die Arbeit zu konzentrieren. Seine halb nervöse, halb beschwingte Vorfreude hält ihn auch jetzt ganz zappelig.

Er ist mit Alessio zum Abendessen in einem der besten Edelrestaurants der Stadt verabredet. Zum ersten Mal seit vier Jahren – oder sind es fünf? – trifft er sich mit seinem Halbbruder außerhalb der einschlägigen Familienanlässe, die einem die Gesellschaft von ungeliebten Verwandten aufnötigen.

Alessio meldete sich vor zwei Wochen telefonisch, nachdem er aus Chicago zurückgekehrt war. Sie führten ein kurzes abtastendes und betont höfliches Telefongespräch voller gegenseitiger Komplimente, in dessen Verlauf Alessio – wie erwartet – Bumanns Erfolgskonzept auf den Grund gehen wollte.

Bumann wich den Fragen selbstredend aus. In der Zwischenzeit sind seine Floskeln zwar ziemlich eingeübt, aber bei dem scharfsinnigen Alessio gingen sie trotzdem holpriger als üblich über die Lippen. Bumann ärgerte sich heimlich über diese ungewohnten Hemmungen, daher war die Genugtuung, dass sein Halbbruder ihm offenbar alles abkaufte, so riesig, dass er sich ohne Weiteres zu einer Esseneinladung inklusive eines französischen Luxusweins überreden ließ.

Natürlich wurde ihm sofort nach der Zusage klar, dass dieses Brudertreffen unweigerlich in ein Verhör münden würde.

Und Alessio ist ein raffiniertes Arschloch, ich muss aufpassen. Er wird mich mit Detailfragen löchern.

Seitdem zermartert sich Bumann das Gehirn darüber, wie er Alessio seinen Erfolg überzeugend verkaufen soll. Tief sitzende Wünsche, wie sie von seinem Halbbruder schon ins Feld geführt worden sind, reichen dazu auf Dauer nicht, aber auf dieser Illusion lässt sich durchaus aufbauen.

Während er sich nach Feierabend das lauwarme Wasser der Dusche über die Haare rinnen lässt, glaubt er, seinen Antworten-Kanon auf alle potenziellen Fragen Alessios endlich vervollständigt zu haben. Im Kern besteht seine Erklärung aus einem angeblichen Tipp aus der Künstlerszene über einen neuen Hype auf Retro-Keramikwaren; namhafte Künstler hätten sich davon anstecken lassen. Nach diesem Hinweis habe er wochenlang Marktanalyse betrieben, auch mit einem Kulturjournalisten zusammengearbeitet und so weiter. Natürlich habe er Glück, dass der Zeitpunkt günstig sei, aber dass die ganze Sache so einschlage, habe er auch nicht erwartet …

Stefanie Münger, die seit einer Woche jeden Abend bei ihm übernachtet und im Gegensatz zu ihrem Vorgesetzten Helfenberg nichts vom Neurosender weiß, hat diese Lüge sofort geglaubt und bekräftigt ihn in seiner Meinung.

Eine halbe Stunde später verlässt er seine Wohnung in bester Laune. Sein frisch gewaschenes Hemd bläht sich in einem kühlenden Wind auf, der im Westen aufkommt und dunkle Gewitterwolken vor sich hertreibt. Schon bald ist die Luft aufgeladen und riecht nach dem sich zusammenbrauenden Unwetter.

Pfeifend schwingt er sich auf den Fahrersitz seines metallicroten BMW, den er sich vor einem Monat gekauft hat, zupft sich das Hemd über dem Bauch zurecht, dann braust er los.

Bumann lässt das Fenster hinunterfahren und atmet tief ein. Mit einer beiläufigen Handbewegung dreht er das Radio auf. Die Häuserzeilen des Außenbezirks, in dem er wohnt, schwirren vorbei.

Sein Herz hüpft vor Aufregung, als der erste Blitz in der Ferne aus der schwarzen Wolkenfront fährt. Sekunden später kracht der Donner und übertönt die letzten Klänge eines Rockklassikers, der fließend in die Werbung übergeht.

Bumann inhaliert den nächsten kühlen Luftschwall. Er riecht dabei den Duft seines Shampoos, den sein wehendes Haar verströmt. Er riecht den Staub auf dem Asphalt, als die ersten dicken Regentropfen darauf zerplatzen. Und er riecht … *oh mein*

Gott …

Ich rieche die Erdnüsse von Klein & Co. Erdnüsse!

Ohne Vorwarnung überkommt Bumann eine unbändige Lust auf Erdnüsse. Wie eine Explosionswelle breitet sie sich in den Hirnzellen aus und fegt seinen Verstand hinweg. In seinem Mund sammelt sich derart viel Speichel, dass er laufend schlucken muss, um nicht wie ein Baby zu sabbern. Er kann das Aroma der Nüsse wahrhaftig auf seiner Zunge schmecken – salzig, leicht fettig, wohlbekömmlich! Er kann sie riechen, als hätte sie ihm jemand in die Nasenlöcher gepfropft. Geröstete, herrlich duftende Erdnüsse! Sein Magen verkrampft sich schmerzhaft. Durch seinen Leib fährt ein leichtes, aber beständiges Zittern. Speichelschaumblasen wandern über seine Lippen, platzen und tropfen auf sein Hemd. Aufgereihte und horizontal stehende, faustgroße Erdnüsse zelebrieren einen frivolen Tanz auf seinem Armaturenbrett wie in einem Fünfzigerjahre-Cartoon. Er kann sie sehen und dann – beim nächsten Wimpernschlag – ist die Fata Morgana verschwunden.

Er stöhnt vor Begehren auf.

Mit einem letzten Quäntchen freiem Willen bremst er seinen Wagen und lenkt ihn gegen die Trottoirkante. Mit einem Schlag gegen die Felgen bleibt der BMW stehen.

Bumann drückt seine Handflächen gegen den Schädel und versucht krampfhaft, den betörenden Geschmack in seiner Mundhöhle zu ignorieren. Schweiß flutet aus allen Poren, durchdringt sein Hemd, unangenehm kalt und schmierig. Er friert und schwitzt und fühlt einen grausamen Schmerz, der seine Extremitäten verkrampfen lässt.

Ich brauch Erdnüsse, sie helfen, nur sie helfen, Klein & Co. Erdnüsse, helft mir!

Sein Mund öffnet sich. Er stößt einen Schrei aus, nein, vielmehr ein Brüllen, das sich mit dem nächsten Donner vermischt.

Mit fahrigen Handbewegungen fummelt er am Türhebel und kreischt frustriert, als er mehrere Male abrutscht. Schließlich gelingt es ihm, die Tür und die Schnalle seines Sicherheitsgurtes zu öffnen.

Er stolpert aus dem Wagen und stützt sich auf der Motorhaube ab. Sein Atem rasselt. Heftiger Gewitterregen klatscht auf ihn ein und durchnässt ihn binnen einer Minute.

Die Luft ist erfüllt von Erdnussgeruch. Der Asphalt, der Wind, die Regentropfen, die lokale Szenerie mit ihren Industriegebäuden, der kümmerlich anzublickende, abschüssige Grasstreifen neben dem Trottoir, sein Hemd – alles ist davon durchdrungen.

Gehetzt blickt er sich um und erspäht ein Werbeschild für eine Tankstelle mit einem Shop, die nicht weit entfernt ist.

Oh jaaaa … Erdnüsse von Klein & Co.! Da sind sie.

Mit Gummibeinen wankt er ein paar Schritte vom Wagen weg in die angezeigte Richtung, da hört er das Röhren eines näher kommenden Motors. Das Geräusch dringt zunächst dumpf wie durch eine Betonwand in sein Bewusstsein, dann unvermittelt scharf: ein grauer Volvo, der unkontrolliert über die Fahrbahn brettert.

Bumanns Reflexe, obschon sie ihm selber verflucht träge vorkommen, retten ihm das Leben. Er hechtet mit einem gewaltigen Satz von der Straße, fliegt über das Trottoir, prallt mit der Seite auf die abschüssige Böschung. Er schreit vor Schmerz auf, rutscht den durchgeweichten Abhang hinunter, dann stoppt ihn der Maschendrahtzaun eines Fabrikgeländes. Noch bevor er dort hängen bleibt, hört er das Krachen laut und deutlich, mit dem der Volvo die Frontseite seines BMW eindrückt.

Auf allen vieren, mit Schürfungen an Handflächen und Knien, mit dem peinigenden Bedürfnis nach Erdnüssen von Klein & Co., kriecht er die Böschung wieder hoch. Aufgeweichte Erde quillt zwischen seinen Fingern hindurch, während der schwächer gewordene Gewitterregen auf seinen Rücken trommelt.

Als seine Finger wieder Teer berühren, hört er nur noch sein eigenes keuchendes Ringen nach Atem. Einen Moment riecht er gar Öl, Bremsflüssigkeit und verschmorte Motorenbestandteile durch den dominierenden Nussduft hindurch. Die Nässe brennt in seinen Verletzungen, was ihm egal ist, die verdreckten und feuchten Kleider kleben an seinem Leib.

Teilnahmslos starrt er auf den Volvo, dessen Schnauze sich in seinen neuen Wagen gebohrt hat. Die Türen des Volvos scheinen zu klemmen; die zwei jungen Kerle darin, beide keine fünfundzwanzig, kämpfen sich hinter den sperrigen Airbags hervor und durch die zersprungenen Seitenscheiben nach draußen.

Der eine hat eine Schnittwunde quer über die linke Wange bis zur Augenbraue; das Blut sammelt sich in seinem Mundwinkel und läuft in einem Strom den Hals hinunter.

Der andere glotzt mit hohl wirkenden Augen auf die Misere. Seine rechte Hand steht in einem widernatürlichen Winkel ab und wippt unkontrolliert, wenn er den Arm bewegt. Er lässt dabei keinen einzigen Schmerzenslaut vernehmen. Da dreht er sich um und sieht Bumann zu, der sich gerade wieder auf die Füße stemmt. Er fragt mit krächzender Stimme: »Hast du Erdnüsse, Alter? Die von Klein & Co.?«

Sein blutender Mitfahrer dreht so energisch den Kopf, als hätte man ihm direkt ins Ohr gebrüllt. Von einem Blutschwall aus dem Mund begleitet, bettelt er: »Ja, Mann, hast du welche? Bitte, ja?«

Bumann überkommen schlagartig Verlustängste wie noch nie in seinem Leben. Sie entfesseln in ihm neue Kräfte, sie entfesseln seinen Zorn. Er streckt seinen zerschundenen Oberkörper durch, dann ruft er: »Nein, und wenn ich welche hätte, würden sie mir gehören!«

Der Bursche mit dem gebrochenen Handgelenk grunzt verächtlich, humpelt auf Bumann zu, seine gesunde Hand zur Faust geballt.

Bumann macht sich schon auf eine Auseinandersetzung gefasst, da hält der Bursche inne und gafft wie hypnotisiert auf das Hinweisschild der Tankstelle.

Sein Begleiter hat es ebenfalls entdeckt und gurgelt triumphierend: »Ein Shop, Alter! Ein Shop!«

»Gehen wir«, entgegnet der Erste und wankt an Bumann vorbei, ohne ihn nochmals eines Blicks zu würdigen. Ihre gebeugten Gestalten kontrastieren mit der schwarzen Gewitterfront, die allmählich über ihre Köpfe hinweg davonzieht.

Bumann quiekt panisch und geht ihnen nach.

Sie gehören mir, jagt es durch seinen Kopf, *sie alle. Mir. Diese schönen fettigen schmackhaften Erdnüsse …*

Er schleppt seine schmerzenden Beine vorwärts, mechanisch wie eine Maschine, kann aber mit dem mittlerweile beachtlichen Laufschritt der beiden Burschen nicht mithalten. Wie Geister schreiten sie an mehreren Gewerbe- und zwei Fabrikbauten mit massiven Stahlzäunen vorbei, einige hundert Meter weit. Die beiden Burschen rennen nun beinahe.

Plötzlich vernimmt Bumann weitere Schritte hinter sich. Er dreht sich im Gehen um, wankt ein Stück rückwärts, um die Lage zu sondieren. Er sieht Männer, die aus den Gewerbehäusern und den beiden Fabrikarealen strömen. Dutzende. Sie alle wanken und schwanken wie eine aufgescheuchte Herde in die dieselbe Richtung – in seine Richtung.

Gehetzt dreht sich Bumann wieder nach vorne und versucht, seine steifen Beine etwas mehr zu beschleunigen, was ihm kaum gelingt.

Da … da …, denkt er und keucht vor Anstrengung.

Er humpelt mit ruckartigen Bewegungen über eine Straßenkreuzung. Dahinter taucht die Tankstelle auf, ein mittelgroßes Ladengebäude mit einer Scheibenfront und drei Zapfsäulen unter einem frei stehenden, alles überragenden Flachdach.

Mehrere Dutzend Ankömmlinge sind dort gestrandet, vor allem Schichtarbeiter sowie ein paar Handwerker. Frauen sieht Bumann nur vereinzelt, und wenn, dann ausnahmslos ältere, burschikos oder grau wirkende südeuropäische Arbeiterinnen aus der einen Lebensmittelfabrik des Quartiers mit ihren weißen Overalls und den Haarnetzen. Des Weiteren fallen ihm zwei Streifenpolizisten und ein Busfahrer auf, der sich wohl von der Linie abgesetzt hat, die eine Straße weiter durchführt.

Es herrscht eine grauenhafte Stimmenkakofonie, bei der Bumann kein Wort versteht. Bumann weiß nur, dass die Konkurrenz viel zahlreicher ist, als er gedacht hat. Er stößt einen entsetzten Schrei aus und hinkt zu dem Menschenknäuel hinüber. Dabei überrennt er beinahe eine ältere Dame, die aus der Gegenrichtung auf den Pulk zukommt und aus deren Mund ein langer Speichelfaden hängt, der wie ein Pendel hin und her schwingt. Stumm heftet sie sich an Bumanns Fersen.

Der Ladeninhaber der Tankstelle hat offensichtlich die elektrische Flügeltür verriegelt, gegen die sich nun eine Horde aus wild gestikulierenden, sich umherstoßenden Kerlen drängt. Die vordersten poltern mit den Fäusten auf die Sicherheitsscheiben ein.

Die Neuankömmlinge, wie Bumann, quetschen sich von hinten in die Menge, Mülleimer, Gießkannen, Warenauslagen oder Preistafeln umstoßend, die vorderen Leute allmählich gegen die Glasfront drückend. Unachtsame Füße reißen die Benzinschläuche aus den Zapfsäulen-Halterungen und trampeln sie kurzerhand platt.

Treibstoff sammelt sich in schillernden Pfützen. Seine Dämpfe machen Bumann duselig, verlieren olfaktorisch aber gegen den dominierenden Erdnussgeruch.

Er zwängt sich zwischen zwei breitschultrigen, regendurchweichten Industriearbeitern durch und gelangt somit unter die Tankstellenüberdachung. Das unbeschreibliche Stimmengewirr erinnert ihn dunkel an das Kreischen im städtischen Zoo-Affenhaus zur Fütterungszeit.

Die Vordersten an den Scheiben, die Gesichter gegen das Glas gepresst, skandieren gebetsartig: »Aufmachen, aufmachen!«

Einer, der mitten in der Menge steckt, kreischt mit starkem ausländischem Akzent: »Ihr Schweine! Gebt mir Nüsse! Macht den Scheißladen auf!«

Ein anderer ruft: »Schlagt das Glas ein!«

Sofort fallen mehrere Stimmen in diesen Schlachtruf ein.

Ein Fabrikarbeiter direkt vor der Scheibe kreischt empört: »Seht euch das Arschloch an! Seht es euch an!«

Tatsächlich geht daraufhin ein ungläubiges, zutiefst verächtliches Raunen durch die ganze erste Reihe.

Bumann, zwischen massigen, feuchten Körpern eingeklemmt und zuweilen nicht mehr auf den eigenen Füßen stehend, versucht angestrengt, seinen Hals zu recken. Er kann aber nicht das Geringste erkennen.

Da trifft ihn von hinten etwas Massives gegen den Kopf.

Ein drahtiger Kerl, einer der beiden Polizisten, herrscht ihn an: »Idiot, nimm das endlich! Gib's weiter!« Mit zitternden Armen stemmt der Polizist dabei eine übermannshohe Stange mit einem scheibenförmigen Metallsockel, die wahrscheinlich vor Kurzem noch Bestandteil eines Maschendrahtzauns war, von seiner Schulter. Mit dem Sockel ist er gegen Bumanns Schädel gestoßen, als er sie hat weiterreichen wollen.

Nun funkelt der vor Anstrengung ächzende Polizist Bumann zornig an. Der registriert allmählich, dass weitere Männer hinter dem Polizisten gerade dabei sind, solche Stangen nach vorne zu bringen.

»Schlagt das Glas ein! Schlagt das Glas ein!«, skandieren die Umstehenden frenetisch, als sie die Absicht der Stangenträger durchschauen.

Bumann greift unendlich langsam nach dem Sockel, der weiterhin auf der Höhe seines Gesichts wippt. Da unterstützt ihn ein Dicker im blauen Overall einer Sanitärfirma. Gemeinsam hieven sie die Stange über ihre Köpfe und weiter in die wartenden Hände.

Bumann schaut ungeduldig dem improvisierten Rammbock nach, der über die Männerkörper wie ein Delfin über die Wellen des Ozeans hopst, gefolgt von weiteren Metallsäugern, die links und rechts von ihm von einer Schulter zur nächsten weitergereicht werden.

Bumann glaubt zu riechen, wie sie alle einen Duftschweif von Erdnuss hinter sich herziehen.

Zuerst leise, dann immer lauter stimmt er in den Choral der Menge ein und beginnt, rhythmisch mit dem Fuß zu stampfen: »Einschlagen, einschlagen, einschlagen …!«

Übermannt von einem unsagbaren Gewaltrausch, wie er ihn

noch nie verspürt hat, versucht sich Bumann in eine bessere Position zu drängen.

Er wird zurückgeworfen, abgeschüttelt, beinahe durch den Busfahrer zu Boden gestoßen.

Dabei schreit er unermüdlich mit der Menge: »Einschlagen, einschlagen, einschlagen!« Er hört seine eigene Stimme kaum.

Plötzlich registriert Bumann zwischen den chaotisch wankenden und drückenden Körpern, wie mehrere der vordersten Männer, darunter der junge Volvo-Insasse mit der Gesichtsschnittwunde von vorhin, die Zaunpfähle in Stellung bringen.

Wie hat es diese Schmeißfliege nach vorne geschafft?, fragt sich Bumann, dann ertönt der erste Knall – Metallfuß gegen Sicherheitsglas – wie ein Fanal.

Nach kurzer Zeit sind – unter heftigen Zustimmungs- und Anfeuerungsrufen – kleinere Löcher in die Sicherheitsscheiben geschlagen, die sofort ausgeweitet werden.

Dann bricht die erste Scheibe aus dem Rahmen.

Sofort beginnt eine erbarmungslose Drängelei. Bumann lässt sich mitziehen wie von einem Strudel.

Vor ihm stürzt einer. Bumann erkennt flüchtig den dicken Sanitärinstallateur im blauen Overall wieder. Der schreit laut auf, als Bumann ihm unabsichtlich auf den monströsen Bauch steigt. Dann wird Bumann weitergeschoben. Die Schmerzensschreie des Dicken gehen im tierischen Heulen der Meute unter.

Als Bumann durch die Fassung der zerstörten Panoramascheibe drängt, haben zwei weitere Leute genau dieselbe Absicht zur selben Zeit. Er holt sich daher eine üble Schnittwunde am linken Oberarm, weil ihn eine der Matronen aus der Lebensmittelfabrik rücksichtslos gegen ein einsam herausragendes Scherbenstück drückt.

Der beißende Schmerz löst sich jedoch rasch in Nichtigkeit auf, denn die ganze Ladenfläche ist vom besten Duft auf der ganzen Welt erfüllt.

Begleitet vom größten Chaos auf der Welt.

Der Mob walzt sich durch die Verkaufsfläche auf die Nische

mit dem Knabberzeugs zu, wo sich auch die Naschereien der Firma Klein & Co. befinden, und macht dabei jedes Regal, jede Kühltruhe, jeden Verkaufsständer nieder, der im Weg steht. Zudem stoßen sich die rangelnden Leiber gegenseitig weg. Männer stürzen zu Boden; über sie trampelt der Haufen wie bei einer Stampede einfach drüber.

Bumann selbst bleibt wie durch ein Wunder auf den Beinen, ja er verbessert sogar seine Position, arbeitet und rauft sich weiter und weiter nach vorne, wo er in den Chor von entrüsteten und wütenden Ausrufen einfällt, als er den Ladenangestellten sieht.

Der Verkäufer hat die Erdnusstüten aus dem Regal gehamstert, kniet inmitten aufgerissener Aluminiumverpackungen und eines beachtlichen Haufens von Nüssen. Voller Gier schaufelt er sich das geröstete Gold in den Rachen. Seine Augen glänzen dabei entzückt und irre. Er heult wie ein Gemarterter, als die ersten Hände ihn von seinem Festmahl fortzuzerren beginnen. Er schlägt mit beiden Armen aus und versucht schlussendlich sogar, sich mit den Fingernägeln im weichen PVC-Boden festzukrallen. Dann brandet die Menge über ihn hinweg, nicht ohne sich mit einigen Tritten an ihm zu rächen; Bumann tut das jedenfalls und trifft den Verkäufer am Oberschenkel. Dann erreicht er das wühlende Epizentrum des Ladens.

Blind vor Gier grapschen Hände in den Haufen, verschlingen jede Nuss, sogar diejenigen, die von unachtsamen Füßen zu Mehl zermalmt worden sind. Mehrere Männer kriechen auf allen vieren und lecken die Erdnussreste vom staubverschmierten Boden.

Bumann bekommt Rippenstöße, einen Ellbogenschlag, aber es gelingt ihm irgendwie, mit einem kraftvollen Sprung durch eine Lücke zwischen zwei Männern durchzubrechen und mit dem Gesicht voran in einem kleinen Erdnusshaufen zu landen, wobei er mit seinem verletzten Arm einen alten Mann beiseite stößt, der vor Schmerz und Empörung aufheult.

Bumann vergräbt seine Lippen wie eine Baggerschaufel im

Erdnusshaufen und beginnt zu schmatzen. *Ja,* denkt er, *jaaaa!*

Eine erlösende Entspannung rieselt durch seinen Körper, als kleine zerkaute Nussstücke seine Speiseröhre hinunterrutschen. Mit Speichel vermischte Krümel kleben an seinen Lippen. Salz und Nussmehl brennen in seinen Augen.

Da spürt er, wie er an den Knöcheln gepackt und trotz seines Widerstrebens mühelos aus dem Haufen gezogen wird. Zwei Fabrikarbeiter reißen ihn grob einige Meter zurück, werfen ihn gegen einen umgestürzten Zeitschriftenständer und stürmen dann wieder zum großen Knäuel zurück. Dieses balgt, prügelt, stößt und frisst wie ein pulsierendes, wucherndes Krebsgeschwür.

Bumann will sich auf die Knie erheben, wird dabei von schweren Schuhen im Kreuz getroffen und sackt wieder zurück. Zudem fällt der taumelnde Körper des Busfahrers auf ihn – und beim Aufstehen stützt sich das Schwein auf Bumanns Kopf ab.

Benommen bleibt Bumann liegen. Er sieht verschwommene Beine, die an ihm vorbeistreben. Er spürt Füße, die einfach über ihn latschen.

Der tobende Lärm, das Grunzen und das Kauen werden dumpfer, immer leiser. Dunkelheit breitet sich aus. Das Letzte, was er wahrnimmt, ist der übermächtige Duft von Erdnüssen, der in der Nase kitzelt. Dann stürzt er in einen nachtdunklen Schacht.

6

»Geht es dir besser?«, fragt Regenmann besorgt, bevor er an seinem Kakao nippt.

Bumann guckt seinen Mitarbeiter missmutig an, dann krallt er die heil gebliebenen Finger seiner linken Hand um den Henkel der Kaffeetasse. Während er trinkt, betrachtet er Stamm hinter dessen Schreibtisch, der den Blick ernst erwidert. Seine Stirn zeigt tiefe Falten.

Bumann hat den Verwaltungsratspräsidenten noch nie derart erschüttert erlebt, noch nicht einmal im vorigen Jahr, als die Firma um Haaresbreite dem Konkurs entkommen ist und er die wenigen Aktionäre darüber informieren musste.

Die Balkontür öffnet sich leise. Helfenberg, der beleibte Chefjurist und Mitglied des Verwaltungsrats, stößt vom kleinen Balkon wieder in das mahagonivertäfelte Büro dazu. Der Geruch seiner gerauchten Zigarette dringt mit ihm zusammen in den Raum. Er setzt sich in den dritten Sessel, der so gedreht steht, dass er Bumann im Profil betrachtet und sagt: »Ich kann weder Vetsch noch Calotti noch dessen Onkel erreichen. Genauso wenig wie Dietmar Groth.«

»Wer ist das?«, fragt Regenmann.

»Der Mehrheitsteilhaber und CEO von Klein & Co«, antwortet Stamm, ohne den Blick von Bumann zu nehmen.

Helfenberg meint: »Ich habe noch andere Eisen im Feuer. Ich erwarte den Rückruf von …« Und genau in diesem Moment läutet sein Smartphone in der Tasche. Er erhebt sich, verzieht sich schwer schnaufend in eine Ecke und führt dort leise sein Gespräch.

Bumann räuspert sich, dann verzieht er angeekelt das Gesicht. Jedes Mal, wenn er schluckt, hat er das Gefühl, dass kleine halb zerkaute Erdnusskrümel in seinem Gaumen kratzen. Er fährt sich mit dem Handrücken über die Lippen – damit unterdrückt er den Impuls, vor seinem Vorgesetzten auf den Teppich zu spucken.

Seit dem Vorfall an der Tankstelle sind keine achtundvierzig Stunden vergangen.

Er hat Bumann eine verstauchte rechte Hand, zwei große Schnittwunden sowie Prellungen und Hämatome am ganzen Körper eingebracht. Damit ist er noch glimpflich davongekommen. Andere Beteiligte, inklusive des Ladenangestellten, liegen im Spital, mit Schädelfrakturen, gebrochenen Knochen oder inneren Verletzungen. Laut der Presse, die das Phänomen als »Erdnuss-Randale« bezeichnet, schweben eine ältere Dame – Bumann kann sich noch dunkel erinnern, dass eine gleichzeitig mit ihm an der Tankstelle angekommen ist, und vermutet, es handelt sich um diese – und ein junger Mann mit Nussallergie sogar in akuter Lebensgefahr.

Die Medienleute spekulieren wilder als jeder Börsenmakler. Und haben auch die unglaublichen und mysteriösen Erfolge des Keramikunternehmens wieder ausgegraben.

Bumanns Nasenflügel zucken, dann flüstert er zu niemand Bestimmtem: »Ich fühle mich mies. Besonders, weil offensichtlich auch Groth eine Feldstudie durchführt.«

Stamm lässt sich gegen die Lehne zurückfallen, kratzt sich mit dem Zeigefinger an der linken Augenbraue. »Klein & Co benutzt einen Neurosender. Wir müssen die ›Einhelligkeit‹ erreichen. Offen gestanden würde ich ihnen am liebsten die Schädel mit ihrem schwarzen Kasten zertrümmern.«

Bumann stößt hervor: »Ja, da wäre ich dabei. Dieses Gefühl, ich hätte nicht gedacht … dass es so extrem ist. Ich meine, es rational zu wissen und dann selbst zu erleben, das sind …«

Regenmann starrt auf den Boden und flüstert: »Ich weiß.«

»Bei uns gab es aber keine solch extremen Vandalenakte, nicht wahr? Ist das eine … stärkere Dosis oder so?«, fragt Stamm mit hörbarer Sorge in der Stimme.

»Die Leute standen Schlange, maulten, wenn sie leer ausgingen, und kamen am nächsten Tag zurück, weil sie den Spot abermals gesehen hatten«, antwortet Bumann, »aber alles lief mehr oder minder gesittet ab. Möglicherweise hat jemand den Neurosender auf den nächsten Level gebracht. Ohne unser Wissen, ohne unser zugesichertes Anhörrecht, wohl auch ohne Zustimmung der ETH, die einen solch krassen Feldversuch niemals …«

»Verdammt!«, flucht Helfenberg hinter Bumann auf einmal.

Bumann dreht den Kopf.

Helfenberg bedankt sich mit aufgebrachter Miene bei seinem Gesprächspartner und beendet das Telefonat. Er klaubt sich eine Zigarette aus seiner Jackettasche und steckt sie in den Mund, ohne sie anzuzünden. »Einer meiner Freunde, leitender Angestellter im Wirtschaftsdepartement, hat mir gerade inoffiziell gesteckt, dass Dietmar Groth seit über einem Jahr Anteilseigner der ›Einhelligkeit‹ ist. Sein Lebenspartner ist Treuhänder, führte die Kapitalerhöhung durch und hat die Beteiligungspapiere an Groth übertragen. Mist!« Er lässt sich in seinen Sessel fallen und kaut auf dem Zigarettenfilter herum. »Rechtliche Schritte sind möglich, aber das heißt, dass auch wir die Karten auf den Tisch legen müssen. Gegenüber der Öffentlichkeit, der Presse und der Justiz. Keine Ahnung, ob wir das überstehen. Vermutlich nicht.«

Stamm, Bumann und Regenmann sehen ihn schweigend an.

Warum wurde ich in diesem Tankstellenshop nicht einfach zu Tode getrampelt?, denkt Bumann.

»Den rechtlichen Weg vermeiden wir noch«, bestimmt Stamm schließlich. »Wir reden erst mit Vetsch und Calotti. Direkt, ohne Anmeldung. Wir fahren hin, nachdem wir eine Meldung bei der ETH-Kontaktperson hinterlassen haben. Diese Burschen sollen diese unselige Zweigleisigkeit erklären. Kneifen wir ihnen ein wenig in den Schritt!«

»Wir haben einen Teufelspakt geschlossen«, murmelt Regenmann, während sie sich erheben.

»Du redest schon wie Philipp Borer«, kommentiert Bumann. *Der vielleicht recht hatte,* ergänzt er in Gedanken.

Auf dem Weg zum Innenhof, der im selben Industriequartier

wie die verwüstete Tankstelle liegt, herrscht brütendes Schweigen. Stamm lenkt einen der Geschäftswagen und starrt konzentriert auf die Straße. Helfenberg neben ihm durchstöbert die aktuellen Tageszeitungen auf dem Smartphone. Regenmann starrt auf die Häuserfront entlang der Straße. Seine Stummelfinger spielen pausenlos mit seinem Hemdkragen, der winzige fettige Soßensprenkel aufweist.

Bumann, der hinter Stamm sitzt, verflucht wieder einmal sein ungutes Gefühl in der Magengegend, das ihn seit der Abfahrt bedrückt. Zunächst hat er wie Helfenberg Online-Nachrichten über den Tankstellenvorfall zusammengesucht, um sich abzulenken, nun beobachtet er die Straßenszenerie. Die Leute flanieren, gehen, hetzen und rempeln wie immer. Unwillkürlich betrachtet Bumann sie eingehender als sonst, mustert die Fußgänger, studiert ihre Bewegungen – und vor allem die Gesichter.

Kann es sein, dass seine Sinne ihm einen Streich spielen? Täuscht er sich, oder sind die Züge der Menschen starrer als sonst? Wie eingefroren? Sie eilen stur die Straße entlang, scheinen durch alles hindurchzusehen.

Mein Gott, schimpft er in Gedanken mit sich selbst, *Stadtmenschen gucken immer so drein, wenn sie sich auf die Straße begeben.*

Er wendet sich ab, starrt auf seine geschundene Hand und atmet tief und bewusst ein, dann aus, so wie er es mal in einem Yoga-Crashkurs gelernt hat. Allmählich überzeugt er sich selbst, dass seine Fantasie ihn hat Gespenster sehen lassen.

Er ist trotzdem erleichtert, dass Stamm, absichtlich oder nicht, eine Straße vor der zerstörten Tankstelle abbiegt und einen Bogen um den Tatort der »Erdnuss-Randale« fährt. Eine Minute später rumpelt der Wagen über die Einfahrtsschwelle in den einschlägigen Innenhof.

Niemand ist zu sehen.

Das Auto hält neben der Betonrampe. Noch bevor der Motor aus ist, stößt Bumann die Tür auf und läuft, die Umgebung taxierend, zur Baracke hoch.

Helfenberg hievt sich schwer schnaufend und mit rotem Kopf

heraus, die Zigarette schon im Mund. Stamm und Regenmann bewegen sich flink hinter Bumann her.

Bumann würgt noch diskret einen Klumpen Schleim aus, der nach Erdnuss schmeckt, bevor er auf die Klingel drückt. Zu seiner Verblüffung bleibt sie stumm. Zögerlich hämmert er schließlich mit der unverletzten Linken an die Tür.

»Passen Sie auf, Sie zertrümmern das morsche Ding noch!«, warnt Stamm mit einem Grinsen, hinter dem er seine Anspannung nicht verbergen kann.

Bumann klopft ein zweites Mal.

Keine Reaktion. Keine Schritte.

»Wo sind die Mistkerle?«, flüstert Regenmann.

Helfenberg, der keuchend und rauchend aufgeschlossen hat, verengt seine Augen zu Schlitzen. Dann geht er die Seitenfront des Hauses entlang, bleibt vor einem zugenagelten Fenster stehen, als habe er etwas mit einem Seitenblick erhascht, und stiert durch die Ritzen zwischen den Brettern. Er stößt einen überraschten Pfiff aus. »Schauen Sie mal, meine Herren«, raunt er und winkt die anderen zu sich.

Bumann ist als Erster bei ihm. Helfenberg macht ihm Platz. Durch die verstaubte Scheibe erkennt Bumann ein schummriges Zimmer, das zwar so schäbig und zerfallen wirkt wie alle Räume in seiner Erinnerung, aber mit fabrikneuer Observationstechnik ausgestattet ist, ähnlich derjenigen des Kontrollraums im Keller. Zentriert in seinem Blickfeld steht ein schlichter Aluminiumtisch mit zwei Computern und einigen Überwachungsmonitoren, auf denen er nicht mehr als dunkle Flecken und ein paar wuselnde Gestalten erkennen kann.

Von den Terminals schlängelt sich ein Kabelbündel die Tischbeine herunter; ein Strang führt zu einem Server, ein anderer verschwindet durch ein ausgefrästes Loch im Boden in der Tiefe.

Neben dem Tisch, zur Zimmertür hin, ist ein weiß lackiertes Holzgestell an die Wand geschraubt, dessen Ablagen durch eine Glastür geschützt sind. Dahinter erkennt Bumann ein paar Bücher und externe Datenträger, hauptsächlich USB-Sticks und sogar noch ein paar CD-ROMs.

Stamm, der neben Bumann aufgetaucht ist und interessiert zwischen den Brettern durchäugt, meint trocken: »Ein Überwachungsraum?«

Regenmann hinter Stamm flüstert: »Vetsch hat ihn mit keiner Silbe erwähnt. Wir sind direkt in den Keller gegangen. Ich meine, hat ja für unser Geschäft keine Rolle gespielt, nicht wahr, Riccardo?«

Stamm schnauft hörbar aus. Dann lehnt er sich mit dem Rücken gegen die marode Hausfassade, ohne dabei auf den Schmutz zu achten, die an seinem Anzug kleben bleiben, und kratzt sich mit der Zeigefingerkuppe an der Augenbraue. »Meine Herren, wir werden erst gehen, wenn wir unsere Geschäftspartner konfrontiert haben. Wenn die nicht zu uns raus wollen, müssen wir halt zu ihnen rein.«

Bumann sieht seinen Chef an, als habe er nicht richtig verstanden.

Regenmann schluckt und starrt auf seine Schuhe.

Helfenberg nimmt einen letzten Zug und drückt die Zigarette aus. »Michel, da mach ich nicht mit. Das ist Hausfriedensbruch. Unnötiges Risiko.«

»Noch haben wir uns in den Augen der Öffentlichkeit nichts zuschulden kommen lassen«, gibt Bumann zu bedenken. »Aber falls das hier schiefgeht, wären wir gezwungen, alle Karten aufzudecken.«

»Ich glaube, dass wir keine Wahl haben«, wirft Regenmann ein. »Freiwillig scheinen die nicht mit uns reden zu wollen, das seh ich auch so, und zwar, weil sie Dreck am Stecken haben. Ist jedenfalls meine Ansicht.«

Stamm schaut Bumann an, während er sich von der Wand abstößt. »Versuchen Sie, Vetsch noch einmal zu erreichen, Herr Bumann! Sollte er nicht rangehen, dann werde ich auf jeden Fall da reingehen. Allein, wenn es sein muss.«

Bumann wählt die Nummer. Ihm läuft es kalt den Rücken herunter, als er die Freisprechfunktion aktiviert und alle die künstliche Frauenstimme hören können: »Diese Rufnummer ist ungültig. Diese Rufnummer ist ungültig. Diese …«

Einige Wimpernschläge lang herrscht eine derart betretene Stille, dass Bumann sogar den schwachen Verkehrslärm der Hauptstraße hören kann.

Stamm drückt den Rücken durch und weist leise an: »Herr Bumann, Sie gehen aufgrund Ihrer Blessuren am besten zum Auto zurück und warten! Herr Regenmann und Carlo, wir machen das jetzt, okay?«

Regenmann nickt entschlossen. Helfenberg schweigt mit verkniffenem Gesichtsausdruck.

»Nein, ich komme mit. Das ist meine Angelegenheit!«, widerspricht Bumann mit gesenktem Kopf. Seine Nasenflügel zucken, und seine Schnittwunden beginnen zu jucken, als sie durch einen Schweißausbruch benetzt werden.

Helfenberg ist alles andere als empört darüber, dass er anstelle von Bumann rückwärtig bleibt. Nachdem er sich ins Auto verdrückt hat, kramt er in seinen Taschen und holt sein Smartphone hervor, das er auf dem Armaturenbrett deponiert. Dieses soll er benutzen, wenn doch noch jemand von der »Einhelligkeit« im Hof auftaucht.

Regenmann ist Helfenberg zum Wagen gefolgt, öffnet den Kofferraum und kramt den Kreuzschlüssel heraus, der beste Brecheisenersatz, den sie in der momentanen Situation zur Verfügung haben.

Stamm entscheidet sich gegen das Eindringen in den oberirdischen Überwachungsraum, also gehen sie das Nebenfenster an.

Glücklicherweise sitzen die Bretter vor den Scheiben nicht besonders fest. Die meisten Nägel sind rostig und wackeln im aufgequollenen Holz. Die Lattenabstände sind zudem groß genug, sodass sie den Kreuzschlüssel als Hebel ansetzen und die Verrammlung wegbrechen können. Regenmann und Stamm vollbringen die Tat innert Minutenfrist.

Die Flügelfenster dahinter sind zersplittert, daher kann Bumann, der sich vorgeschoben hat, hineingreifen und den Riegel aufdrücken.

Er klettert als Erster hinein.

Mit zusammengebissenen Zähnen quetscht er sich durch die Öffnung, kann dabei nicht verhindern, dass seine verstauchte Hand belastet wird und höllisch zu schmerzen anfängt. Ein unterdrücktes Stöhnen mündet in einen halblauten Fluch, als er sie auch noch unglücklich verdreht.

Endlich fasst er Fuß auf den staubigen Dielen des Zimmers. Dreck rieselt von der Fensterumfassung in seinen Kragen. Er verharrt, um seine protestierenden Verletzungen zu beruhigen, während Stamm als Zweiter den Einstieg in Angriff nimmt.

Das Zimmer ist leer, bis auf die kleinen Haufen Unrat, Holzspäne und eine zentimeterdicke Staubschicht. Es riecht nach modrigem Holz.

Stamm baut sich neben Bumann auf und schnüffelt angewidert.

Hinter ihnen klettert Regenmann gewandt durch den Rahmen. Sich einen Holzsplitter aus dem Handballen ziehend, kommt er dazu.

Für einen Moment verharren sie und lauschen angestrengt nach Geräuschen aus den Eingeweiden des Gebäudes.

Die Dielen knarren unter ihren Füßen. Ein diffuses Poltern von irgendwoher. Abgesehen davon ist es ruhig.

Stamm meint flach atmend: »Sehen wir uns die Elektronik im Nebenzimmer an!« Er gibt Bumann einen sanften Stoß in den Rücken.

Der öffnet die grauenhaft quietschende Zimmertür. Erschrocken hält er inne und lauert. Hinter ihm hält Regenmann die Luft an.

Doch Stamm in Bumanns Rücken sagt leise: »Beeilen wir uns. Mir gefällt das hier immer weniger.«

Vielen Dank aber auch, denkt Bumann, als er zögerlich den Hausflur betritt.

Die Luft stinkt dort weniger, ein leichter Zug ist zu spüren. Bumann fühlt sich trotz der Beklommenheit ein wenig besser.

Zur rechten Hand macht er den Hauseingang aus, zu seiner linken führt der Flur zur Kellertreppe.

»Da vorne ist die Treppe zur Laborebene«, raunt Bumann und dreht den Kopf zu seinem Chef um.

»Okay, wir teilen uns. Herr Regenmann, Sie gehen ins Zimmer mit der Überwachungstechnik und sehen zu, was Sie herausfinden können. Suchen Sie Hinweise, auf PC und physisch. Schauen Sie insbesondere, ob noch andere Kontrakte existieren. Falls ja, kopieren Sie die Daten, dann gehen Sie zurück zu Helfenberg. Ob Sie etwas finden oder nicht, ob Sie die Computer überhaupt durchsuchen können oder nicht, nach spätestens zehn Minuten verschwinden Sie. Gehen Sie uns auf keinen Fall – ich wiederhole: auf keinen Fall – nach. Keiner soll wissen, dass Sie hier gewesen sind. Haben Sie verstanden?«

Regenmann nickt mit zusammengekniffenen Lippen.

Stamm umklammert in einer ermunternden Geste dessen Bizeps mit der Hand und drückt leicht. Dann seufzt er und sagt: »Gehen wir, Herr Bumann.«

Dieses Mal geht Stamm voran. Als er die ersten Steinstufen hinuntersteigt, echoen die Schritte in der Treppenspirale und scheinen sich durch das ganze Haus fortzupflanzen.

Bumann bekommt einen Wärmeschub. Die Hitze pocht in seinen Eingeweiden. Die Luft fühlt sich feuchtheiß an wie … an einem Sommertag kurz vor einem Gewitter!

Wie vor zwei Tagen.

Seine Sinne schärfen sich durch diesen Gedanken auf einmal exponentiell. Es fühlt sich an, als habe ihm jemand eine Haube vom Kopf gezogen. Alles wirkt klarer. Er spürt die plötzliche Gänsehaut auf dem Rücken, als drücke ihm jemand einen Eisblock ins Kreuz.

Von irgendwoher dröhnt leise ein Presslufthammer.

Und da hört Bumann das Entscheidende: Stimmengewirr, schwach wahrnehmbar aus der Tiefe, hin und wieder ein Poltern, das von den Wänden zurückgeworfen wird, untermalt durch das permanente leise Surren der Generatoren, die die

Glühbirnen speisen.

Stamm legt den Zeigefinger auf die Lippen. Dann beginnen sie, so sorgfältig wie möglich zu schleichen. Zu viele Schritte hallen dennoch wider. Jeder von ihnen nährt Bumanns Furcht und macht seine Beine etwas schlottriger. Seine verschwitzten Kleider kleben an seinen Schürfwunden, und er hat das Gefühl, jeden Moment in die Hose zu pissen.

Stamm scheint es ähnlich zu gehen. Er hat sein Taschentuch gezückt, um sich den Schweiß abzuwischen, hat es seitdem in der Hand behalten und fährt sich alle zehn Sekunden damit wie manisch über das Gesicht.

Trotzdem gehen sie weiter und weiter. Auf der Wendeltreppe nach unten, dann geradeaus, wo die Neonröhren beginnen, dann scharf nach rechts. Bumann hält den Atem an. Sich emsig bewegende, lang gezogene menschliche Silhouetten werden hier an die kahlen Betonwände des Treppendurchgangs geworfen.

»Die Kisten nach draußen bringen! Steiner, Desmaris, Gasser, vorwärts!«, weist eine unangenehme Fistelstimme an.

Gescharre, schwacher Motorenlärm, vor Anstrengung halb verschluckte Fluchworte, Warnrufe.

»Aus dem Weg ... schwer!«, keucht einer.

»Hilf mir, Tommi!«, ruft ein anderer.

Ein akustisches Chaos, das von den Wänden zurückschallt. Bumann erkennt keine der Stimmen wieder.

»Was zum Teufel ...?«, flüstert Stamm.

In diesem Moment ertönt das markante Knacken eines Sprechfunkgerätes und eine blecherne Stimme, die irgendeine Meldung krächzt.

Daraufhin entgegnet die Fistelstimme: »Gruppe zwei? Hinauf und den Abtransport in die Wege leiten!«

Dann raschelt das Funkgerät nochmals. Der Sprecher am anderen Ende nuschelt etwas, was die Fistelstimme mit verblüfften Ausrufen quittiert. Schlussendlich befiehlt sie höchst erregt: »Eindringlinge im Gebäude! Im Observierungszimmer und im Hof! Gruppe zwo, bewegt euch und nehmt die Waffen mit! Unterstützt die Patrouille!«

Stamm wischt sich den Schweiß von der Stirn und dreht sich zu Bumann um.

In diesem verdampft das letzte Quäntchen Mut wie Wasser auf einer heißen Herdplatte. Von blinder Panik übermannt, macht Bumann kehrt und rennt die Treppe hinauf. Hinter sich hört er weitere Schritte poltern. Stamm. Oder sonst jemand.

Hastig nimmt er zwei Stufen auf einmal, eilt durch Licht und Schatten der Glühbirnenbeleuchtung.

Plötzlich verharrt er mitten in der Bewegung, wie versteinert.

Er blickt in eine auf ihn gerichtete Pistolenmündung. Dahinter, halb versteckt im düsteren Schnittpunkt der Lichtscheine zweier Birnen, mustern ihn zwei eisblaue Augen.

7

Der Riese mit den eisblauen Augen im Gesicht eines Fünfzehnjährigen zwingt Bumann die Treppe hinunter, bis sie sich im gekachelten Korridor befinden, dann muss Bumann sich hinknien.

»Verschränke deine Pfoten auf dem Rücken!«, zischt das Riesenbaby. »Keine falsche Bewegung, ich warne dich nur einmal!«

Bumann gehorcht unverzüglich.

Er hört, wie das Riesenbaby offenbar seine Waffe in das Holster steckt und etwas anderes herauszieht, das ein schabendes Geräusch macht. Dann werden seine Hände grob gepackt und mit Kabelbindern zusammengezurrt. Bumann stöhnt vor Schmerz auf.

Es folgt ein demütigender Parcours, bei dem Bumann im Polizeigriff abgeführt wird. Das Riesenbaby drückt seinen Oberkörper dabei so stark nach unten, dass Bumann nur noch die eigenen Füße betrachten kann. Rotz tropft von seiner Nase auf die Bodenkacheln des breiten Korridors.

Der Weg führt sie durch einen Irrgarten aus Kisten, die man zu übermannshohen Türmen gestapelt hat, und mit Packfolie umwickeltes Mobiliar.

Links und rechts schlängeln und quetschen sich Arbeiter in Blaumännern vorbei. Da und dort vernimmt Bumann Gemurmel, hört das Quietschen ihrer Gummisohlen auf den spiegelglatten Bodenplatten, als sie vorbeihuschen.

Dann betreten sie Lagerraum I, Calottis Refugium, wo das Riesenbaby seinen Griff lockert und somit Bumann erlaubt, sich aufzurichten.

Der Raum ist bis auf die letzte Schraube leer geräumt. Helle Abdrücke auf den kahlen Betonwänden zeugen von entfernten Regalen oder Schränken. Der staubige Boden ist mit Schleifspuren und Fußabdrücken überzogen. Die klimatisierte Luft riecht nach Karton.

In einer Ecke sieht Bumann Stamm mit versteinerter Miene

und gefesselten Händen auf dem Boden hocken. Drei Kerle in dunklen Overalls, die denen der städtischen Berufsfeuerwehr gleichen, stehen in einem Halbkreis vor ihm und haben ihre Köpfe zur Tür gedreht. Ihre glatt rasierten Gesichter zeigen alle denselben undurchsichtig-stoischen Gesichtsausdruck.

Einer kaut auf einem Zahnstocher herum, setzt sich in Bewegung und geht am Riesenbaby vorbei durch die Tür, diesem dabei zunickend.

Das Riesenbaby entlässt Bumann aus seinem Fixierungsgriff und stößt ihm ins Kreuz. Bumann stolpert zu den beiden anderen Männern. Der linke fängt ihn wie einen zugeworfenen Ball ab, bevor er gegen die Wand kracht, und zwingt ihn, sich neben Stamm hinzusetzen.

Das Riesenbaby grinst hämisch, dreht sich um – und stößt um ein Haar mit Calotti zusammen, der hereingerauscht kommt. Riesenbabys Gesichtszüge frieren ein, während er sich achtungsvoll an dem hageren Ingenieur vorbeidrückt, als handele es sich um den Kaiser von China.

Calotti stolziert mit dieser Attitüde in den Raum, dicht gefolgt von dem Typen mit dem Sprechfunkgerät, einem gut gebauten Mittdreißiger im beigen Arbeitsoverall und einem sorgfältig gepflegten Walrossschnauzer.

Der Walrossschnauz schnippt mit den Fingern und kommandiert mit seiner Fistelstimme, die die ganze stattliche Erscheinung des Mannes konterkariert: »Gökhan, Steiner, helfen Sie den beiden auf die Beine. Sachte!«

Zwei Hände packen Bumanns Ärmel und ziehen ihn zurück auf die Füße. Seine Beine sind wabbelig, er lehnt sich an die Wand zurück. Neben ihm kämpft Stamm mit ähnlichen Problemen.

Ihre Schuldigkeit offenbar getan, salutieren Gökhan und Steiner, dann verlassen sie den Raum. Calotti und Walrossschnauz nähern sich, nachdem sie miteinander getuschelt haben.

Der Ingenieur zieht einen Kaugummi aus der Brusttasche seines Karohemdes und schiebt sich den Streifen in den Mund.

Rhythmisch kauend und mit vor der Brust verschränkten Armen betrachtet er seine Gefangenen für einen Moment nachdenklich. »Sie sehen scheiße aus, Bumann«, konstatiert er nüchtern.

In diesem Moment knackt das Funkgerät, und eine blecherne Stimme dröhnt: »Oberst Pasquinelli, bitte melden!«

»Hier Pasquinelli, ich höre«, antwortet der mit seiner Fistelstimme.

Bumann starrt wie hypnotisiert auf seine Oberlippe, wo der buschige Schnauz beim Sprechen rauf und runter tanzt.

Aus dem Funkgerät schnarrt es: »Wir haben die anderen beiden Eindringlinge gestellt. Der dicke Kerl aus dem Auto ist verwundet. Er wollte fliehen; wir mussten ihn rauszerren. Hat ordentlich was mit den Knüppeln abbekommen. Zurzeit wird er in der Hütte versorgt.«

»Verstanden, lassen Sie ihn zum Außenquartier ›Nordpfalz‹ abtransportieren. Den unversehrten Eindringling lassen Sie nach unten bringen. Und sperren Sie den Innenhof ab!«

»Verstanden, Herr Oberst. Ende.«

Pasquinelli lässt das Funkgerät sinken, begutachtet seine Gefangenen abwägend, öffnet den Mund, aber Stamm kommt ihm Reden zuvor. Er zischt: »Sie haben meinen Verwaltungsratskollegen zusammenschlagen lassen. Wie können Sie es wagen?«

Pasquinelli schnaubt verärgert.

Calotti gibt an seiner statt Antwort: »Sie sind Doktor Michel Stamm, nicht wahr? Der VR-Präsident?« Seine Lippen formen ein kleines, dreckiges Lächeln.

»Ja«, antwortet Stamm.

Calotti schnalzt mit der Zunge, dann fährt er fort: »Sehen Sie, Herr Stamm, Sie und Ihre Mitarbeiter sind illegal in diese Einrichtung eingedrungen, die seit zwei Wochen notabene wieder in Bundesbesitz ist und den militärischen Sicherheitsbestimmungen unterliegt. Ich fürchte, die Leute haben nur ihre Befehle ausgeführt. Befehle von hoher Stelle, möchte ich noch anfügen.«

»Bundeseigentum? Sie lügen!«, schreit Stamm. »Ein privates gepachtetes Forschungslabor und ein großspuriges Sicherheitsunternehmen, das den rechtlichen Rahmen sprengt …«

Weiter kommt er nicht.

Pasquinellis Hand schnellt vor und drückt ihm die Kehle zu. Stamm krächzt überrascht, windet sich, beginnt zu röcheln. Der Oberst hält ihn gepackt, bis ihn Calotti mit einer entsprechenden Geste zum Loslassen auffordert.

»Hier herrscht die Militärjustiz. Ich hoffe, Sie kapieren das jetzt«, knurrt der Oberst.

Bumann, der sich zum Eingreifen genötigt sieht, stammelt: »Hören Sie, Calotti … wir sind … Alles, was wir wollen, im Sinne unseres Vertrags natürlich, ist Ihre Stellungnahme zu gewissen beunruhigenden Ereignissen. Sie wissen, wovon ich rede.« Er fährt sich mit der Zunge über die trockenen Lippen. Seine verstauchte Hand schmerzt in der Fixierung der Kabelbinder wie verrückt.

Stamm, immer noch nach Luft ringend, keucht: »Sie wissen genau, was vor zwei Tagen in der Stadt passiert ist, also spielen Sie bitte nicht den Unwissenden und antw…!«

Pasquinelli hebt den Zeigefinger – Bumann zuckt unwillkürlich zusammen – und lässt ihn vor Stamms Nasenrücken kreisen. »Sie haben hier nichts zu verlangen, Zivilist.«

»Meine Herren, meine Herren … Herr Oberst, bitte …«, unterbricht Calotti. »Ich kann Herrn Stamms Entrüstung nachvollziehen, und er fragt ja sooo höflich.« Er schiebt Pasquinelli vorsichtig zur Seite. »Bitte, fahren Sie fort, Herr Stamm«, hakt er zuckersüß nach.

Stamm schluckt hörbar, dann fasst er zusammen: »Eine durchgedrehte Menschenmasse stiftete vorgestern in mehreren Läden der Stadt Verwüstungen an. Die ›Käufer‹ hatten es ausschließlich auf bestimmte Erdnüsse abgesehen, Körperverletzungen wurde dabei ohne Bedenken in Kauf genommen. Herr Bumann kann das als Betroffener bestätigen.«

Calotti kommentiert achselzuckend: »Ja, das steht in der Zeitung. Also?«

»Die einzige Schlussfolgerung: Es existiert noch mindestens ein weiterer aktiver Neurosender. Ein leistungsstärkerer als unserer, denn solche rücksichtslosen Anstürme kamen bei unseren Produkten nicht vor.«

Calotti erwidert: »Was wollen Sie denn genau wissen? Wann wir *Klein & Co* übernommen haben? Seit wann Dietmar Groth ein Teilhaber an der ›Einhelligkeit‹ ist?«

Hinter Calotti verzieht sich das Gesicht des Obersts schadenfreudig.

Bumanns Bauch verkrampft sich. In dem Moment weiß er es mit jeder Faser seines zerschundenen Körpers: Hier ist eine Grenze überschritten worden.

Wir sind in einem Niemandsland. Hier herrschen die Gesetze des Dschungels.

Stamm hat etwas gefragt, was Bumann nicht mitbekommen hat. Er registriert nur, dass der Tonfall unsicher klingt.

Calotti lacht, und Bumanns Sinne kehren in die Gegenwart zurück. Die verstauchte Hand schmerzt unerträglich.

»Richtig, Herr Stamm, vorgestern war es *ein* weiterer Sender. Ab morgen kommen noch ein paar dazu«, antwortet Calotti selbstzufrieden.

»Verdammt, Calotti, Sie machen sich auf infame Weise unhaltbar«, appelliert Stamm. »Niemand wird mehr Geschäfte mit Ihnen machen wollen oder Ihre Forschungen unterstützen. Und das hier ist Freiheitsberaubung. Wollen Sie wirklich einfahren? Außerhalb dieses Lochs hier gilt immer noch das Straf- und Zivilrecht.«

Pasquinellis Faust schnellt vor. Der Schlag trifft Stamms Oberlippe. Sie platzt auf, sein Hinterkopf kracht gegen die Wand. Benommen rutscht er in die Hocke. Seine Augen starren ungläubig einen Punkt auf Pasquinellis linkem Stiefel an. Aus seinem Mund hängt ein dünner blutiger Speichelfaden.

»Nicht in meiner Welt«, sagt Calotti.

Pasquinelli kichert, dann ruft er Richtung Tür: »Gökhan, Steiner, hereintreten!«

Die beiden Overallträger kommen so schnell in den Raum, als hätten sie die ganze Zeit nur darauf gewartet.

Pasquinelli weist an: »Bringen Sie die beiden zu Leutnant Weber. Es wird Zeit, dass wir …«

»Herr Bumann bleibt noch kurz. Erlaubnis von der ›Einhelligkeit‹«, korrigiert Calotti ihn. »Wenn Sie so freundlich sind.«

Der Oberst schaut ihn verwundert an, atmet durch, dann bedeutet er den beiden Soldaten mit Blick und Gesten, den Wunsch zu respektieren.

Gökhan und Steiner packen den Verwaltungsratspräsidenten unter den Armen und schleppen ihn wortlos weg. Stamm ächzt leise und brabbelt einige unverständliche Wörter, wobei er eine filigrane Blutspur auf den Boden geifert und bis zur Türschwelle noch einen halben Zahn ausspuckt. Ohne Vorwarnung erhält er dort einen schnellen, satten Nackenschlag von Gökhan.

Das Letzte, was Bumann von seinem Chef registriert, sind die Füße, die leicht zucken, als sie über die staubigen Kacheln geschleift werden und dann hinter dem sich schließenden Türblatt verschwinden.

Calotti hat stumm zugeschaut. Nun hebt er seine rechte Hand und schnippt mit Daumen und Mittelfinger direkt vor Bumanns Augen, der wie paralysiert auf die geschlossene Tür starrt. »Herr Bumann, Herr Bumann«, sagt Calotti wie ein Vater, der seinen widerborstigen Sohn zu tadeln beabsichtigt, »sehr unklug von Ihnen, hierherzukommen! Verständlich, aber unklug.« Er verschränkt seine Arme erneut vor der Brust und betrachtet Bumann eindringlich.

Pasquinelli neben ihm wirkt ungeduldig. Seine Hände ballen sich zu Fäusten, während er etwas in Calottis Ohr flüstert, was dieser mit einem Nicken quittiert.

»Wie gesagt, nur noch kurz, Herr Oberst«, sagt Calotti. »Bumann, ob Sie es mir glauben oder nicht, ich bedaure, dass Sie in dieser Situation stecken. Sie sind mir durchaus sympathisch. Sie sind uns bei der Lancierung unseres letzten großen Tests, unserer Generalprobe sozusagen, eine große Hilfe gewesen, wenn auch unwissentlich, selbstredend. Ein Jammer, dass wir Sie nicht ziehen lassen können – genauso wenig wie Ihre Begleiter, versteht sich.« Er macht eine Pause, konzentriert sich, scheint seine nächsten Worte abzuwägen. Auf der dünnen Haut seines knochigen Gesichts bilden sich kleine Denkfalten.

Bumann fühlt sich wie ein Versuchskaninchen, dessen Verwendungsnutzen kurz vor dem Ende steht und das schon den Mann mit dem Schlachtbeil näher kommen sieht. Sein Magen zieht sich zusammen, jede kleine Bewegung seiner rechten Hand jagt Schmerzenswellen durch seine Nerven. Dazu kommt dieser schreckliche Durst. Mit einer Zunge, die sich nur schwer vom Gaumen löst, flüstert er: »Was geht hier eigentlich vor?«

Pasquinelli scheint auf diese eine große Frage gelauert zu haben. Und er scheint zu ahnen, wie Calotti darauf reagieren würde. Er nimmt den Ingenieur rasch am linken Oberarm, schärft ihm ein: »Denken Sie an die Geheimhaltung! Diesbezüglich hat die ›Einhelligkeit‹ bestimmt keine Erlaubnis erteilt.«

Zum ersten Mal macht Calotti einen düpierten Eindruck. Er schüttelt Pasquinellis Hand ab und gibt kalt zurück: »Er bekommt eine Sonderbehandlung, was macht's also schon aus?«

Pasquinelli fixiert Calotti einen Moment lang. Sein Schnauz zittert an seiner Oberlippe. Schließlich spuckt er auf den staubigen Boden, bevor er mit seiner Fistelstimme bellt: »Wissen Sie was, Calotti? Ich nehme diesen Idioten jetzt mit und mach ihn bereit für den Abtransport, mit oder ohne Ihren Segen.« Er packt Bumann am Jackettkragen, zieht ihn unachtsam hoch und positioniert ihn dann so, dass er ihn wie eine Geisel vor sich hertreiben kann.

Calotti protestiert: »Herr Oberst, machen Sie ja nichts Unüberlegtes, die ›Einhelligkeit‹ hat Vetsch und mir …« Aber er wird von dem sportlichen Mann einfach zur Seite gedrängt. »Oberst, beruhigen Sie sich!«

Bumann hinkt auf Gummibeinen vor Pasquinelli her und kann das Tempo kaum halten, das der Oberst vorgibt. Nur wegen des eisernen Griffs seines Bewachers, der ihn aufrecht hält, fällt er nicht der Länge nach aufs Maul.

Zurück auf dem Korridor bekommt Bumann nun widerwillig einige Eindrücke mehr mit, die ihm im beschämenden Polizeigriff des Riesenbabys verwehrt geblieben sind.

Die Arbeiter haben die Kistentürme weitgehend abgetragen und sind nun mit dem Mobiliar beschäftigt. Sie laden es auf Paletten, die sie mit Hand-Gabelstaplern abtransportieren. Die offenen Türen zum Korridor hin – Bumann kann sogar kurz in den Überwachungsraum über dem Labor sehen – zeigen blanke Kammern.

Aus dem weit geöffneten zweiflügeligen Garagentor am Ende des Korridors zieht Bumann Abgasgeruch entgegen und vermischt sich mit dem Holzgeruch der Kisten, den Körperausünstungen und der eingeblasenen sterilen Luft.

Sie halten schließlich neben einem letzten Türmchen aus militärgrünen Holzkisten unmittelbar vor dem linken Torflügel, neben dem ein uniformierter Soldat mit Splitterschutzweste und Kevlarhelm breitbeinig Wache steht. Er hält eine Ordonnanzpistole in der linken Hand und salutiert mit der rechten, als Pasquinelli und Bumann vor ihm stehen bleiben. Bumann bemerkt dabei ein ihm unbekanntes Grenadiertruppenabzeichen auf dessen Oberarm.

Hinter dem Soldaten blickt ihm Regenmann entgegen, mit geschwollenem Auge und gefesselt an eine Kiste gelehnt.

8

Die beiden sitzen nebeneinander, jeder brütet über seinen Gedanken.

Bumann bemitleidet sich selbst und starrt auf den Rücken des Wachsoldaten, der manchmal einen beiläufigen Kontrollblick über die Schulter wirft, aber nun gerade mit zwei der Arbeiter eine seiner häufigen Zigarettenpausen macht.

Aus dem offenen Tor dringen Stimmen und der Lärm von laufenden Motoren. Die Abgasgerüche kitzeln Bumann in der Nase.

»Wir stecken tief drin«, sagt er leise.

Unaufgefordert arbeitet sich Regenmann näher und flüstert Bumann von so Nahem ins Ohr, dass der den Geißbart spürt: »Ja, weiß ich. Aber was soll das hier überhaupt? Und was macht dieses Scheiß-Sonderdetachement des Militärs hier?«

»Magie …«, murmelt Bumann gedankenverloren.

»Hä?«, grunzt Regenmann. Dann: »Genau, lass die Typen verschwinden!«

Sie lächeln kurz und mit stiller Verzweiflung. Schließlich wird Bumann schlagartig ernst.

»Dieser Apparat, der Neurosender …«, sagt er. »Der war wie ein Zauberkasten. Reale Magie. Magie ist sonst immer Illusion und manipuliert die Sinne der Zuschauer. Das hat mich früher fasziniert. Vielleicht habe ich deswegen Marketing studiert.«

»Ich dachte, du wolltest deinem Bruder mal eins auswischen.«

»Halbbruder«, berichtigt Bumann. »Und er ist in Ökonomie einfach talentierter als ich, so viel ist mir jetzt auch …«

»Ruhe oder es setzt was!«, knurrt der Soldat unvermittelt. Er hat sich umgewandt und sieht richtig verärgert aus. Er fixiert die beiden Gefangenen unter seinem Helm hervor. Dann zertritt er seine abgebrannte Kippe und dreht sich nach einem letzten warnenden Blick weg, um sich von seinem Rauchkumpan zu verabschieden.

Scheißkerl, denkt Bumann und flüstert sofort weiter, kaum

dass er sich nicht mehr beaufsichtigt fühlt. Seine Seele lechzt nach einer Beichte. »Als ich diese Radiowerbung hörte und zu einem … Süchtigen wurde, da ist viel kaputtgegangen. Ich meine, *wirklich* zu wissen, dass simple Technik deinen Willen lenken kann … wir sind ja andauernd jemandem ausgesetzt, der uns irgendwohin lenken will, das ist die Essenz einer Hierarchie, vermutlich der menschlichen Natur. Und des Marketings natürlich. Marketing, das ist Bedürfnisweckung und Lenkung. Und am schlimmsten ist Selbstmarketing, da täuscht man sich vor, ein toller Hecht zu sein, man täuscht sein Umfeld über Erfolg und Rückschlag, man täuscht die Kunden, dass sie das Glück in einer Plastikpackung kaufen können. Verdammt, man täuscht sogar die eigenen Bosse, wenn man fremde Ideen als die eigenen ausgibt …«

»Vielen Dank auch.«

»Die von Borer, du hattest ja nie welche«, sagt Bumann und schmunzelt. »Was ich plappern will … Manipulation ist allgegenwärtig. Da war es nur eine Frage der Zeit, bis jemand so etwas wie dieses Plastikding mit seinen Frequenzwellen entwickelt – der Wichstraum jedes Diktators. Vielleicht wollen wir ja auch alle …«

Regenmann keucht den Satz zu Ende: »… dass jemand für uns denkt.«

Beide schweigen betreten. Um sie herum fangen einige Männer an, die militärgrünen Kisten abzutragen und durch das Tor zu schleppen.

Unsere Zeit läuft ab, denkt Bumann; er spürt, wie ein aus Resignation geborener Weinkrampf aus ihm auszubrechen droht. Sein ganzer Körper bebt. Um den Tränen entgegenzuwirken, fragt er krächzend: »Hast du was rausgefunden, Tobias? Ich meine, in der Bruchbude oben?«

»Ich … hatte nur ein paar Minuten. Passwort wurde keines abgefragt. Aber da war eine Patrouille, weiß der Teufel, wo die auf einmal herkam. Ich hörte draußen Geschrei. Riccardo, ich bekam Panik, und dann … Scheiße noch mal!« Regenmanns

Augen werden feucht. Er muss sich sammeln, bevor er weitererzählt. »Ich habe an unsere Geschäfts-E-Mail-Adresse gesendet, was ich grad so finden konnte. Einige Aktennotizen betreffend Überwachungsrichtlinien, zwei Protokolle, fertig. Hab sie nur überflogen, sind teilweise schon zwei Jahre alt. Für mehr war keine Zeit, ich musste zum Fenster zurück. Aber da kamen sie bereits zur Tür herein …«

»Wenn ihr nicht augenblicklich die Schnauze haltet, schlag ich euch die Zähne ein, bevor ich euch kneble!«, donnert der Wachsoldat. Er ist schier lautlos an sie herangetreten und kreist nun spielerisch die Faust mit der Pistole.

Der hätte seine Freude daran, denkt Bumann unter einem kalten Schweißausbruch.

Der Wachsoldat packt Regenmann und zerrt ihn ein paar Schritte weg. Dann richtet er die Waffe auf Bumann. »Keinen Mucks mehr! Meine letzte Warnung!«

Bumann starrt auf seine Füße.

Wie komme ich verdammt noch mal aus dieser Situation wieder raus?, denkt er. *Wäre ich doch erfolglos geblieben, hätte man mich doch rausgeschmissen.*

»Auf die Beine mit den Kerlen!«, hört er da die wohlbekannte Fistelstimme befehlen.

Oberst Pasquinelli taucht neben der Wache auf und nickt ungeduldig in Bumanns Richtung. Er hat nun eine Mütze mit seinem Dienstgradabzeichen auf, die er tief in die Stirn gezogen hat.

Kurz darauf marschiert eine kleine Kolonne – zuvorderst Pasquinelli, dann Bumann, Regenmann und zum Schluss Steiner und Gökhan – durch das Tor und durch einen kahlen Verbindungskorridor entlang.

Sie kommen in eine unterirdische Halle, ungefähr zwanzig mal fünfzehn Meter, aus nacktem Beton, geschwängert mit den Gerüchen von Benzindämpfen, Abgasen und Holz. Am anderen Ende führt eine Auffahrt zur Straße hoch. Vier graue LKW mit Militär-Nummernschildern stehen in einer Reihe, die Ladeflächen der Kolonne zugewandt, und werden zügig von Arbeitern mit Behältern und eingepackten Möbeln gefüllt.

Der Lärm ist für Bumann kaum auszuhalten: knatternde Motoren und das Rumsen der Kisten, was derart hallt, dass die Kommandos und die spärlichen Flüche der Männer übertönt werden.

Pasquinelli schwenkt aus und umgeht die Lastwagen. Hinter der LKW-Formation befindet sich ein schwarzer Mercedes mit getönten Scheiben, auf den er die Gruppe zuführt.

Die Fahrertür öffnet sich, Nicolas Vetsch steigt aus. In einem gigantischen T-Shirt und breit geschnittenen Jeans, die selbst an seinem massigen Körper schlottrig wirken, watschelt er ihnen mit ernster Miene entgegen. Mit ihm zusammen, aus einer der Hintertüren, steigt ein weiterer Militär aus.

Pasquinelli lässt das Tempo verlangsamen, sodass beide Gruppen auf halbem Weg zwischen LKW und Mercedes aufeinandertreffen. Einen Moment lang stehen sie sich wortlos gegenüber, während der Militär, ein drahtiger Wachtmeister mit einer Knollennase, vor dem Oberst salutiert.

»Wachtmeister Lorentan, Herr Oberst«, stellt er sich vor, »Spezialdetachement Gilles, stationiert im ›Zentrum‹.«

Pasquinelli nimmt seinen Gruß ab und wendet sich dann an Vetsch: »Calotti und das ›Zentrum‹ teilten mir mit, dass Sie unsere Gäste persönlich verabschieden wollen«, übertönt er das Krachen in der Halle ohne Begeisterung.

Vetsch setzt seine Brille ab und beginnt, die verschmierten Gläser an seinem Shirt-Saum zu putzen. »Mehr als das, Oberst«, ruft er ungewohnt selbstbewusst. »Riccardo Bumann untersteht ab sofort meiner Aufsicht.«

Pasquinelli mustert Vetsch abwägend, dann Lorentan, der Vetschs Worte mit Mimik und Haltung bestätigt. Schließlich befiehlt er zackig: »Die Fesseln von Bumann lösen und in den Benz mit ihm! Steiner geht mit! Den anderen auf den nächsten Laster, der zur ›Nordpfalz‹ rausfährt!«

Gökhan packt Regenmann an den Schultern und zerrt ihn

weg. Regenmann protestiert weinerlich und bekommt als Entgegnung einen Schlag auf den Hinterkopf. Der dumpfe Ton und das folgende Wimmern wecken mehr Mitleid in Bumann, als er es bei seinem Arbeitskollegen für möglich gehalten hätte.

Dann zuckt er zusammen, als er den näher kommenden Lorentan ein Sackmesser aufklappen sieht.

Nervös verharrt er, als der Wachtmeister hinter ihn tritt, seine Handgelenke packt – zu allem Unglück hält ihn der Kerl ausgerechnet an seiner verletzten Rechten – und die Kabelbinder mit einem Ruck durchtrennt. Nun wird er von ihm und Steiner eskortiert, der seine Ordonnanzpistole aus einem Halfter unter dem Arbeitsoverall gezogen hat.

Durch die Kleidung spürt Bumann den Druck des Pistolenlaufs in der Nierengegend, als er zum Mercedes geführt wird. Dort zwingt ihn Steiner auf die Rückbank und befiehlt, dass er sich mittig platzieren solle, bevor er die Waffe wieder wegsteckt.

Der Wagen riecht neu, E-Klasse, frisch ab Werk. Er wackelt, als sich Steiner links neben Bumann setzt. Keine Sekunde später öffnet sich die zweite Hintertür, und Lorentan kommt dazu, wobei er sich dreimal vom Rücksitz hochstemmt und wieder hinsetzt, bis er es offenbar bequem genug hat. Er riecht nach einem Pfefferminzkaugummi, auf dem er nun geräuschvoll herumkaut.

Vetsch quetscht sich ächzend hinters Steuer. Bumann guckt auf seinen feisten Nacken.

Es ist schwierig zu verarbeiten, was er in diesem Augenblick für seinen ehemaligen Schulfreund empfindet. Enttäuschung natürlich, aber Bumann weiß, dass es mehr ist – eine Mischung aus Bestürzung, dem Gefühl des Betrogenseins und dem Eingeständnis, sich selber etwas vorgemacht zu haben, weil einem jemand, den man doch zu kennen glaubt, unvermittelt verborgene, unangenehme, ja geradezu abstoßende Charakterzüge offenbart.

Als habe Vetsch seine Gedanken gelesen, dreht er den Oberkörper und betrachtet Bumann mit einer Mischung aus Bedauern und Genugtuung. Leise und eindringlich sagt er: »Du wirst mich von einer neuen Seite kennenlernen, alter Freund. Ich entschuldige mich dafür im Voraus.«

Der Wagen gleitet über die Rampe auf ein aufgehendes Tor zu. Das Sonnenlicht blendet Bumann, doch als sie das Rampenende erreichen, taucht aus dem gleißenden Nichts eine sanierungsbedürftige Quartierstraße auf. Durch die Zwischenräume der gegenüberliegenden Backsteinruinen hindurch kann Bumann die Umfassungsmauer des einschlägigen Innenhofs erkennen. Sie befinden sich auf dem alten verlassenen Industriegelände, auf dem Bumann in jüngeren Jahren Partys mitfeierte.

Leise knirschend rumpelt das Garagentor hinter ihnen zu, während der Mercedes geschmeidig Fahrt aufnimmt.

Die Route durch das unkrautverwachsene Grundstück endet an einem massiven rostigen Gittertor. Daneben befindet sich eine Barackenruine mit einer nahezu fehlenden Stirnseite, deren löchriges Dach mit einer Zeltplane ausgebessert worden ist.

Der Wagen verlangsamt auf Schritttempo.

Unter der Plane sitzen drei Männer in den Uniformen einer Sicherheitsfirma an einem Campingtisch und schlagen sich offensichtlich die Zeit tot. Zwei von ihnen spielen Karten, der dritte raucht und legt gerade sein Smartphone zur Seite. Er steht auf, kommt auf den Wagen zu, linst rein, während er pausenlos pafft, dann geht er wortlos zum Tor und drückt einen Knopf. Rauch ausblasend winkt er den Wagen durch.

Als Vetsch beschleunigt, überkommen Bumann heftigere Magenkrämpfe als je zuvor. Er würgt und beugt sich nach vorne. Seine beiden Bewacher legen reflexartig die Hand auf seine Schultern, aber Lorentan räuspert sich angewidert und dreht den Kopf weg. Seine Kaugeräusche verstärken sich geradezu zu obszöner Lautstärke.

Bumann hustet etwas Magensäure, dann zieht ihn Steiner – bemerkenswert rücksichtsvoll – wieder gegen die Rückenlehne zurück. Bumann atmet tief durch, neben sich hört er Lorentans flaches Schnaufen, dann ein leises elektronisches Surren, als der die Scheibe herunterfährt.

Die frische Luft tut Bumann gut. Sein Magen beruhigt sich. Er atmet durch, kann wieder die Augen öffnen. Als Erstes sieht er Vetsch, der ihn im Rückspiegel betrachtet.

»Wir hätten nicht erwartet, dass ihr schon jetzt auftaucht, Riccardo. In zwölf Stunden wären wir über alle Berge gewesen. Wie dumm, dass dich unser finaler Feldversuch erwischt hat, nicht wahr?«

»Was soll das hier sein, Nicolas? Eine Verschwörung von Wissenschaftlern und Militärs? Kann ich nicht glauben.«

Steiner lacht heiser auf. Es klingt schabend wie das Geräusch von Schotter, der gemahlen wird.

»Du hast noch Politiker und progressive Personen des öffentlichen Lebens vergessen, Riccardo«, ergänzt Vetsch ernst.

»Seien Sie lieber still«, mahnt Lorentan, ohne seine Nasenspitze auch nur einen Millimeter aus dem Luftzug des Fensters zu nehmen.

Vetsch scheint durch den Einwand einen Moment perplex zu sein, beschwichtigt aber sofort: »Keine Sorge, Wachtmeister. Sie wissen ja, was nachher kommt.«

Sonderbehandlung, denkt Bumann schaudernd. Er hat den Ausdruck nicht vergessen, der nach Deportation und Vergasung klingt. Er blickt nach links, neben Steiners Kopf vorbei.

Sie befinden sich auf der Transitstraße durch die Außenquartiere der Stadt, wo eine der Autobahnauffahrten liegt.

Bumanns Nasenflügel zucken.

Soll ich über die Knie dieses verdammten Soldaten springen und versuchen, die Tür aufzumachen?, denkt er. *Die Tür wird aufgehen – oder auch nicht.* Aber er stürbe dann wenigstens bei einem Fluchtversuch anstatt irgendwo im Dreck, gefesselt auf den Knien, durch einen Genickschuss.

Bumann spannt seine Beinmuskeln an. Seine Handflächen sind nass, vielleicht rutschen sie bei seinem ersten Versuch ab.

Hab ich Zeit zum Nachgreifen?

Ein metallisches Schnappen unterbricht seine Überlegungen.

Wortlos streckt ihm Steiner ein Springmesser entgegen. Er hält die Klinge auf Bauchhöhe. Seine Hand bleibt ruhig, als er mit dem scharfen Metall kurz in Bumanns Schwimmring piekt.

Bumann jault entsetzt auf.

»Keine Dummheiten, Herr Marketing- und Verkaufsleiter. Du bist durchschaubar wie ein Wasserglas«, sagt Steiner mit seiner schabenden Stimme. Er zieht das Messer ein Stück zurück.

»Zeigen Sie doch, Herr Lorentan, was unseren Herrn Bumann erwartet«, sagt Vetsch in plötzlich erregtem Tonfall.

Der Wachtmeister schmatzt auf seinem Kaugummi herum, dann beugt er sich nach vorne und kramt eine Styroporschachtel unter dem Beifahrersitz hervor. Die Schachtel knirscht charakteristisch, als er die Finger an den Kanten einhakt und den Deckel hebt. Beim Anblick des kleinen schwarzen Kastens mit den roten Lämpchen ziehen sich Bumanns Poren zusammen. Er öffnet seinen Mund, bringt aber keinen Ton heraus.

Lorentan gluckste, dann streckt er die Packung in Bumanns Gesichtsfeld.

Der riecht den frisch verarbeiteten Kunststoff. Neben dem Sender befinden sich ein Kopfhörer und ein MP3-Player samt USB-Kabel in der Kiste.

Entsetzt wendet sich Bumann ab, Steiners knirschendes Lachen vergeblich ignorierend. Als Lorentan seine aufdringliche Demonstration beendet und die Styroporkiste auf seine Oberschenkel legt, kann Bumann den verdammten Plastikkasten immer noch riechen.

»Willst du mir nicht danken, Riccardo?«, fragt Vetsch. »Ich tue hier mehr, als die ›Einhelligkeit‹ eigentlich vorsieht. Wenn es nach diesen Herren hier oder Pasquinelli ginge, würdest du wie einige andere einfach spurlos verschwinden. Aber ich bin kein Scheusal, das Leben wird dir geschenkt, zu einem gewissen Preis, versteht sich. Ich meine, wo bleibt die Genugtuung, wenn alle, die meine wissenschaftliche Leistung bezeugen können, gleich eliminiert werden?«

Bumann kann das Schluchzen nicht mehr unterdrücken.

»Was ist mit dir nur geschehen?«

»Morgen, mein Lieber, morgen wird dieses Land seine größte Revolution erleben. Was mit mir geschehen ist? Ich habe gewisse Wahrheiten erkannt. Eine davon ist, dass dieses Land, ja dieser Kontinent, grundlegende Veränderungen braucht. Ich leiste meinen bescheidenen Beitrag.«

»Revolution?«, flüstert Bumann. Seine Nasenflügel zucken. Er wirft jedem seiner Entführer ungläubige Blicke zu, dabei registriert er, dass der Mercedes mit der Welle des Pendlerverkehrs über die Autobahn aus der Stadt schwappt.

Steiner spielt mit seinem Klappmesser herum und entgegnet Bumanns fragendem Blick mit herablassender Miene.

Lorentan macht den Neurosender funktionstüchtig. Schnell und konzentriert schließt er den Kopfhörer am Abspielgerät an, dann dieses mittels des USB-Kabels an dem schwarzen Kasten. Zuletzt fingert er an der Kastenseite herum und legt seine Hände nach getaner Arbeit andächtig auf das Gehäuse. Das erste rote Lämpchen an der Stirnseite hat zu leuchten angefangen.

»Morgen, Riccardo, wird die ›Einhelligkeit‹ aus dem Schatten treten. Du möchtest mehr wissen? Wir sind eine international verknüpfte und koordinierte Interessengemeinschaft. Sagen wir mal, eine Art Loge, diese Bezeichnung trifft es besser. Eine Loge, in der sich Brüder und Schwestern mit durchaus verschiedenen Gesinnungen vernetzen, geeint in der Sorge um den jetzigen Verlauf der Dinge auf der Welt. Und die einen gemeinsamen Zukunftsnenner haben: eine politisch-ökonomische Ordnung für alle UN-Staaten, die auf einer zentralen weisen Führung beruht. Selbst die Schweiz, direktdemokratisch renitent, wird sich diesem Konzept nicht mehr verweigern können.«

Das darf nicht wahr sein, das kann nicht sein. Dieser Gedanke braust in Bumanns Kopf.

»Das ...«, keucht er. »Das kann nicht funktionieren.«

»Funktioniert doch schon«, meint Steiner.

»Wir arbeiten seit Jahren daran, Riccardo«, redet Vetsch weiter. »In anderen Ländern und in Brüssel hat die ›Einhelligkeit‹ längst genügend Einfluss; Entscheidungsträger der sogenannten Elite folgen uns aus Überzeugung oder aus Notwendigkeit. Weitere Details sind nicht nötig. Die Schweiz muss allerdings wieder mal anders behandelt werden.«

»Das kann nicht funktionieren«, wiederholt Bumann. »Nicht überall, nicht bei allen Menschen.«

»Wir werden sehen. Eines musst du eingestehen: Fast alle Menschen suchen sich starke Persönlichkeiten, die ihnen sagen, was sie zu tun haben. Vielleicht strömen uns die Leute freiwillig zu, wer weiß? Es liegt in ihrer Natur.« Vetsch kichert. »Du kamst ja auch freiwillig.«

»Ihr habt mich getäuscht. Schamlos ausgenutzt!«, zischt Bumann in einem Empörungsanfall.

»Ruhig bleiben«, sagt Steiner trocken und lässt das Messer schnappen.

»Schon gut, Herr Steiner«, meint Vetsch, »ich kann Riccardos Frust verstehen. Aber ich musste es tun, mein Lieber. Der *Sender mit neurostimulierender Wirkung* ist das Ergebnis jahrelanger Forschung und Versuche. Die finanziellen Mittel waren kein Problem, und mithilfe unserer Logenmitglieder im Ausland haben wir auch das notwendige Know-how zusammengekratzt. Die machten Nachforschungen bis ins frühe 19. Jahrhundert zurück. Verrückt, nicht? In die Zeit, als die Psychiatrie noch in den Kinderschuhen steckte und tollkühne Seelen dachten, sie könnten das Hirn mit einem Stromstoß umprogrammieren … Dann war der Prototyp ausgereift. Die Labortests waren erfolgreich, nun hieß es, den Neurosender in einem großen Versuch an der Öffentlichkeit zu evaluieren. Enorm spannend! Was sind die Nebenwirkungen? Wie lange können Menschen den Frequenzen ausgeliefert sein, bevor ernsthafte Gesundheitsschäden auftreten? Wie präzise müssen verbale Anweisungen formuliert werden, dass die Beeinflussten sie wunschgemäß ausführen? Es ist die Feinjustierung, Riccardo, die zählt. Deine Firma ist für den Feldversuch optimal gewesen: mittelgroß, konservatives Warenangebot – nichts, was die Leute ums Verrecken wollen –, durchschnittliche Distribution, arge wirtschaftliche Schwierigkeiten, aber unbedarft und damit die perfekte Fassade. Und du warst der ideale Mann – erfolglos, aber in einer Schlüsselposition. Ich erinnere mich gerne an dich und an unsere Klassenzusammenkunft vor anderthalb Jahren. Warst damals die ärmste Sau auf Erden, hätte man meinen können. Nach ein paar Drinks hast du mich vollgeheult von wegen deines ausbleibenden Erfolgs, während dein Bruder – Entschuldigung, Halbbruder – durchstarte und dich vor deiner Familie lächerlich mache und so weiter … Du erinnerst dich schon.«

»Du bist ein Schwein, Nicolas.«

»Morgen, mein Lieber, morgen wird das keine Rolle mehr spielen. Dann wirst du wie ein dressierter Bär tanzen. Genau wie Werren.«

»Was?«

Lorentan fragt: »Das war der Säufer, der im Delirium einen Stepptanz gemacht hat, nicht wahr?« Er lacht hämisch. »War eine Gaudi bei der Überwachung, habe ich gehört.«

Bumann kennt die Geschichte schon, bevor Vetsch sie ihm erzählt.

»Der versoffene Werren war störrisch, aber mit der richtigen Frequenz und einem kleinen Propagandafilmchen für Alkohol, die wir durch seinen präparierten Anschluss jagten … et voilà, Problem ade! Und er hat wirklich getanzt oder so etwas Ähnliches, bevor er dann zusammenbrach. Ich hörte, er hat den Exzess überlebt? Oh … entschuldige mich jetzt, Riccardo, wir kommen unserem Ziel näher.«

Sie sind etwa zehn Kilometer der Autobahn gefolgt und in eines der ländlichen Täler gefahren, die südlich des urbanen Siedlungsgebiets liegen.

Vetsch nimmt die Ausfahrt und lenkt den Wagen auf eine Landstraße. Anschließend umfährt er das nächstgelegene Dorf, indem er auf eine Nebenstraße ausweicht und schlussendlich auf einen steilen, von Viehweiden und Äckern gesäumten Fahrweg abbiegt, der als Serpentine zu der bewaldeten Hügelkuppe hochführt.

Dann taucht der Wagen in die schattige Dämmerung des Waldes ein.

Vorsichtig kurvt Vetsch über die präparierten Waldwege, die bald in morastige Planierungen übergehen und eigentlich dem Forstverkehr vorbehalten sind. Manchmal hört man ein Scheppern an der Tür, wenn der Wagen Kies oder Zweige erfasst hat.

Bumann starrt apathisch auf Vetschs beginnende Glatze. In seiner Nase kitzelt immer noch der Plastikgeruch des Senders.

Da tritt Vetsch auf die Bremse und hält auf einer kleinen gerodeten Fläche. Vor ihnen verliert sich die Piste im verwachsenen Unterholz. Vetsch fährt im Schritttempo rückwärts und dreht das Lenkrad bis zum Anschlag. Der Wagen federt auf und ab. Die Reifen versacken im Morast; sie spulen einen kurzen Moment durch, wodurch Dreckspritzer die umliegenden Stämme besprenkeln.

Bumann und seine beiden Bewacher werden auf dem Rücksitz hoch- und nach vorne geschleudert. Lorentan schützt dabei den Neurosender, selbst als er seine Hände bräuchte, um seinen Kopf vor einem Aufprall gegen das Seitenfenster zu bewahren. Er flucht leise, als er sich anstößt.

Schließlich stehen sie. Vetsch dreht sich auf dem Sitz zu Bumann um. Neben diesem reibt sich Lorentan den Schädel, und Steiner sieht den Neurobiologen erwartungsvoll an, wobei er sein Messer endlich wieder in die Hosentasche zurückstopft.

Vetsch sagt ruhig: »Endstation.«

Auf dieses Stichwort hin öffnet Steiner die Wagentür und schwingt sich hinaus. Mit einer geübten Handbewegung greift er an seinen versteckten Halfter und zieht erneut die Pistole.

»Raus mit dir!«, fordert er Bumann auf, während sein Waffenarm anscheinend lasch an der Seite herunterhängt.

Lorentan gibt Bumann einen Knuff.

Wie ein Zombie gehorcht dieser. Er bemerkt kaum, dass er dabei in eine knöcheltiefe Pfütze tritt, die seine Lederhalbschuhe füllt.

Steiner, der zwei Schritte zurückgegangen ist, umklammert den Pistolengriff nun mit beiden Händen und wartet in Kontaktstellung.

Bring mich doch einfach um, denkt Bumann.

»Pfropfen Sie ihm die Stöpsel ein!«, hört Bumann Vetsch befehlen.

Er bewegt keinen Muskel, als Lorentan ihn unsanft am Kopf packt und die Order ausführt.

Bumanns Welt ist jetzt gefiltert. Dumpf hört er Vögel pfeifen, das Unterholz knacken, Rascheln im Dickicht, die Stimme von Vetsch. Er blickt stumm auf den Pistolenlauf vor ihm. Dann legt jemand die Hand auf seine Schulter. Das feiste Gesicht von Vetsch kommt in sein Blickfeld.

»Keine Angst, Riccardo, du wirst auf das Programm stehen! Wir haben die Frequenz auf Maximalstärke erhöht, was bei regelmäßiger Anwendung bleibende Gehirnschäden verursachen würde. Aber keine Sorge! Einmaliges Anwenden sorgt lediglich für eine Beeinflussung, die eine ganze Nacht anhalten wird. Wird zwar nicht einfach sein, in einem stockdunklen Wald Champignons zu finden, aber du hast ja nichts Besseres zu tun.« Er klopft Bumann auf die Schulter. »Leb wohl, Riccardo. Morgen wird alles anders sein.«

Eine Stimme beginnt, durch den Kopfhörer zu parlieren. Blumige Worte, man merkt dem Besitzer jedoch die mangelnde Übung als Sprecher an; er erinnert Bumann einen Sekundenhauch lang an seine eigene Rolle im Keramikwaren-Werbespot. Die Begeisterung ist gekünstelt, die Tonlagen wirken nicht authentisch. Dennoch wird Bumann sofort in den Bann gezogen. Die tiefe Stimme erzählt immerzu über den naturnahen Spaß, den das Suchen und das Klassifizieren von Pilzen, insbesondere des heimischen Waldchampignons, mit sich bringe.

»Es ist meine Stimme, Riccardo, erkennst du sie?«, schaltet sich Vetsch von ganz weit weg ein. »Als Kind habe ich Kassetten mit meinen eigenen Hörspielen besprochen. Waren dilettantisch und von anderen Geschichten abgekupfert, dennoch erinnere ich mich gerne daran. Hatte bei deiner Aufnahme fast wieder dieselbe Freude.«

Champignons!

Bumanns Synapsen laufen heiß. Seine Gedanken beherrscht ein einziger Wunsch.

Oh ja, Waldchampignons!

Seine Mundhöhle füllt sich mit schaumigem Speichel, sein Blick rast über die Lichtung. Als er sich niederknien will, wird er jedoch von zwei groben Händen festgehalten. Er windet sich und jault. Seine feuchten Lederhalbschuhe scharren in der Erde wie ein Stier, der angreifen will.

Waldchampignons!

Weit weg hört er jemanden sagen: »Gut, Herr Steiner, halten Sie ihn fest! Noch zehn Sekunden!«

Und die tiefe Stimme erzählt unbeholfen weiter. Waldchampignons, das Beste, was die Natur jemals hervorgebracht hat.

Bumanns Körper ist bis auf die letzte Faser angespannt. Sein Herz rast. Er zappelt in seiner Umklammerung. Vergebens. Die Hände halten ihn eisern. Der Geruch … *oh mein Gott, der Geruch!* Erdig, pilzig, so schwer zu umschreiben, aber so einmalig. Und er hängt überall zwischen den Ästen der Bäume, er strömt aus dem Humus unter ihm.

Endlich lässt man ihn los.

Jemand reißt ihm mit einem Ruck den Kopfhörer aus den Ohren, aber die eintönige Stimme echot in seinem Kopf weiter und strahlt ihre Nachricht bis in die hinterste Hirnwindung aus.

Mit vorgebeugtem Oberkörper und ausgestreckten Armen rennt Bumann über die Lichtung und lässt sich, als er den grünen Wall des Dickichts erreicht, mitten im Lauf auf die Knie fallen. Er pflügt dabei ein Stück durch den matschigen Boden, sodass seine Oberschenkel Dreck vor sich herschieben wie eine Baggerschaufel. Dann fängt er an, im Boden zu scharren.

»Sachte, Riccardo, sachte!«, spottet die tiefe Stimme, dieses Mal hinter ihm. »Waldchampignons wachsen an der Oberfläche, so als erster Tipp. Du suchst keine Trüffel! Such im Schatten, auf sich zersetzender Biomasse!«

Gelächter schallt zu ihm herüber, als er mit dem Graben aufhört und beginnt, die Wurzeln eines nahe gelegenen Baums penibel zu untersuchen – was bedeutet, dass er auf den Knien jeden Zentimeter davon abtastet und beschnüffelt.

Hinter ihm knallen Autotüren. *Seid still, ihr vertreibt mir die Champignons!*

Der Motor wird angelassen. Das Aufheulen überdröhnt die pittoresken Waldgeräusche. Dann fährt der Mercedes.

Bumann spürt, wie Schlammbrocken auf seinen Rücken regnen. Seine Kleider sind durchfeuchtet, aber …

Champignons!

Während das Motorengeräusch allmählich verschwindet, betastet Bumann jeden einzelnen Quadratzentimeter. Der Geruch des Waldes wird von demjenigen der Pilze assimiliert.

Und daneben, schwach, apokalyptisch und höhnisch, diese seltsame tiefe Stimme, die irgendwo in den Tiefen seines Gehirns orakelt: »Morgen, mein Lieber, morgen …«

9

Es dämmert im Osten.

Durch Bumanns Rücken dringt die Kühle des Waldbodens, über ihm drückt die Helle der ersten Sonnenstrahlen durch seine geschlossenen Augenlider. Er fröstelt trotz der wieder aufkommenden Sommerschwüle.

Er öffnet die Augen.

Im schwachen Licht des neuen Tages wippen die Blätter eines Ahornbaums. Er stöhnt auf, als er seinen Kopf ein wenig hebt – gerade so hoch, dass er an seinem Körper entlangsehen kann.

Sein Hemd und sein Anzug sind dreckverkrustet und feucht, der Hosensaum zeigt Auflösungserscheinungen. Seine verstauchte rechte Hand ist auf das Doppelte ihres ursprünglichen Umfangs angeschwollen, seine Arme weisen frische Kratzwunden auf, seine Fingernägel sind angerissen oder abgebrochen. Sein Magen rumort und drückt wie ein schwerer Klumpen auf die Wirbelsäule. Sein Gaumen lechzt nach einem Schluck Wasser. Und der Knöchel, der einmal von seinem dämlichen Halbbruder gebrochen wurde, schmerzt, als sei Alessio ein weiteres Mal mit jenem berüchtigten Stein vorbeigezogen.

Als er sich konzentriert, füllt sich das schwarze Loch in seinem Gedächtnis zaghaft mit Erinnerungsfetzen.

Seine Nasenflügel zucken – und schmerzen. Irgendetwas hat ihm eine filigrane Schnittwunde an der Mund-Nasen-Partie beigebracht. Er streicht behutsam mit den Fingern darüber. Sein Gesichtsabrieb besteht aus getrocknetem Blut, Schlamm und etwas, was wie Kohle aussieht.

Kohle?

»Habe ich meine Fresse in eine Feuerstelle gedrückt?«, fragt er sich halblaut und spuckt daraufhin mehrere Male aus. In seinem Mund herrscht ein bitterer Geschmack. *Champignons? Kohle? Erde? Blätter?*

In seinen Zahnritzen kleben winzige Rindenstücke, die er mit seinen abgerissenen Fingernägeln unter dumpfen Schmerzen herauszufischen versucht. Erfolglos.

Als er aufgibt und sich auf die Knie wuchtet, fährt ein teuflisch schmerzhafter Stich durch den Klumpen in seinem Magen. Er kann gerade noch seinen Kopf zur Seite drehen, bevor er erbricht wie noch nie in seinem Leben. Dann sinkt er kraftlos auf den Rücken zurück.

Sein Magen schmerzt pochend, während sein Gesicht in der morgendlichen Wärme zu brennen beginnt. Er klappert mit den Zähnen und würgt gleichzeitig. Schließlich unternimmt er einen weiteren Versuch, sich aufzurichten – sein Verdauungstrakt zeigt wiederum kein Verständnis.

In immer neuen Brechschüben entledigt er sich all der unverdaulichen Dinge, die er im Laufe der Nacht in sich hineingestopft haben muss.

Er keucht und würgt, und als endlich das letzte Stückchen Rinde, die letzte Beere und möglicherweise tatsächlich Pilze in einer übel riechenden, schleimigen Soße unter ihm im Humus versickern, klingen die Magenschmerzen endlich ab.

Bumann fühlt sich so erleichtert, dass er sogar einen Moment lächelt.

»Morgen, mein Lieber, morgen …!«

Nicolas Vetschs Stimme durchzuckt ihn wie ein Stromstoß. Er keucht heftig, seine Arme fühlen sich auf einen Schlag schwächlich an, knicken ein und lassen ihn um ein Haar in seine Kotze sacken.

Diesem Schicksal entkommt er, indem er sich auf die Seite abrollt. Als er sich die verstauchte Hand an einer Wurzel stößt, entfährt ihm ein Schmerzensschrei; leise heulend vergräbt er sein Gesicht in der Armbeuge. Nach ein paar Minuten hat er sich wieder unter Kontrolle und sieht sich zaghaft um.

Sanfter Dunst von den Blättern und Halmen wabert in der aufgeheizten Luft. Die Farnstauden dominieren mit ihrem würzigen Duft das Geruchsklima.

Da glaubt Bumann irgendwo im Wald ein höhnisches Lachen zu hören.

Morgen ist heute!

Er kriecht zwei Meter weit zum nächsten Baum. Beim zweiten Versuch gelingt es ihm, sich trotz wackliger Beine daran hochzuziehen. Schweiß fließt über sein Gesicht, brennt in den Augen und seinen Kratzern.

Als er sich orientiert, bemerkt er, dass er nur etwa zwanzig Meter vom Waldrand entfernt ist. Er sieht grüne Hügelkuppen durch die licht stehenden Stämme. Und er vernimmt sanftes Glockengebimmel aus Richtung Tal. Er schöpft Atem, dann hinkt er steifhüftig und viel zu langsam für seinen Geschmack auf den Waldrand zu.

»*Morgen, mein Lieber … Revolution!*«

Die Welt erscheint ihm unverändert, als er dem Kuhglockengeläute von einer nahe gelegenen Weide und dem dumpfen Autobrummen von der Autobahn in der Talsohle lauscht.

Ermattet stapft er aus dem Unterholz auf die schmale Teerstraße, die den Hügel hinabführt. Der Morgen ist wunderschön; die Sonne scheint, und es bläst ein schwacher, angenehm kühlender Wind durch den Wald hinter ihm. Da horcht er auf.

Wassergeplätscher!

Erst jetzt wird ihm wieder bewusst, wie stark der Durst in seiner Kehle brennt. Wann hat er das letzte Mal etwas getrunken? Gebannt folgt er dem verheißungsvollen Geräusch.

Unterhalb der Böschung, auf der Weide, wird er fündig: eine zinkene Viehtränke hinter einem Elektrozaun, die durch eine Rohrleitung gespeist wird. Ein paar Kühe trotten mit ihren Kälbern gemächlich auf dem zertrampelten Gras herum, saufen und fressen.

Bumann geht ächzend auf die Knie. Dann lässt er sich die Böschung hinunter- und unter dem Zaunkabel hindurchrollen. Er kugelt mitten in den sumpfigen Dreck, den zahllose Hufe rings um den Wassertrog gestampft haben. Die Tiere stieben mit bimmelnden Glocken auseinander und muhen Protest.

Bumann ignoriert sie. Seine Kehle brennt unerträglich. Es macht ihm dieses Mal wenig aus, dass seine Hand teuflisch schmerzt, als er sich zum Aufstehen auf ihr abstützt.

Als er endlich trinken kann, wird ihm vor Glück schwindelig. Er schluckt und schluckt, bis sein Magen randvoll ist, dann spült er sich den Mund aus. Den scheußlich pelzigen Geschmack auf der Zunge wird er allerdings nicht los.

Dennoch richtet er sich gestärkt auf und streckt sich, sodass seine Gelenke hörbar knacken. Er schlüpft aus dem zerschlissenen Jackett, an dem der rechte Ärmel nur noch an wenigen Fäden hängt, und schmeißt es neben eine Kuh, die den Mut wiedergefunden hat und im Begriff ist, zur Tränke zurückzutrotten. Nur eine Sekunde später fliegt dem Tier auch die eingerissene Krawatte entgegen, die am linken Horn hängen bleibt. Irritiert schüttelt die Kuh den Kopf, bis der Stofflappen in den Morast segelt und in einer Pfütze verschwindet.

Als Bumann sich zum Gehen wendet und die Kuh endlich ihr Maul in den Trog tauchen kann, quillt Vetschs Stimme aus seinem Unterbewusstsein.

»Morgen, mein Lieber, morgen …!«

Bumann flucht laut und schließt seine Hände um den elektrischen Viehzaun. Der Stromstoß und sein Zorn helfen, das Arschloch im Doktorkittel in seinem Kopf buchstäblich wegzuschlagen.

»Halt die Klappe, du Hurensohn!«, brüllt Bumann dem Waldrand entgegen.

Seine Stimme lässt die Kühe erschrocken den Kopf heben, die Kälber flüchten gar einige Meter. Aus dumpf dreinblickenden Augen beobachten sie, wie sich Bumann wieder auf die Teerstraße zurückkämpft.

Langsam wankt er talwärts auf das Dorf zu.

Was soll ich tun? Die Polizei rufen? Zur Presse gehen? Den restlichen Verwaltungsrat informieren? Wo sich wohl Stamm und Helfenberg befinden? Und Regenmann erst!

Schneller als erwartet erreicht er den Hügelfuß. Als er nach einer letzten Straßenschlaufe auf die ersten Einfamilienhäuser stößt, erstarrt er mitten im Schritt.

Die Bewohner – Alte, Männer, Frauen und Kinder – sitzen oder stehen vor ihren Grundstücken auf der Straße. Bumann sieht nur Rücken und Hinterköpfe; alle schauen von ihm weg in Richtung Dorfkern.

Keiner redet. Keiner lacht. Keiner macht ein Geräusch oder eine Bewegung. Keines der Kinder weint, quengelt, zappelt oder treibt Schabernack. Sie sind aufgestellt wie die berühmte Terrakotta-Armee des ersten Kaisers von China und stehen für Bumann Spalier.

Zögerlich kommt er näher und hat dabei das Gefühl, dass seine Hoden in der taufeuchten Anzughose schrumpeln. Er hält sich in der Straßenmitte und versucht krampfhaft, jede der Gestalten vor ihm gleichzeitig im Sichtfeld zu behalten. Als er mit den ersten Dorfbewohnern, einem jungen Paar mit zwei kleinen Mädchen, auf gleicher Höhe ist, stoppt er und tritt nervös an sie heran.

Die Frau, eine attraktive Endzwanzigerin mit langen braunen Locken, steht im Morgenmantel hinter dem Briefkasten. Ihre Hände stützt sie auf dem Aluminiumstahl ab. Ihr Ehemann, ein athletischer Kerl in einem grauen Geschäftsanzug ohne Krawatte und nachlässig zugeknöpft, flankiert sie. Seine getragene Aktentasche wirkt wie mit seiner Hand verwachsen. Die beiden Mädchen sitzen hinter ihnen auf dem kurz geschorenen Rasen des Gartens, die Beine angezogen, die Arme darum geschlungen, und starren Löcher in die Rücken ihrer Eltern. Neben ihnen liegt ein Radioempfangsgerät.

Die ganze Familie wirkt wie ein Stillleben. Nur die sich rhythmisch bewegenden Brustkörbe und der gelegentliche Augenaufschlag verraten, dass die Leute nicht aus Wachs sind. Bis jetzt haben sie von Bumann keine Notiz genommen.

Er grüßt den Mann, wobei er vor Aufregung stottert.

Keine Reaktion.

Bumanns Nasenflügel zucken. Er hebt seine gesunde linke Hand und schnippt dem Mann mit seinen Fingern direkt vor dem Gesicht herum.

Endlich bewegt sich dessen Kopf, langsam, steif, sehr puppenhaft. Bumann schaudert, als sich ihre Blicke kreuzen. Die Augen sind entrückt und ohne Feuer. Scheinbare Murmeln, kein organisches Gewebe, das ihn da betrachtet.

»Verzeihen Sie«, stößt Bumann hervor, »aber können Sie mir verraten, was Sie alle hier tun?«

Der Mann öffnet seinen Mund und schnarrt wie eine Maschine: »Abstimmen.«

»Wie bitte?«

»Hören Sie Radio! Gehen Sie abstimmen!«, antwortet der Mann, sieht ihn einige Sekunden starr an – oder vielmehr durch ihn hindurch –, dann fügt er entschieden an: »Sie sind angewiesen, das *Politische Programm* zu hören. Es ist Ihre Bürgerpflicht!«

»Wie bitte?«, wiederholt Bumann ungläubig.

»Hören Sie Radio«, schnarrt der Mann und kommt näher, sodass Bumann seinen Atem riechen kann. Ungeputzte Zähne. Bumann weicht zurück.

Plötzlich bewegt sich die Frau, die bis jetzt keinen Wank gemacht, ja mit nichts darauf hingewiesen hat, dass sie Bumann überhaupt wahrnimmt. Ihre Hände rutschen wie kraftlos vom Briefkasten herunter, dann schreitet sie steif neben ihren Mann. Ihr hübsches Gesicht verzieht sich nicht. Auch sie scheint durch Bumann hindurchzusehen, als sie krächzt: »Gehen Sie nach Hause! Warten Sie, bis die Post Ihnen die Abstimmungsunterlagen bringt. Es ist Ihre Pflicht, abzustimmen!«

Der Mann hebt seinen Arm und legt die Hand schwer auf Bumanns Schulter. Die Bewegung wirkt abgehackt und ungelenk. *Als habe ihm jemand von hinten in den Ärmel gegriffen und steuert nun seinen Arm fremd,* schießt es Bumann durch den Kopf.

Der miefende Atem des Mannes ist schwer erträglich, aber die monotone Stimme hat nun einen lauernden Unterton: »Hören Sie die falsche Frequenz, Mitbürger?« Der Mann packt daraufhin fester zu, die Hand schließt sich um Bumanns Fleisch wie eine Klaue.

Bumann schreit auf, mehr vor Abscheu als vor Schmerz. Er

versucht, sich dem Griff zu entwinden, als Schritte hinter ihm über den Asphalt scharren.

»Der Mitbürger vergisst seine Pflichten«, nuschelt die Stimme eines alten Mannes in seinem Rücken, heiser und akzentlos.

»Der Mitbürger hört nicht die Frequenz«, stellt eine Halbwüchsige schrill fest.

Die Schritte kommen näher. Bumann spürt Körperwärme in seinem Nacken.

Instinktiv holt er aus und donnert sein rechtes Knie in die Weichteile des Kerls, der ihn festhält.

Der Mann schreit nicht. Er stößt vielmehr ein Stöhnen aus, das durch zusammengepresste Zähne zischt und sich dann mehr und mehr in ein Fauchen verwandelt. Er geht in die Knie, dann zwingt der Schmerz seinen Oberkörper in die Krümmung.

Bumann starrt eine Sekunde zu lang auf dieses verrückte Schauspiel.

Jemand wirft sich von hinten gegen seinen Rücken, schlingt die Arme um seinen Hals und hängt sich mit dem ganzen Körpergewicht daran.

Bumann wird die Luftzufuhr abgeschnitten. Er torkelt, versucht, mit der unverletzten Linken die Arme des Angreifers von seiner Kehle zu lösen.

Vergeblich. Die Person an seinem Hals zieht diese immer fester an.

Bumann sieht Farbschlieren vor seinen Augen tanzen. Röchelnd geht er zu Boden. Er klatscht bauchvoran auf den heißen Asphalt. Er fühlt den rasselnden Atem seines Angreifers gegen seinen Hinterkopf wogen.

Und dann sind sie alle über ihm.

Hände betatschen sein Gesicht und seinen Körper. Sie greifen nach ihm und zerren ihn hoch.

Er strampelt und würgt, dann endlich gibt der Angreifer seinen Hals frei.

Jede seiner Extremitäten wird von mindestens zwei Personen festgehalten. Mühelos drehen sie ihn um und heben ihn mit dem Gesicht nach oben über ihre Köpfe; er sieht aus wie ein toter Märtyrer in den Tagesschaubeiträgen über islamische »Heldenbeerdigungen«.

Als er den Kopf wendet, sieht er den Angreifer, der gerade noch an seinem Hals gehangen hat. Es handelt sich um ein pubertierendes Mädchen, dessen ausdrucksloses Gesicht wieder mit dem Visagenkollektiv der Dorfbewohner verschmilzt.

Ein Jüngling, der sich schräg unter Bumanns Kopf befindet und dessen linken Arm mitfixiert, sagt zu ihm: »Es ist nur zu Ihrem Besten, Mitbürger. Das *Politische Programm* wird helfen.«

Als Antwort zappelt und schreit Bumann panisch.

Der Jüngling monologisiert ungerührt weiter: »Unser Land wird gerettet werden. Jeder muss Radio hören. Jeder muss das *Politische Programm* hören!«

Wie aufs Stichwort tauchen die beiden Töchter des Mannes mit dem grauen Anzug neben ihm auf und halten mit vereinten Kräften ihr Radio hoch.

Ein vielstimmiges Raunen geht durch die Menge, als das größere Mädchen den Drehknopf an der Seite des Kastens betätigt. Augenblicklich ertönt eine kräftige pathetische Stimme, untermalt von einer klassischen Symphonie, und verliest offenbar eine Art Regierungserklärung:

»... Radio SRF mit einer Sondermeldung. Gestern Abend hat die Vereinigte Bundesversammlung in einer außerordentlichen Session der Parlamentarischen Initiative einer Gruppe von Nationalräten zugestimmt, die eine weitgehende Verfassungsänderung verlangt. Diese Vorlage wurde mit zweihundertsechsundvierzig Ja- zu null Neinstimmen angenommen und tritt im Rahmen einer Übergangslösung sofort in Kraft. Die neue Verfassung sieht eine beträchtliche Stärkung der Exekutive und die Schaffung eines obersten Amtsinhabers vor. Die Exekutive besitzt nun ein Vetorecht bei der Ausarbeitung von Gesetzesentwürfen und zukünftigen Verfassungsänderungen sowie das Recht zum Einsatz von notstandsdinglichen Maßnahmen ohne Einsprache- und Referendumsmöglichkeit, das es ihr beispielsweise erlaubt, Justizfälle von nationaler Bedeutung zu übernehmen und die Machtbefugnisse innerhalb der nationalen Staatsgewalten und Behörden neu zu gewichten. Von der Verfassungsreform erhofft sich die Vereinigte Bundesversammlung die baldige Lösung von innen-, außenpolitischen, sozialen und ökonomischen Problemen. Das Volk wird dazu noch seine Zustimmung geben, um den Anmaßungen von ausländischen Staatsmännern oder Gruppen betreffend die Rechtmäßigkeit der Verfassungsänderung entgegenzutreten.«

An dieser Stelle wird der Pressesprecher von einer anderen Stimme abgelöst, deren Inhaber kurz als »Ökologe, Nationalrat und Politexperte Herr Professor Augusto Calotti« vorgestellt wird:

»Vom wirtschaftlichen Standpunkt gesehen sind diese Maßnahmen längst überfällig. Nur mit neuen Verfassungsparametern können wir adäquate Schritte für eine fortschrittliche Politik einleiten, das Wirtschaftswachstum fördern und den Standort Schweiz retten. Ebenso können damit unsere gesellschaftlichen Probleme – soziale Ungerechtigkeit, Kriminalität, Überfremdung, Umweltschutz und vor allem die europäische Assimilation – endgültig gelöst werden. Unterm Strich wird die Schweiz weltoffener, wettbewerbsfähiger und sicherer. Aus der Sicht des Parlaments bringt das nur Vorteile.«

»Vielen Dank für diese kurze Beurteilung, Professor Calotti«, meldet sich der pathetische Sprecher wieder zurück. »Und nun ein offizieller Aufruf an die Bevölkerung: Da die neue Verfassung sofort in Kraft treten soll, werden bereits am heutigen Dienstag die Abstimmungsunterlagen per Expresspost in der ganzen Schweiz verteilt. Ab Dienstagnachmittag sind die Urnen geöffnet. Per Notstandsverordnung ist es die Bürgerpflicht jeder Schweizerin und jedes Schweizers, an diesem Abstimmungsgang teilzunehmen. Warten Sie in ihrer Wohnung oder auf ihrem Grundstück, bis die Unterlagen in Ihrer Gemeinde ausgeliefert werden. Sobald Sie Ihr ›Ja‹ angekreuzt haben, gehen Sie Ihren alltäglichen Pflichten nach. Vergessen Sie nicht, alle drei Stunden Ihr Radio wieder einzuschalten, um die neusten Nachrichten zu erhalten! Vergessen Sie nicht, noch uninformierte Mitbürger anzuhalten, sich das *Politische Programm* auf SRF anzuhören. Sie sind mit allen Mitteln dazu zu bringen, die richtige Frequenz einzustellen. Dies ist Ihre Bürgerpflicht! Auf eine gloriose Zukunft! Hoch lebe die neue Schweiz in einem neuen Europa! Hoch lebe das Volk …«

Kurzes Klicken und Rauschen.

»… Radio SRF mit einer Sondermeldung«, fängt der pathetische Sprecher wieder an, dieses Mal auf Französisch.

Irgendjemand von weiter unten an der Straße ruft: »Die Post kommt! Mitbürger, die Post kommt! Der Wagen biegt von der Hauptstraße ab!«

Mit heftigem, fiebrigem Gemurmel lässt der Mob Bumann fallen und wieselt geschlossen, wie ein einziger Organismus, den asphaltierten Abhang hinunter.

Bumann ist mit dem Rücken auf die Straße geknallt. Dort bleibt er liegen, seine Augen starren regungslos in den blauen Himmel. Seine Arme und seine Beine zucken wie bei einem Nervenleiden.

10

Mit halsbrecherischem Tempo brettert Bumann über die Autobahn. Den Wagen hat er sich kurzerhand aus der Garage des Mannes im Anzug geholt; niemand nahm Notiz von seinem Diebstahl. Der Mann, seine Familie und auch die restlichen Anwohner drängten auf den Postexpresswagen ein, sobald der sich gezeigt hatte.

Es ist ein sonniger, heißer Tag im August.

Bumann umfährt zahlreiche Unfallstellen. Weit und breit ist weder Polizei noch Sanität zu sehen, dafür zahlreiche Blutende und Verletzte, die stoisch in beide Richtungen pilgern, sofern sie sich noch auf den Beinen halten können.

Bumann weicht ihnen wie bei einem Slalomrennen aus.

Sie wollen alle nach Hause, so schnell wie möglich. Bumann fühlt Verständnis. *Sie erfüllen ihre Bürgerpflicht, die Verletzten, die Polizisten, die Rettungssanitäter, genau wie es sein muss.*

Bumann empfindet Stolz auf seine Mitbürger; es sind gute Menschen mit einer guten Regierung. In seinen Adern brennt das Bedürfnis, ab- und zuzustimmen, wie es ihm geheißen worden ist.

Alle fühlen so, das weiß Bumann. Selbst die, die nicht mehr gehen können, weil sie irgendwo reingerauscht oder überfahren worden sind, die Schmerzen ertragen müssen oder auf dem Teer der schönen Schweizer Nationalstraßen verbluten, fühlen die Richtigkeit ihres Tuns. Sie sterben bei der Ausübung ihrer Pflicht.

Was für eine großartige Regierung, die ein solches System schafft! Meine Stimme haben sie beim Urnengang ganz sicher. Wir sind eins. Wir sind einhellig.

Als Bumann die Silhouette der Stadt näher kommen sieht, meldet sich wie aus einer Gruft tief in seinem Innern eine merkwürdige Stimme, die leise stichelt: »*Morgen, mein Lieber, morgen …*«

Bumann stutzt eine Sekunde lang wie bei einem Geräusch, das

er noch nie zuvor im Leben vernommen hat. Die merkwürdige Stimme kommt aber nicht wieder.

Ein Blinzeln später hat er sie bereits vergessen.

Das einzig Vordringliche ist seine Bürgerpflicht. Er drückt aufs Gas.

»Abstimmen«, murmelt er, während die Stadtskyline immer näher kommt und er versehentlich einen der Wanderer auf der Autobahn streift, der dadurch seitwärts wegkatapultiert wird.

Auch das hat er einen Augenblick später wieder vergessen.

»Nach Hause … warten … abstimmen … abstimmen.«